MÉLANGES
DE SANGS

Dans la collection

Robert Pépin présente…

Lawrence BLOCK
Entre deux verres

Michael KORYTA
La Rivière Perdue

T. Jefferson PARKER
Signé : Allison Murrieta

Craig RUSSELL
Lennox

Roger **SMITH**

MÉLANGES DE SANGS

Roman traduit de l'anglais par Mireille Vignol

calmann-lévy

Titre original (États-Unis) :
MIXED BLOOD

© Roger Smith, 2009
Publié avec l'accord de Henry Holt and Company LLC.,
New York, États-Unis

Pour la traduction française :
© Calmann-Lévy, 2011

Couverture :
Rémi Pépin, 2011
Photo de couverture :
© Robert Daly/Stone/Getty Images

ISBN 978-2-7021-4179-3

Pour Sumaya

Debout sur la terrasse de la maison qui surplombait Le Cap, Jack Burn regardait le soleil se noyer dans l'océan. Le vent se levait de nouveau, une brise du sud-est qui lui rappelait le Santa Ana de son pays. Un vent qui transformait les nuits en fournaise, mettait les nerfs en pelote et finissait par mêler les flics et les secouristes aux mauvaises décisions que prenaient les gens.

Burn entendit le grondement d'une voiture sans pot d'échappement qui s'arrêtait en dérapant. Les percussions sourdes des caissons de basse déversaient du gangsta rap. Pas une bande-son habituelle dans ce quartier blanc huppé des pentes de Signal Hill. La voiture recula à toute vitesse, puis s'arrêta une nouvelle fois, plus près. On coupa le moteur et le rap fut interrompu en plein « enculé d'ta mère ». Burn se pencha, mais sous cet angle, pas moyen de voir la voiture.

Susan l'observait de l'intérieur de la maison ; les baies vitrées étaient ouvertes sur la terrasse.

— À table.

Elle fit demi-tour et disparut dans l'obscurité.

Burn entra et alluma les lumières. La maison était propre et moderne, toute en angles durs. À l'image du gamin de riche allemand qui la leur louait pour six mois pendant qu'il était parti à Stuttgart regarder mourir son père.

Susan apporta le rôti de la cuisine ; elle marchait cambrée, les pieds écartés, avec le dandinement typique des femmes à la grossesse avancée. Elle était belle. Petite, blonde, avec un visage qui démentait obstinément ses vingt-huit ans. Son énorme ventre mis à part, elle n'avait absolument pas changé depuis sept ans. Il se souvint du moment où il l'avait vue pour la première fois : l'impression qu'on lui coupait le souffle, étourdi à l'idée qu'il allait l'épouser. Et c'est ce qu'il avait fait, moins de six mois plus tard, en noyant leur différence d'âge dans une plaisanterie.

Susan n'avait pas changé en apparence, mais elle n'était plus la même. Elle avait perdu sa légèreté ; son rire facile n'était plus qu'un souvenir. Ces derniers temps, elle semblait en communion perpétuelle avec l'enfant qu'elle portait. C'est ainsi qu'elle en parlait : de « son » enfant. De sa fille. Comme si Burn et Matt appartenaient à une autre espèce, extérieure à ce duo exclusif.

Burn trancha le filet avec un couteau à découper et du sang coula sur la planche. Parfait. Saignant, comme ils l'aimaient tous. À plat ventre devant l'écran plasma, Matt regardait la chaîne de dessins animés. Comme à la maison.

— Allez, viens manger, lui dit Burn.

Matt s'apprêtait à rouspéter, mais il se ravisa et vint s'asseoir à table, habillé d'un simple short bouffant. À quatre ans, il était blond comme sa mère, mais on devinait qu'il hériterait de la carrure de son père.

Susan était assise et leur servait la salade.

— Va te laver les mains, dit-elle à Matt sans le regarder.

— Elles sont pas sales, répondit-il en montant sur une chaise. Il lui tendit les mains pour qu'elle les inspecte.

Elle l'ignora. Elle ne le faisait pas exprès, c'était comme si elle n'était plus sur la même longueur d'ondes que son fils. Comme s'il lui rappelait trop son père.

Burn essaya de croiser le regard de Susan, pour la faire revenir à eux. Mais elle fixait son assiette.

— Obéis à ta mère, dit-il gentiment à Matt et ce dernier partit à la salle de bains en traînant ses pieds nus.

Burn découpait le rôti quand les deux métis entrèrent par la terrasse. Ils portaient tous les deux des fusils qu'ils braquaient à angle droit, comme dans un film d'action. Rien qu'à les entendre rire, Burn sut qu'ils carburaient aux amphés.

***

Le soir où les ennuis commencèrent, Benny Mongrel[1] observait la famille américaine depuis la terrasse de la maison voisine. Le type qui buvait du vin, la blonde entraperçue, le gamin qui courait entre la terrasse et la maison, la baie coulissante ouverte sur la chaude nuit d'été. L'instantané d'un monde qu'il n'avait jamais connu.

Il partageait son temps entre la prison et la liberté depuis l'âge de quatorze ans. Sans en être certain, il estimait qu'il en aurait bientôt quarante. C'est en tout cas ce qu'indiquait sa carte d'identité. L'année d'avant, lors de sa remise en liberté conditionnelle de la prison de Pollsmoor après une peine de seize ans, il avait juré qu'il n'y retournerait jamais. À aucun prix.

C'est pour ça qu'il assurait le service de nuit sur ce chantier. Le salaire était dérisoire, mais avec la gueule qu'il avait et les grossiers tatouages de prison taillés dans son corps décharné et mat, il pouvait s'estimer heureux d'avoir un boulot. On lui avait donné une matraque de caoutchouc et un uniforme noir trop grand pour lui. Et une chienne. Bessie. Une bâtarde comme lui : moitié rottweiler, moitié berger allemand. Elle était vieille, elle puait, ses hanches étaient fichues et elle passait le plus clair de son temps à dormir, mais c'était le seul être qu'il avait jamais aimé.

Benny Mongrel et Bessie se trouvaient au dernier étage de la nouvelle maison à ciel ouvert quand il entendit la voiture. Elle était réglée pour faire du bruit, comme ça se faisait dans les Cape Flats. Il s'approcha du balcon et regarda en contrebas. Une BMW rouge de série 3 du début des années quatre-vingt-dix fonçait dans sa direction, bien trop vite. Le chauffeur freina brusquement au pied du chantier où il travaillait, les pneus larges dérapant sur un tas de sable et la voiture faisant une queue de poisson avant de s'arrêter. La

1. Soit Benny Bâtard. *(N.d.T.)*

BMW recula pour s'aligner à l'entrée de la maison en construction. L'homme au volant coupa le contact et le hip-hop se tut.

Tout devint très silencieux. Benny Mongrel entendit Bessie siffler dans son sommeil. Puis le cliquetis du moteur qui refroidissait. Il était tendu. Il éprouva un vieux sentiment qu'il ne connaissait que trop bien.

Debout, invisible, il observa les deux hommes descendre de voiture. Sous le lampadaire, il voyait suffisamment clair pour reconnaître à leurs casquettes à l'envers, à leurs baggys et à la bannière étoilée au dos de la veste du plus grand des deux, des membres du gang des Americans, le plus important des Cape Flats.

Ses ennemis naturels.

Il les attendit de pied ferme. Il posa sa matraque et sortit son couteau de sa poche. Il l'ouvrit. S'ils montaient, il les ferait passer dans l'autre monde.

Mais ils se dirigèrent vers la maison voisine. Benny Mongrel regarda le grand faire la courte échelle au petit qui grimpa sur la terrasse comme un singe. Puis il tendit la main à son pote. De là où il était, Benny Mongrel ne pouvait pas voir la famille américaine, mais il l'imagina attablée, les baies vitrées ouvertes sur la nuit.

Il referma son couteau et le rangea dans sa poche.

Bienvenue au Cap.

***

Susan tournait le dos aux deux hommes. Elle avait vu l'expression sur le visage de Burn et se retourna. Elle n'eut pas le temps de crier. Le plus proche d'elle, le petit, la bâillonna avec sa main et lui braqua son fusil sur la tête.

— T'as ma parole, si tu fermes pas ta gueule de salope, je te descends, bordel.

Accent dur, guttural. Bras maigres et couverts de tatouages de gang.

Le grand fit le tour de la table et agita son fusil devant Burn.

Qui posa le couteau de découpe et leva les mains au-dessus de la table, bien en vue. Et tenta de garder une voix calme.

— Bon, on ne veut pas d'ennuis. On vous donnera tout ce que vous voulez.

— T'as tout compris. D'où vous êtes? demanda l'homme qui le menaçait.

Il était dégingandé comme un joueur de basket.

— Nous sommes américains.

— Nous aussi, lui renvoya le petit en ricanant.

— Ja, on est tous américains ici. On fait tous partie d'une grande famille sacrément heureuse, pas vrai?

Le grand poussa Burn avec la gueule de l'arme et se plaça derrière sa chaise, à sa droite.

Le petit fit lever Susan.

— Dis donc, on tient une maman.

Burn le regarda passer la main sous la robe de Susan, lui attraper l'entrejambe et serrer. Il vit les yeux de sa femme se fermer.

***

C'était une coïncidence, purement et simplement.

Quelqu'un avait dit à Faried Adams que sa petite copine Bonita vendait son cul à Sea Point alors qu'elle était censée rendre visite à sa mère à l'hôpital. Ça ne dérangeait pas Faried qu'elle fasse de nouveau le trottoir, mais ça le dérangeait énormément qu'elle ne partage pas ses revenus avec lui. Il voulait prendre la salope sur le fait.

C'est ainsi que cette grande perche de Faried était allé frapper à la porte de son pote bas du cul, Ricardo Fortune. Rikki vivait dans un des immeubles du ghetto de Paradise Park, où la lessive pendouille à des fils tendus de part et d'autre des allées et où les escaliers puent la pisse. Rikki avait une voiture. Mais il avait aussi une épouse, Carmen, qui couinait comme une truie à propos de tout. C'est pour ça que Rikki lui distribuait des claques à longueur de journée. Faried faisait pareil; d'ailleurs cette salope de Bonita allait, elle aussi, se prendre un œil au beurre noir ce soir même. Et elle aurait de la chance si ça s'arrêtait là.

Faried et Rikki avaient pris la BMW jusqu'à Sea Point après que Faried eut glissé quelques dollars dans la main de Rikki. Ils avaient

sillonné plusieurs fois la rue des putes, enfoncés bien profondément dans leurs sièges, en marquant le rythme de la musique de Tupac. Quelques métisses faisaient le trottoir, toutes trop maquillées et vêtues de robes qui leur couvraient à peine la plomberie, mais aucun signe de Bonita.

— J'en ai plein le cul, mec, avait fini par décréter Rikki. Tirons-nous.

— Je vais te dire ce qu'on va faire. Roule jusqu'à Bo-Kaap. On ira voir mon cousin Achmat. On reviendra plus tard et on réussira peut-être à coincer Bonnie en train de sucer une bite de Blanc.

— Je veux pas aller à Bo-Kaap, mec, avait répondu Rikki en hochant la tête. Je préfère rentrer chez moi.

— On se fumera une ampoule et on reviendra plus tard.

— Achmat aura de quoi fumer ?

— Non, mais j'ai ce qu'il faut sur moi.

— Et c'est maintenant que tu me le dis, bordel ?

Rikki avait brusquement fait demi-tour, sans s'occuper du taxi-bus qui dut freiner à fond.

Rikki s'était lancé dans Glengariff Road et avait braqué à gauche dans High Level Road, le chemin le plus rapide pour aller à Bo-Kaap. Mais son portable, un Nokia minuscule récemment volé à un touriste sur le Waterfront, s'était mis à beugler les premières notes de *Me Against the World* de Tupac. Rikki l'avait repêché dans son pantalon cargo, avait regardé qui lui téléphonait, et dévié l'appel sur sa boîte vocale. Putain de Gatsby. Le gros flic voulait de l'argent. De l'argent que Rikki n'avait plus.

Distrait, il avait dépassé le croisement et se retrouvait sur les pentes de Signal Hill.

— T'as raté High Level Road, lui avait dit Faried.

— Je sais. Je vais couper.

Rikki avait descendu à toute vitesse une route étroite, surplom-bée de villas cossues. Puis il avait freiné brutalement et s'était arrêté en dérapant.

— Bordel de merde ! avait hurlé Faried.

Le grand échalas s'était cogné la tête au plafond. Rikki avait fait marche arrière.

— T'as ton *gun* ?

— Dis, ta mère, elle porte une petite culotte ? lui avait renvoyé Faried en tapotant le colt dans sa ceinture. Pourquoi tu me demandes ?

Rikki avait coupé le contact et la musique.

— Entrons là, avait-il dit en lui montrant une maison avec une terrasse en bois au-dessus du garage.

Faried l'avait dévisagé.

— Bordel, mais t'es devenu complètement fou, frangin ?

— Vite fait, bien fait. Ces maisons sont pleines de beaux trucs. On en profitera peut-être pour s'amuser un peu.

Rikki avait souri en dévoilant ses dents pourries.

— On se fume une ampoule et on y va.

Après un moment de réflexion, Faried avait haussé les épaules.

— Et pourquoi pas, nom de Dieu ?

Il avait sorti de sa poche sa réserve de cristal meth et une ampoule électrique évidée. Puis, avec l'aisance du geste bien rodé, il avait versé le cristal dans l'ampoule qu'il tenait à bout de doigts. Rikki avait allumé son briquet sous la base et quelques secondes plus tard, Faried aspirait une énorme bouffée de meth. C'est le bruit de tik-tik dans l'ampoule qui avait donné le surnom de « tik » au cristal meth dans les Cape Flats. Faried avait gardé la fumée dans ses poumons et passé l'ampoule à Rikki, qui aspira. Et souffla une volute de fumée.

Rien de tel que la drogue d'Hitler pour donner envie de faire la fête.

***

Le petit, celui qui avait la main sous la robe de Susan, se tortillait de manière obscène en frottant ses hanches contre elle. Sa bouche entrouverte laissait voir des dents noires. Susan ouvrit les yeux et fixa Burn.

Le type derrière Burn rit.

— On va bien s'amuser ce soir.

C'est alors que Matt revint en courant dans la pièce. Les deux hommes se tournèrent vers le garçon qui s'arrêta en dérapant et les dévisagea.

C'était l'instant dont Burn avait besoin. Il pivota sur sa chaise, saisit le couteau à découper sur la table et le plongea de moitié dans la poitrine du grand. Le sang gicla de son cœur crevé. Burn se leva, agrippa l'homme avant qu'il tombe et s'en servit de bouclier. Et sentit l'échalas encaisser la balle tirée par le petit. Puis il le poussa de côté, se lança, et saisit le petit par le bras qui tenait l'arme. Son poids les envoya tous les deux par terre. Burn tordit le bras du petit et l'entendit se casser. Le fusil claqua sur le carrelage.

Susan recula. Burn donna un coup de genou dans les couilles de l'intrus, qui se replia comme un ver en position fœtale. Burn regarda par-dessus son épaule. Le grand était mort, son sang atteignait presque les orteils nus de Matt. Son fils regardait la scène, tétanisé.

Burn tendit le bras vers un couteau à steak posé sur la table.

— Fais sortir Matt d'ici, dit-il à Susan.

— Jack...

— Fais-le sortir !

Susan traversa la salle à la hâte, attrapa le garçon et disparut dans le couloir des chambres.

Burn s'empara du couteau, s'agenouilla sur le petit homme, qui le regardait, les yeux écarquillés.

— On voulait rien faire de mal, m'sieur...

Burn hésita brièvement, puis il se baissa et lui trancha la gorge.

CHAPITRE 2

Carmen Fortune nourrissait Sheldon, son fils de quatre ans. Allongé dans un petit berceau, il agitait ses membres atrophiés, ses yeux aveugles tournant dans leurs orbites. La nourriture lui dégoulinait de la bouche.

Né avec trois mois d'avance, il ne voyait pas, était difforme et avait de graves lésions cérébrales. Personne ne savait comment ni pourquoi il avait survécu. À part Carmen. Elle savait que Dieu l'avait maudite. Il s'était assuré que chaque fois qu'elle regarderait son fils, elle se souvienne de tout le tik qu'elle avait fumé pendant qu'elle le portait. Sheldon était le rappel constant de l'enfer qui l'attendait.

Si l'État ne lui avait pas versé une pension mensuelle, elle lui aurait mis un oreiller sur la tête et personne n'aurait pu le lui reprocher. Mais sa saloperie de nullité de mari, Rikki, fumait tout l'argent qu'il arnaquait ou volait.

Après tout, bordel, en enfer, elle y était déjà. Non, honnêtement, comment les choses auraient-elles pu empirer?

Carmen avait vingt ans, mais en paraissait trente. Son visage était bouffi et meurtri par la dernière raclée qu'elle avait reçue. Rikki la frappait parce qu'elle ne parvenait pas à lui donner un enfant normal, un enfant qu'il puisse fièrement exhiber devant ses potes pour prouver qu'il n'engendrait pas seulement des mutants. Parce que c'est ainsi qu'il appelait son fils : un putain de mutant.

Les docteurs avaient prévenu Carmen : son utérus était fichu, elle ne pourrait plus avoir d'enfants. Elle n'en avait pas parlé à Rikki. Il l'aurait tuée. Mieux valait supporter les raclées.

Quand elle entendit frapper à la porte, elle sut que ça ne pouvait être que ce gros salopard de Blanc pour cogner aussi fort.

— Tonton Fatty[1] ! hurla-t-elle à un vieillard maigre comme un clou, vêtu d'un simple slip crasseux et avachi devant la télé.

Il buvait à même le sac d'un cubi que sa bouche édentée tétait comme un sein.

— Tonton Fatty, va ouvrir cette putain de porte, merde !

Il marmonna une réponse, mais ne bougea pas.

Les coups persistaient. Carmen s'enveloppa de sa robe de chambre, s'approcha de la porte et ouvrit. Le corps gras et puant de Gatsby occupait toute l'embrasure.

— Il est sorti, lui dit Carmen.

Le flic blanc en civil l'écarta et entra. Sans un mot, il traversa le petit salon, passa la tête dans la cuisine et entra dans l'unique chambre à coucher. Elle entendit claquer les portes de l'armoire et un bruit de verre cassé. Puis il ressortit en sifflant comme un concertina à deux balles.

Carmen se tenait les mains sur les hanches.

— Qu'est-ce que je vous disais ? lança-t-elle au flic blanc.

— Où est-il ?

Gatsby s'approcha tout près d'elle, son haleine putride lui balayant le visage. Il avait des restes de nourriture dans la moustache.

— Qu'est-ce que j'en sais, moi, nom de Dieu ? Il est parti avec Faried. En voiture.

— Pour aller où ?

— J'en sais rien.

Gatsby l'épingla contre le mur. Dieu qu'il puait.

— Raconte-moi tout.

— Ils ont dit que la copine de Faried faisait la pute à Sea Point.

— C'est tout ?

— Oui, c'est tout. Et à quoi on joue, là ? Au *Maillon faible* ?

Gatsby la toisa.

— Pas étonnant qu'il te rosse. T'as une gueule de chiotte.

1. Soit Tonton Gras-Double. *(N.d.T.)*

— Et toi tu pues pareil.

Gatsby leva le poing. Elle ne cilla pas.

— Vas-y, frappe-moi, espèce de salaud. Je suis rodée.

Il poussa un soupir asthmatique et baissa la main.

— Dis à cet enculé de Rikki que je veux mon fric. Et ce soir, encore.

— Bonne chance, lui renvoya-t-elle en hochant la tête.

Gatsby claqua la porte, elle la verrouilla. Tonton Fatty avait perdu connaissance dans une flaque de pisse. Carmen entra dans sa chambre et s'aperçut que le gros Boer avait brisé la glace.

« Les hommes, songea-t-elle en s'asseyant sur le lit, j'aimerais les voir tous crever. »

***

Burn lava le sang de ses mains dans l'évier de la cuisine. Tout en s'essuyant, il écoutait attentivement. Rien. Pas de cri, pas de sirène, pas de voisin inquiet tambourinant à la porte. Il passa à côté des cadavres pour aller dans les chambres et ferma la porte du couloir derrière lui. Il trouva Susan et Matt dans la chambre principale, blottis ensemble sur le lit. Susan berçait leur fils.

Matt le regarda par-dessus l'épaule de Susan.

— Papa…

— Je suis là, Matty, dit Burn en s'asseyant sur le lit. Tout va bien. (Il tendit la main et lui caressa les cheveux. Il savait qu'il ne pouvait pas éviter le regard de sa femme plus longtemps.) Et toi, ça va ?

— À ton avis ? lui répondit-elle en le fixant des yeux.

Burn tendit la main vers son visage. Elle recula.

— Non.

Il baissa la main. Elle avait un regard tourmenté.

— Qu'est-ce qu'on fait maintenant ? demanda-t-elle.

— Je vais nettoyer. Me débarrasser des… me débarrasser d'eux.

— Comme ça ? Et puis quoi, on oublie tout ? On va à la plage demain matin ?

Elle avait les yeux rivés sur lui.

— J'ai fait ce que j'avais à faire, dit-il.

— C'est ton mantra, n'est-ce pas, Jack? Et tu n'en démords pas. Ses yeux pleins de haine restaient fixés sur lui.

— Je suis désolé, dit-il en se levant.

— Désolé de quoi? Qu'on ne soit plus à la maison? Que tu nous aies entraînés dans un endroit où des animaux pareils... (Elle s'interrompit, hocha la tête, les yeux fixés sur lui.) Ou alors... que tu sois devenu comme eux?

Il détourna le regard, il ne trouvait aucun mot à lui offrir. Il fallait s'occuper du nettoyage. Elle lui parla au moment où il arrivait à la porte.

— Jack.

L'urgence dans sa voix disait une peur différente.

Il se tourna vers elle. Elle fixait une tache de sang qui coulait entre ses jambes sur la couette blanche.

— Bon Dieu, Jack, je suis en train de la perdre...

***

Benny Mongrel, accroupi, sortit ses papiers Rizla+, une blague de tabac Dinglers aromatisé à la cerise de la poche de son uniforme et se roula une cigarette avec le doigté précis de l'habitué. Il n'avait pas lâché des yeux la maison de l'Américain depuis que les deux hommes avaient escaladé la terrasse et disparu à l'intérieur. Il n'avait rien vu d'autre. Il n'avait entendu qu'un seul coup de feu.

Le bruit avait réveillé Bessie qui s'était levée et mise à gémir doucement. Benny Mongrel lui avait posé la main sur la tête pour la calmer.

— Chut, Bessie. Tranquille.

La vieille chienne avait poussé une autre lamentation, puis s'était effondrée sur le béton en soupirant et y était restée, un œil ouvert.

Assis, Benny Mongrel attendait et observait. Il attendait de voir les gangsters ressortir de la maison et s'enfuir dans la nuit au volant de la BMW rouge. Mais il n'y avait aucune trace des hommes. Ni de l'Américain ou de sa famille.

L'Américain qui l'avait appelé « monsieur ».

Benny Mongrel avait répondu à de nombreux noms : « bâtard », « boschiman », « ordure » et, pendant de longues années, « détenu numéro 1989657 ». Des Blancs en costume l'avaient traité de « menace à la société ». Des métis ensanglantés l'avaient appelé « frangin » en implorant sa pitié. Il n'en avait aucune à leur offrir. On lui avait craché à la gueule des malédictions de caniveau depuis qu'il avait été arraché du ventre d'une femme qu'il n'avait jamais connue. Mais personne, jamais, ne l'avait appelé « monsieur ».

Avant l'Américain.

Un soir, Bessie et lui se promenaient devant le chantier, la vieille chienne traînant les pattes arrière, quand un petit gamin blanc s'était précipité sur eux. Il n'avait d'yeux que pour Bessie et avait tendu la main pour la caresser. Incertain de la réaction de l'animal, Benny Mongrel avait tiré sur la laisse, mais la chienne avait remué la queue et s'était montrée docile comme tout tandis que l'enfant caressait sa fourrure emmêlée.

Puis le Blanc s'était approché. Il venait d'ouvrir la porte d'entrée de la maison voisine, une forteresse aux murs élevés, comme toutes les autres dans la rue, quand le gamin s'était précipité sur le chien.

— Hé, Matt. Vas-y doucement, avait-il dit.

Il parlait comme un personnage des feuilletons télé que les autres prisonniers regardaient à Pollsmoor. Américain. Il ressemblait aussi un peu aux acteurs de ces programmes – il était solide et avait un visage bien propre et quelques traces de gris dans ses cheveux noirs.

Il avait beau être près de sept heures du soir, le soleil était encore haut dans le ciel et quand il avait levé les yeux sur Benny pour la première fois, le gamin avait clairement distingué ses traits. C'est à ce moment-là qu'il s'était désintéressé de la chienne et avait fait un bond en arrière, comme s'il avait vu la pire chose au monde. Il était resté planté là, les yeux braqués sur Benny, incapable de bouger. Il avait ouvert la bouche pour crier, mais il n'avait réussi qu'à pleurnicher.

Le grand type avait cueilli l'enfant et l'avait tenu le visage contre son épaule. Puis il avait regardé Benny Mongrel droit dans son bon œil.

— Je suis désolé, monsieur. Je vous prie d'excuser mon fils.

Benny n'avait rien dit. Il était resté à regarder ce Blanc qui n'affichait aucune réaction, qui n'avait pas même cillé en découvrant l'horreur de ce qui lui restait de visage sur le côté gauche. Cela faisait plus de vingt ans que Benny Mongrel vivait à l'intérieur de ce merdier d'os difformes et de peau rouge et balafrée. Il s'en fichait. Son visage lui avait été utile. Il lui avait bien servi dans sa vie.

La plupart des gens réagissaient comme le gamin quand ils découvraient son visage, mais l'Américain lui avait tendu la main.

— Je m'appelle Jack. J'habite à côté.

Benny Mongrel n'avait jamais serré la main d'un Blanc et n'était pas près de commencer. Il avait tiré sur la laisse de Bessie, sifflé un petit coup pour la faire bouger et avait regagné le chantier.

Mais quelque chose l'avait intéressé chez ces Américains. Il avait commencé à les observer du dernier étage du chantier : lui, le grand mec, sa petite femme blonde et le gamin. Chez eux ou quand ils partaient dans leur Jeep de luxe.

Benny Mongrel finit de rouler sa cigarette. Il l'alluma, le feu de l'allumette éclairant son visage ravagé. Il aspira la fumée tiède au plus profond de ses poumons et la soufflait dehors lorsqu'il entendit la sirène.

L'ambulance monta jusqu'à la maison en hurlant et deux infirmiers en sortirent. Le portail du mur du jardin s'ouvrant automatiquement, ils s'engouffrèrent à l'intérieur. Puis ils évacuèrent la Blanche. La placèrent dans le véhicule et s'en allèrent. En laissant le gyrophare allumé, mais la sirène éteinte.

Benny Mongrel attendit. Perplexe. Où étaient les gangsters ? Et les flics ?

Puis la porte du garage se leva et le grand type sortit en marche arrière. La porte se referma. Quand la Jeep passa au-dessous de lui, Benny vit le garçon attaché dans son siège à l'arrière.

Benny se releva et gagna le bord du balcon. Il regarda la BMW en contrebas, puis la maison voisine. Bessie apparut à ses côtés et lui lécha la main.

Il lui caressa la tête et murmura.

— Je crois qu'ils sont passés dans l'autre monde, Bessie.

***

L'inspecteur Rudi Barnard, connu sous le nom de Gatsby dans les Flats, conduisait sa Toyota blanche dans la capitale mondiale du viol et des assassinats, l'envers de la carte postale touristique du Cap. La nuit était saturée de la musique habituelle des Cape Flats : sirènes, bribes de hurlements et de rires, coups de feu et hip-hop à plein tube. Les Flats étaient l'endroit où on avait largué tous ceux qui n'étaient pas blancs à l'époque de l'apartheid, loin des banlieues huppées suspendues comme des bijoux autour de la Montagne de la Table. Une plaine morne et désolée, tarabustée par le vent et la poussière.

Même quand il ne faisait pas chaud, Barnard transpirait, mais en cette nuit de janvier, la sueur qui dégoulinait de ses bajoues collait sa chemise à sa panse de sumo. Il roulait avec toutes les vitres de la Toyota baissées, mais là, dans les Cape Flats, l'air pesait aussi lourd qu'un cadavre de putain.

Rudi Barnard aimait Jésus-Christ, les *gatsbies* et tuer. Et quand il était dans les Flats, c'est ce dernier amour qu'il ressentait le plus intensément.

Le renouveau chrétien – avec sa simplicité qui ressemblait à des slogans d'autocollant – lui convenait tout à fait. Il priait tous les matins au réveil. Puis il écartait les fesses – grosses comme des airbags –, appliquait la Préparation H sur ses hémorroïdes, enfilait un jean et une chemise à carreaux achetée dans le magasin XXL, bouclait son pistolet de service Z88 9 mm et partait rendre une justice de cow-boy au nom de notre Seigneur Jésus-Christ.

Une image importune du corps de Carmen Fortune lui apparut – poitrine et cuisses à peine couvertes par la nuisette. Il repoussa l'image. Il ne savait plus à quelle date remontaient ses derniers rapports sexuels avec une femme. Avant que sa salope d'épouse ne finisse par le quitter. Il ne la regrettait pas, la baise non plus d'ailleurs. Le processus lui avait toujours paru révoltant. Quand la prière ne parvenait pas à apaiser le désir, il consacrait quelques minutes d'intense culpabilité à communier avec son poignet et un numéro du magazine *Hustler*.

Pour dissiper l'image des cuisses brunes de la métisse, il s'empara du micro de la radio et lança une alerte à toutes les patrouilles pour rechercher la BMW rouge de Rikki Fortune. Et précisa qu'elle se trouvait peut-être dans le quartier de Sea Point. Il n'avait pas un besoin pressant des cinq mille que lui devait Rikki. Son réseau de vice et de corruption générait une source constante de revenus qui couvraient largement ses modestes besoins. Mais il ne pouvait pas tolérer de passer quoi que ce soit à un petit enculé comme Rikki.

Il carburait à la peur. Le moindre signe de faiblesse et l'on trouverait son cadavre abandonné en pleine nature dans un veld.

La loi de la jungle.

***

Burn arpentait la salle d'attente d'une clinique privée dans un quartier ombragé du Cap ; son fils, lui, dormait sur une chaise, sa jeune épouse et son décollement de placenta étant de l'autre côté des portes battantes pendant que deux cadavres refroidissaient dans son salon.

Quand ils s'étaient enfuis des États-Unis trois mois plus tôt, il n'avait pas eu beaucoup de temps pour choisir leur destination. Pas l'Asie : ils y auraient été trop visibles et il voulait être sûr de pouvoir bénéficier d'un bon système médical pour la grossesse de sa femme. Pas l'Europe non plus ; l'Europe ressemblait trop à une colonie des États-Unis. Il y aurait été plus difficile de disparaître. Tout s'était joué entre Sydney et Le Cap. L'Australie, en dépit de son énorme superficie, avait une population minuscule et cette idée le rendait claustrophobe. L'Afrique du Sud semblait un bon choix : infrastructure de pays occidental pour ceux qui ont les moyens, mais société assez chaotique pour passer inaperçu.

Mais voilà que ce chaos s'était retourné contre lui et le tenait à la gorge.

— Monsieur ?

Une jeune infirmière au visage blême et à l'uniforme soigneusement repassé était apparue devant lui.

— Vous pouvez voir votre femme, à présent.

Burn se leva et s'apprêta à réveiller Matt. L'infirmière lui fit non d'un signe de tête.

— Je suis navrée, mais le garçonnet ne peut pas vous accompagner. (Elle sourit.) Mais ne vous en faites pas, je reste avec lui.

Burn réussit à lui rendre son sourire.

— Merci.

La chambre faisait partie d'un service privé et ressemblait à une chambre d'hôtel. Susan était alitée, belle et diaphane. Elle ouvrit les yeux quand Burn entra.

Il hésita, puis lui prit la main. Elle le lui permit.

— Comment te sens-tu?

— Tout va bien, Jack. Mon bébé n'a rien.

— Je sais, répondit-il en hochant la tête.

— Je dois simplement passer quelques jours ici.

— Bien. Ils s'occuperont de toi.

Elle reprit sa main.

— Va-t'en maintenant.

— Tu es sûre que ça va?

— Je veux dormir, c'est tout.

— Je reviendrai demain.

Elle approuva et ferma les yeux – déjà elle le quittait avant même qu'il ait le temps de sortir.

CHAPITRE 3

Peu après vingt-deux heures, Burn ralentit devant chez lui. Il était tendu : il s'attendait à trouver des voitures de police et des patrouilles de sécurité. Il y avait certes plus de voitures que d'ordinaire garées des deux côtés de la route. Mais il s'agissait des véhicules de luxe qu'on voit habituellement dans ces quartiers aisés : décapotables et 4 × 4 urbains.

Maintenant que le vent s'était apaisé, la nuit était calme et chaude, et il huma une odeur de graisse animale sur un feu de bois. Il dut repousser une soudaine envie de vomir en songeant à ce qui l'attendait dans la salle à manger.

Il actionna la télécommande du garage et là, tandis que la porte s'enroulait, il reconnut les bribes d'une version trop orchestrée d'une chanson des Beatles dont le titre lui échappait et les trilles de rires affectés qui s'échappaient d'une fête chez les voisins. Il avança prudemment la voiture dans le garage et referma la porte. Puis il se donna une minute pour écouter son fils qui dormait sur la banquette arrière avant d'ouvrir la portière.

Il le porta dans le salon et l'allongea sur le sofa. Les portes coulissantes qui donnaient sur la salle à manger étaient fermées. Il les avait tirées pour que les ambulanciers qui avaient évacué Susan ne voient pas le carnage.

Il prit des sacs-poubelle noirs ultra-résistants dans le tiroir près de l'évier de la cuisine. Puis il trouva un rouleau de chatterton et un cutter à lame rétractable et enfila des gants de caoutchouc.

Il vérifia que Matt dormait toujours et fit silencieusement coulisser les portes. Il avait tué des hommes en Irak, mais ça n'avait rien à voir avec ce qui venait de se passer chez lui. Les combats de l'opération *Tempête du désert* avaient l'aspect surnaturel d'un jeu PlayStation ; les armements de pointe permettaient de tenir la mort à distance.

Rien à voir avec ça.

Le grand était allongé sur le dos, le couteau à découper toujours planté dans la poitrine. La balle envoyée par le pistolet du petit lui était entrée dans l'abdomen, au-dessous des côtes. Il avait saigné jusqu'à la mort. Burn trouva une certaine consolation dans le fait de l'avoir poignardé en obéissant à un réflexe, à une impulsion primitive de protection de sa famille.

La mort du petit ne lui offrait pas la même consolation ; il baignait dans son sang, ses yeux vitreux tournés vers le plafond, la plaie béante de sa gorge comme une bouche accusatrice. Parler d'homme aurait été exagéré – il n'avait guère plus de vingt ans et son petit gabarit faisait ressortir la brutalité de ce que lui avait infligé Burn. Ce dernier l'avait désarmé et rendu inoffensif. Dans un monde normal, il aurait appelé les flics et passé le relais à l'appareil judiciaire.

Mais Jack Burn ne vivait plus dans un monde normal et pour lui, la police n'avait jamais été une option. Il l'avait donc assassiné. Se dire qu'il n'avait pas eu d'autre choix ne lui remontait pas le moral.

***

Benny Mongrel surveillait la maison voisine.

Il entendit des claquements de portières et un rire d'homme. La fête faisait encore rage à quelques maisons de là. Bessie avait été à cran toute la nuit à cause du coup de feu, de la musique et de ces Blancs qui riaient comme des chevaux. Mais surtout à cause de la nourriture – l'odeur de viande grillée la rendait à moitié folle. Elle s'assit à côté de lui, fit quelques mouvements pour soulager ses hanches douloureuses et frémit du museau en humant le méchoui.

Il caressa son poil rêche.

— T'en fais pas, ma vieille, murmura-t-il. Demain, on trouvera des restes dans les poubelles.

À cran, Benny Mongrel l'était lui aussi. Il ne cessait de se demander ce que signifiait la disparition des gangsters à l'intérieur de la maison.

Les Americans.

Il avait dix-huit ans lorsqu'un membre du gang des Americans, un dénommé Bowtie April, lui avait asséné un coup de hache qui lui avait emporté l'œil gauche et enfoncé le visage du sourcil au menton. Benny l'avait tué et lui avait arraché la gorge à mains nues avant de se laisser traîner à l'hôpital par les flics. Les médecins n'avaient rien à foutre d'un énième petit con de gangster. Dans les Cape Flats, la chirurgie esthétique n'était pas au menu. On l'avait raccommodé et envoyé en prison.

Par le sang, c'était un Mongrel. Son nom et les tatouages qui lui ravageaient le corps en étaient la preuve. C'est ainsi que lors de son premier séjour en prison, il avait tout de suite su à quel gang il devait adhérer : le 26, le 27 ou le 28. Ce sont eux qui gèrent les prisons. Quiconque est assez stupide pour résister à la loi des numéros finit mort.

Voire pire.

Les Americans sont toujours des 26. Les Mongrels toujours des 28. Personne ne demande pourquoi. C'est comme ça, point. Et ils se détestent. Benny Mongrel ne ressentait donc pas la moindre compassion pour les hommes qui étaient passés dans l'autre monde cette nuit-là.

Il regarda la porte se relever une nouvelle fois. Presque minuit. La Jeep recula et la porte se referma. Le type et son fils passèrent devant son chantier et s'en allèrent.

— Eh ben, Bessie, ils ont un sacré foutoir à nettoyer.

***

Barnard n'avait pas fini de manger son gatsby, mais roulait déjà dans Paradise Park, prêt à boucler sa dernière affaire de la nuit. Il rackettait un métis qui fabriquait du tik et s'était mis à en vendre à des collégiens de banlieue. Barnard se foutait bien des collégiens, mais la situation était devenue épineuse. D'autres dealers étaient en pétard. Les élus locaux voulaient savoir qui fournissait ce tik. Et qui assurait leur protection.

Après sa visite à Carmen Fortune, il avait traîné sa graisse au Golden Spoon, où l'on vendait les meilleurs gatsby du Cap. Autant dire les meilleurs du monde, bordel.

Dès que la musulmane derrière le comptoir l'avait vu, elle avait crié en arrière-cuisine « Steak piquant "main pleine" pour l'inspecteur ». Sans qu'il le demande, elle lui avait sorti un Double 0 à l'ananas du frigo, tout en maintenant la plus grande distance possible entre elle et sa puanteur.

Il grogna et se versa la bouteille dans le gosier, ingurgitant la quasi-totalité de la boisson à l'ananas chimique en une seule goulée. Puis il alluma une cigarette sous le panneau *Interdit de fumer*. Que la garce s'amuse donc à rouspéter…

La femme lui déposa son gatsby sur le comptoir sans faire de commentaire.

Le gatsby est au Cap ce que le hot dog est à New York, et le « main pleine » était le festin de choix de Barnard : une miche grosse comme un ballon et garnie de généreux morceaux de steak, d'œufs, de fromage fondu et de frites, le tout baignant dans la mayonnaise et une sauce chili super épicée.

Barnard se fourra la moitié du gatsby dans la bouche, la sauce lui dégoulinant le long des bajoues. Il parla en mastiquant.

— File-moi une bouteille d'ananas pour la voiture, dit-il.

La femme lui en tendit une autre et il partit sans un mot et sans rien payer.

Barnard mâchait encore quand il s'approcha de la maison du fabriquant de tik. Une voiture de patrouille était garée devant, son gyrophare bleu clignotant sur la façade de la maison trapue.

Qu'est-ce que c'était que ce bordel ?

Quand il extirpa son énorme masse de la Toyota, la suspension se souleva en grognant, comme soulagée d'être débarrassée de lui. Deux policiers en tenue se tenaient à distance d'un tas de gens rassemblés autour d'une masse sombre sur la route. Les flics se crispèrent à son arrivée. Ils avaient peur de lui. Ça lui plaisait.

— Qu'est-ce qui se passe? demanda-t-il en avalant sa dernière bouchée.

— Des coups tirés depuis une voiture, inspecteur.

Une métisse d'une dizaine d'années gisait par terre. Mourante. Agenouillée près d'elle, une femme hurlait tandis que les gens essayaient de l'éloigner de l'enfant.

Barnard observa, impassible.

— Ils visaient qui?

L'autre flic lui montra l'intérieur de la maison.

— Un gangster, à l'intérieur. Ils l'ont atteint pendant qu'il entrait en courant. La gamine traversait la route.

— Et le type est mort?

— Non, blessé.

Dommage. Barnard entra. Dans la pièce de devant, un métis maigre d'une vingtaine d'années était vautré par terre; il saignait sur la moquette usée et tremblait de peur. Son torse nu était barbouillé de tatouages de gang. Il avait reçu une balle dans la jambe. Barnard comprit que sa vie n'était pas en danger. Il fallait donc régler la situation avant que ce voyou soit évacué à l'hôpital et se mette à causer tant et plus.

Le jeune leva les yeux sur Barnard. S'il avait eu peur avant, à présent, il était terrorisé.

Une femme d'une cinquantaine d'années, en pleurs, lui épongeait la tête. En lui répétant encore et encore de rester éveillé.

— Dehors, lui ordonna Barnard en la congédiant d'une pichenette de sa patte rose.

Elle hésita, lut l'expression sur son visage et décida qu'il valait mieux lui obéir.

— Fermez la porte.

Il attrapa le jeune par la mâchoire et le força à lever la tête.

— Regarde-moi, espèce de salopard. (Le gamin le regarda.) Pourquoi tu m'écoutes pas, Jerome, nom de Dieu? Je t'avais dit de pas dealer dans cette école.

— J'ai pas dealé. Ils mentent.

Barnard leva la main.

— Tu la fermes, d'accord ? Pourquoi tu crois qu'ils te tirent dessus ? Tu t'es foutu tout le monde à dos.

— Je le referai plus, inspecteur. Je le jure sur la tête de ma maman.

Gatsby hocha son énorme tête.

— Trop tard, Jerome.

Il sortit son Z88 de son étui et lui tira dans l'œil droit à bout portant. Il eut le temps de prendre un calibre 32 à canon court à sa ceinture et de le glisser dans la main du cadavre avant que la porte s'ouvre et que les flics en tenue débarquent.

— Il a dégainé, dit Barnard en réajustant son Z88.

Les flics le regardèrent, les yeux pleins de questions non formulées. La mère du métis se précipita et berça la tête ensanglantée de son fils entre ses mains. Elle sanglotait.

Un éclat humide provenant du visage du gamin avait atterri sur la main de Barnard. Il l'essuya sur le dossier d'un sofa qui s'affaissait comme un chien ensellé.

Il regagna sa voiture en allumant une cigarette, se battit avec son jean pour en extraire un minuscule portable et composa un numéro. Pas de réseau. Il devrait attendre pour appeler ce petit merdeux de Rikki et faire pression sur lui.

Il entendit la sirène de l'ambulance dans le lointain. Les secours perdaient leur temps. Dans la rue, la gamine métisse était morte, elle aussi.

***

Burn descendit High Level Road, les yeux collés au rétroviseur. Les deux morts emballés dans les sacs-poubelle étaient dissimulés sous une bâche à l'arrière de la Jeep. Le petit avait été facile à envelopper et à descendre, mais l'effort qu'il avait dû faire pour s'occuper du grand l'avait laissé en nage. Il avait été obligé de le plier en deux pour le faire rentrer dans la voiture. Le dernier corps qu'il avait descendu était celui de son fils endormi. Il priait le ciel que Matt ne se réveille pas ; il en avait déjà trop vu ce soir-là.

Burn avait une nouvelle fois envie de prendre la fuite. De tout emballer et de disparaître comme ils l'avaient fait trois mois auparavant. Mais il ne le pouvait pas. Pas encore. Pas avant que Susan ne soit remise.

Il tourna dans la rue principale de Sea Point en direction de l'autoroute. Avant de pouvoir bifurquer, il se retrouva dans un barrage routier ; les cônes orange réduisaient les voies à une seule, des flics en tenue arrêtaient les voitures, lampes à la main. Un barrage pour retrouver des voitures volées et épingler les conducteurs ivres ou sans permis.

Une voiture ralentit derrière lui. Il n'avait aucun moyen de reculer. Il était piégé.

Il y avait deux véhicules devant lui. Les flics parlaient au chauffeur et promenaient leurs lampes dans les voitures. Ils avaient obligé quelqu'un à se garer sur le côté et vérifiaient l'intérieur et le coffre de son auto.

Burn se mit à suer.

Une lampe lui indiqua enfin d'avancer. Un flic noir lui projeta le faisceau de sa lampe en plein visage tandis qu'il baissait sa vitre.

— Bonsoir, monsieur. Éteignez le moteur.

— Bonsoir.

Burn coupa le contact. Son accent attira immédiatement l'attention du policier.

— Vous êtes en vacances ?

— Oui, je suis en visite pour quelque temps.

Le flic dirigea la lampe sur la banquette arrière où il vit Matt endormi.

— Vos papiers, s'il vous plaît.

Burn les lui tendit. Le flic compara son visage à la photo de son passeport. Comme dans tous ces moments-là, ces derniers mois, Burn pria le ciel qu'elle soit à la hauteur de l'examen. Le flic vérifia son permis de conduire international et lui rendit les deux documents.

— Merci, monsieur Hill.

Il était sur le point de faire signe à Burn de passer quand un portable se mit à sonner au fond de la voiture. Merde, se dit Burn, il doit être dans le pantalon du petit gangster. Le pantalon cargo avec les poches interminables. La sonnerie du portable était forte, stridente – les premiers accords d'une chanson de hip-hop. Incongru dans cette Jeep.

Le flic l'entendit, se tourna vers Burn, et se dirigea vers le coffre, lampe torche à la main.

Burn attendit.

CHAPITRE 4

On aurait dit que le portable n'allait jamais s'arrêter. Mais il le fit, enfin. Le silence fut abrupt et soudain. Burn suivit le flic des yeux dans son rétroviseur extérieur – l'homme se dirigeait vers l'arrière de la Jeep. Burn savait que s'il devait agir, c'était maintenant. La voiture devant lui venait d'être autorisée à partir, la route était libre. Soit il prenait le risque de laisser le flic découvrir les corps, soit il tentait de s'enfuir. Il fonçait au volant de la Jeep en espérant avoir une longueur d'avance.

Et après? Balancer la voiture. Rentrer à la maison, jeter tout ce qui pourrait l'incriminer, ouvrir le coffre-fort, prendre les passeports de secours qu'il gardait précisément pour ce genre de situation. Il connaissait la chanson. Susan et lui avaient déjà dû s'enfuir. Leurs papiers étaient prêts. L'argent liquide aussi.

Il regarda le flic qui était sur le point d'éclairer le coffre de la Jeep. Burn sentit sa main se rapprocher de la clé de contact.

Il ne pouvait plus attendre.

— Va te faire foutre, sale Noir!

Voix forte, furieuse et enivrée.

Burn se retourna. Une grande Mercedes toute neuve s'était garée juste derrière lui. Le conducteur blanc, un costaud d'une cinquantaine d'années, était descendu de voiture. Il venait de repousser un flic en tenue.

— Me touche pas avec tes pattes dégueulasses!

Déjà, les flics convergeaient sur l'ivrogne, luttaient pour le maîtriser.

Celui qui avait arrêté Burn lui fit signe de partir et alla prêter main-forte à ses collègues.

Burn démarra la voiture d'une main tremblante. Et s'éloigna, lentement. Dans la dernière image qu'il eut de l'ivrogne, le baraqué se faisait jeter par terre et trois flics luttaient pour lui passer les menottes.

— Je te dois une fière chandelle, mon pote, dit Burn à voix basse en se dirigeant vers l'autoroute.

**

Il suivit la N2 en direction de l'aéroport. Il était minuit passé, mais la route croulait sous un flot de feux arrière semblables à des lucioles dans le noir. Il respectait les limitations de vitesse alors que des chauffeurs de taxi kamikazes des Flats le dépassaient dans leur minibus brinquebalants et cabossés, tous bondés d'employés anonymes qui rentraient de leur service du soir.

Il regarda dans le rétro pour s'assurer que Matt allait bien. Son fils dormait, la ceinture de son siège bouclée, sa chevelure blonde auréolée par les phares.

Des maisons et des cabanes misérables apparurent des deux côtés de l'autoroute dès qu'il quitta la Montagne de la Table. Les Cape Flats. Où tous les jours, plus de gens meurent de mort violente que dans la plupart des zones de guerre. Où les enfants disparaissent et leurs corps violés reparaissent dans des boîtes sous les lits de voisins. Où les dépossédés fixent leurs yeux affamés sur les terrains de jeu des riches autour de la montagne.

Burn comprenait suffisamment bien Le Cap pour savoir que les cadavres à l'arrière de sa Jeep étaient des métis originaires des Flats.

Quand il était arrivé au Cap, comme la plupart des étrangers, il pensait que tout était noir et blanc en Afrique du Sud. Mais les choses étaient bien plus complexes dans le pays qui avait conçu l'apartheid. Il avait alors appris que plus de la moitié de la population de la ville, qui vivait en grande majorité dans les Flats ravagés, était composée de *colored*. Et ce terme de *colored* n'avait pas la même signification

- 35 -

en Afrique du Sud et aux États-Unis[1]. Ces gens étaient des métis à la peau brune, mélange issu de tribus africaines, de colons européens et de leurs esclaves asiatiques.

Il avait donc tué deux métis. Les tatouages qu'il avait vus sur leurs corps indiquaient qu'il s'agissait de gangsters. Il savait que dans les Flats, les cadavres étaient monnaie courante et que leur découverte ne donnait même pas lieu à un entrefilet dans le journal. Il comptait les jeter dans le veld derrière l'aéroport en espérant qu'on attribue leur mort à un règlement de compte intergangs lorsqu'on les retrouverait.

Une nuit comme les autres au Cap.

Il prit la sortie de l'aéroport et, immédiatement après, s'engagea dans une petite route qui l'éloigna des autres voitures. Quelques minutes plus tard, il suivit un chemin sombre et déserté en bordure des pistes, un terrain vague le séparant des petites maisons les plus proches.

Il jeta un coup d'œil dans son rétroviseur. Il n'était pas suivi. Il quitta la route en cahotant et dissimula sa voiture derrière des broussailles, où elle n'était visible ni de la route ni des maisons. Ça ferait l'affaire.

Il éteignit les phares et sortit, une lampe électrique à la main.

Le veld était désert, couvert de détritus apportés par le vent, sans un signe de présence humaine. Il s'assura que Matt dormait toujours avant d'ouvrir la porte arrière.

Il souleva la bâche, se baissa, attrapa le plus grand des deux et le jeta dans le sable comme une momie enveloppée de sacs-poubelle noirs. Puis il le traîna jusqu'à ce qu'il soit en partie caché par un buisson. Il vint ensuite chercher le petit et le laissa non loin de son ami mort.

Burn vérifia que les seules traces de sa présence étaient les légères marques de ses pneus dans la poussière. Le vent de sud-est avait repris et ne manquerait pas de balayer le sable, mais il serait déjà sur la route à ce moment-là.

Matt se réveilla quand son père remonta dans la voiture.

1. Aux États-Unis, *colored* désigne les Noirs afro-américains. (N.d.T.)

— Papa ?

Burn se pencha entre les sièges et prit la petite main de son fils.

— Je suis là, Matty.

— Quand est-ce qu'on rentre à la maison ?

— Tout de suite.

— On va revoir Barney ?

Barney était le labrador qu'ils avaient abandonné quand ils s'étaient enfuis de chez eux, à Los Angeles. Matt avait adoré ce chien.

— Non, on ne va pas revoir Barney. On va trouver un autre chien, c'est promis.

— Mais je veux Barney, lui renvoya Matt en pleurant.

Les larmes de son fils, après tout ce qui s'était passé pendant la soirée, le poussaient à bout. Il dut lutter pour rester concentré, retirer sa main, démarrer et reprendre la route.

Matt s'endormit en pleurant.

***

La plupart du temps, Benny et Bessie dormaient au dernier étage de la maison en construction, à la belle étoile. Mais cette nuit-là, pas moyen. Benny rejouait sans cesse la scène dans sa tête et revoyait les gangsters escalader les murs de la maison comme des singes. Pour ne jamais en ressortir.

Pour la première fois, il attendit avec impatience qu'on vienne le chercher à l'aube.

Quand un cliquetis annonça l'arrivée du camion de Sniper Security, peu avant six heures du matin, Bessie et lui étaient prêts au rez-de-chaussée. Il aida la chienne à grimper à l'arrière et s'assit sur la banquette à côté d'elle. Le camion descendit en brinquebalant et contourna le centre-ville. Il était trop tôt pour les embouteillages et le chauffeur fonçait dans les rues, loin de la Montagne de la Table et de sa toison nuageuse. Ils entrèrent bientôt dans une zone d'usines délabrées et de maisons exiguës, recroquevillées le long de la voie ferrée.

Il y avait quatre autres gardiens de nuit dans le camion. Benny Mongrel les ignora. Il ne s'était fait aucun ami à Sniper Security. La vie lui avait appris qu'à se soucier des autres, on oublie de se soucier de soi.

Benny Mongrel vivait d'expédients depuis l'âge d'une heure, quand son minuscule corps nu encore couvert de placenta avait été abandonné dans une poubelle. Son instinct de survie l'avait poussé à pleurer dans la nuit – et à continuer de pleurer dans l'aube grise et pluvieuse – quand un groupe de sans-abri était venu piller les hectares du dépotoir.

Il avait pleuré jusqu'à ce qu'une sans-abri se baisse, l'extraie d'un tas d'os pourris et de têtes de poissons et le serre contre son sein. Alors il s'était calmé. Et n'avait plus jamais pleuré.

Ainsi Benny Mongrel avait-il entamé sa procession dans les orphelinats et les refuges. Un petit fonctionnaire anonyme l'avait baptisé Benjamin « Niemand » : Benjamin « Personne ».

À l'âge de dix ans, Benny Niemand était un gosse des rues. À douze, il avait abordé un groupe qui traînait devant un bistrot clandestin de Lotus River. Ces Mongrels surveillaient une bande d'Americans qui draguaient des filles sur le trottoir d'en face. Benny Niemand s'était directement adressé au chef des Mongrels, Chippies, et lui avait dit qu'il voulait faire partie de son gang.

Ils avaient tous éclaté de rire et Chippies, à moitié pour plaisanter, lui avait tendu un poignard et montré le groupe des Americans.

— Tu vois celui qui a un chapeau ? lui avait-il demandé.

Benny Niemand avait vu un homme trapu ; la trentaine, couvert de tatouages, le type s'était adossé à un bâtiment et attirait une fille contre lui. Benny avait acquiescé.

— Si tu l'expédies dans l'autre monde, tu pourras être un Mongrel, avait dit Chippies avec un sourire édenté.

Il s'attendait à ce que le garçon lui rende le poignard.

Au lieu de ça, Benny Niemand avait traversé la rue, le poignard plaqué contre la jambe. L'American tatoué avait poussé la fille sous un porche, déjà sa main se glissait entre ses jambes. Benny Niemand lui avait tapoté le dos de sa main libre.

L'American s'était retourné vers lui.

— Qu'est-ce que tu veux ?

— T'expédier dans l'autre monde, lui avait répondu Benny en lui rentrant le poignard dans les côtes.

Puis il avait retiré le poignard, regardé le mourant tomber à genoux, entendu les cris de la fille et avait tranquillement rejoint les Mongrels. Et tendu le poignard à leur chef.

À partir de ce jour, on l'avait surnommé Benny Mongrel. Il vivait d'expédients et avait développé un sixième sens quasi infaillible. Il sentait venir les ennuis.

Il était toujours prêt, et son couteau aussi.

Le camion s'arrêta brusquement dans la cour de la Sniper Security de Salt River. Bessie perdit pied et glissa jusqu'à l'arrière de la camionnette, ses ongles griffant en vain le plateau pour s'agripper au métal lisse. Un des gardes laissa échapper un rire qu'il réprima dès qu'il remarqua le regard que lui jetait Benny Mongrel. Ce dernier aida Bessie à descendre. Ses hanches étaient toujours plus raides le matin, elle regagna l'enclos du chenil en boitant.

— Hé, Niemand! lança Ishmael Isaacs, le chef d'équipe, à l'autre bout de la cour.

Il attendit que Benny Mongrel la traverse et vienne jusqu'à lui. Les épaulettes de son uniforme fraîchement lavé montraient son ancienneté.

Métis comme lui, Isaacs avait fait de la prison comme le prouvaient les tatouages ternis qu'il avait aux bras. Il était sorti depuis des années et s'était fait une vie meilleure. Benny Mongrel savait qu'Isaacs l'avait pris en grippe dès le premier jour, sans doute parce que son passé criminel lui évoquait le sien et le gênait.

— Qu'est-ce qu'il a, ce chien? demanda Isaacs en le regardant traverser la cour en souffrant.

— Rien, monsieur Isaacs.

— Il marche toujours comme ça?

— Non, elle est un peu raide après le trajet en camion, c'est tout.

Isaacs grogna, les yeux rivés sur Benny Mongrel. Il renifla.

— Tu t'es lavé quand pour la dernière fois? lui demanda-t-il.

— Hier. Avant le travail.

— Tu pues.

Isaacs tendit le bras et envoya une chiquenaude pleine de mépris sur la manche de Benny Mongrel.

— On t'a pas appris à repasser, à Pollsmoor?

Benny Mongrel garda le silence, le visage impassible. Cet enculé se prenait pour un gardien de prison.

— Demain, une heure avant de prendre ton poste, tu viendras me trouver pour une inspection.

— Oui, monsieur Isaacs.

— Et je te conseille de te laver le cul et de soigner ta tenue. Sinon, je retiens de l'argent sur ton salaire. Compris?

— Oui, monsieur Isaacs.

Benny Mongrel regarda Isaacs tourner les talons et s'éloigner. Il eut envie de montrer à ce salopard les épaulettes qu'on lui avait tatouées sur les épaules, signes d'un vrai rang et amplement méritées. Il eut aussi envie de lui montrer son couteau.

Mais il siffla doucement et accompagna Bessie jusqu'au chenil.

***

En s'éveillant, Burn sentit un corps humide collé au sien. L'ombre d'un instant fou, il crut que les deux morts étaient dans son lit. Cela suffit à le faire bondir comme s'il avait reçu un coup de Taser et il rejeta les couvertures. Matt, qui dormait à côté de lui, avait mouillé les draps. Pour la première fois depuis près de deux ans.

Burn se rallongea et tenta de calmer son pouls affolé. Il berça son fils endormi en lui caressant la tête. Puis une image lui traversa l'esprit. Une BMW rouge garée à côté de chez lui, devant le chantier. Il l'avait aperçue avant de suivre l'ambulance jusqu'à la clinique et s'était demandé si ses morts étaient venus avec.

Quand il était rentré chez lui après s'être débarrassé des corps, la fête des voisins battait encore son plein et la BMW était noyée parmi les autres véhicules. Il n'avait plus pensé à la voiture rouge. Il n'avait pensé qu'à faire disparaître la puanteur de mort de ses mains et de son corps.

Il regarda le réveil. Sept heures passées.

Il enfila un jean et un tee-shirt et laissa son fils dormir dans le grand lit mouillé. Puis il déverrouilla la porte d'entrée et traversa le petit jardin qui descendait jusqu'à la porte du grand mur. Il l'ouvrit et jeta un regard prudent dehors.

La BMW était toujours là, mais les ouvriers du chantier aussi. Il ne pourrait jamais déplacer la voiture sans être vu. Il se maudit. Il aurait dû régler ce détail qui lui avait échappé. Mais il n'avait pas d'autre choix que de laisser la voiture où elle se trouvait jusqu'au soir, quand les ouvriers auraient fini leur journée.

Il referma la porte.

CHAPITRE 5

Benny Mongrel descendit du taxi-bus qui l'avait conduit à Lavender Hill. Il jeta sa petite sacoche par-dessus son épaule et s'en alla ; il marchait comme s'il longeait le mur d'un couloir de prison invisible.

Les bureaucrates anonymes de l'apartheid avaient fait preuve d'un humour macabre quand, d'un coup de crayon, ils avaient banni des milliers de personnes dans les ghettos des Cape Flats en les affublant de noms fleuris tels que Surrey Estate, Blue Downs ou Ravensmead[1]. C'était encore plus flagrant dans Lavender Hill, où il n'y avait pas un seul pied de lavande, ni même l'ombre d'une colline, mais une simple étendue de maisons exiguës construites à l'infini dans une brousse balayée par le vent.

Benny Mongrel dépassa un groupe désordonné de piétons et évita les vendeurs de rue qui proposaient fruits, légumes, cigarettes et sucreries bon marché au goût de pisse. La dure lumière matinale faisait ressortir sa balafre livide que sa casquette ne suffisait pas à cacher. Son visage massacré était comme un brise-glace à la proue d'un navire : on s'écartait sur son passage. On chuchotait dans son dos et seuls les petits morveux à moitié nus osaient le fixer ouvertement du regard. Mais il se fichait de ce qu'on disait du moment qu'on le laissait tranquille.

1. Respectivement « Les Domaines du Surrey », « Les Dunes bleues » et « Le Pré aux corbeaux ». *(N.d.T.)*

Il vivait dans une bicoque derrière une maison étroite. Il ouvrit le cadenas de la porte de fortune et entra, ses yeux s'habituant à l'obscurité due au manque de fenêtres. Un matelas taché, une couverture trouée par des brûlures de mégots, une chaise à trois pieds, un réchaud et une bassine rouillée pour se laver. La pièce en tôle ondulée était à peine assez grande pour lui permettre d'y écarter les bras et il ne pouvait y tenir debout sans que sa tête touche le toit.

Une fois par jour, il était autorisé à utiliser la salle de bains de la maison principale pour vider son pot de chambre. Une rallonge usée qui serpentait depuis la maison alimentait l'ampoule nue qui pendait à un crochet de son toit.

Véritable four en été, sa cabane était inondée durant les pluies d'hiver, mais ça ne le dérangeait pas. Après des années passées à partager des cellules conçues pour une dizaine d'hommes mais qui en accueillaient une cinquantaine, sa bicoque lui paraissait luxueuse.

Quand il était sorti de prison, il avait décidé de ne pas retourner à Lotus River, où il avait passé son peu d'enfance. Il n'avait ni famille, ni amis dignes de ce nom, mais il aurait pu fréquenter les anciens Mongrels, traîner dans les bars, boire, fumer de l'herbe et du tik, parler du bon vieux temps et mijoter le prochain coup qui les renverrait à la sécurité de la prison.

Lui ne voulait plus jamais y retourner. Il sentait confusément qu'une autre vie était possible en dehors de la prison, même s'il n'était pas sûr de la forme qu'elle prendrait. Sa seule piste était Bessie. La vieille chienne lui manquait du matin au soir de ces journées interminables. Il attendait avec impatience de la revoir le soir, de se rassurer au toucher de sa langue râpeuse et abrasive sur sa main.

Benny Mongrel s'allongea sur le matelas, en pantalon, le torse foisonnant de tatouages grossiers de la prison : les épaulettes qui indiquaient son rang d'officier et les mots *Je creuse ma tombe* et *Je suis le Mal* gribouillés sur sa poitrine. Le symbole du dollar, des couteaux, des pistolets. Un bouclier zoulou, l'emblème du 28.

Il faisait trop chaud pour dormir et l'implacable vent de sud-est décapait Lavender Hill au jet de sable.

Il songea aux événements de la veille. À ces hommes qui étaient entrés dans la villa et n'en étaient jamais ressortis. Les Americans. Les 26.

Benny Mongrel avait tué tant d'Americans, en prison et en liberté, qu'il n'aurait pas pu les compter. À Pollsmoor, les Mongrels et les Americans étaient séparés. Ils se regardaient en chiens de faïence dans les couloirs et dans la cour. Rite d'initiation, il arrivait qu'un ancien gangster ordonne à un nouveau prisonnier d'assassiner un membre du gang ennemi. S'il rechignait, il était victime d'un viol collectif et devenait une « femme ».

Benny Mongrel avait été initié sans ciller.

Le dernier homme qu'il avait tué était un American, un 26, une année avant sa remise en liberté conditionnelle. Il avait vaguement entendu un commentaire, une insulte murmurée sur son passage. Impossible à ignorer en prison. Il aurait pu ordonner à un junior de faire ce qu'il fallait. Il avait préféré s'en acquitter lui-même.

Dans les douches, il avait planté un couteau fabriqué en prison dans les côtes tatouées de l'American. Il avait tenu l'homme tout contre lui pendant qu'il expirait et quand il avait vu ses yeux s'éteindre, il avait murmuré ce qu'il murmurait toujours : « Benny Mongrel te souhaite une bonne nuit. »

Il était revenu dans sa cellule avant la fermeture des portes.

Le lendemain, les Americans et autres 26 étaient restés inhabituellement silencieux dans la cour. Des gardiens s'étaient entretenus avec Benny Mongrel. Il avait répondu non, d'un signe de tête, et avait haussé les épaules. Il ne savait rien. Ils avaient essayé d'extirper des renseignements d'autres lèvres, mais tous vivaient dans la crainte de Benny Mongrel et savaient qu'il valait mieux ne rien dire s'ils ne voulaient pas, eux aussi, s'entendre souhaiter « bonne nuit ».

Les événements de la veille n'étaient pas clos. Loin de là. Il devinait des liens invisibles entre cette maison dans la montagne et les Flats. Et ces liens menaient à lui, un Mongrel, un 28, qui surveillait le chantier voisin et voulait seulement mener une vie paisible.

Merde.

Il s'assit et sortit son couteau de sa poche. Il déplia la lame et l'inspecta pour y déceler d'éventuelles imperfections. Puis il fouilla sous son matelas et trouva un morceau de papier de verre plié autour d'un bloc de bois. Avec patience et précision, il aiguisa le couteau contre le papier.

Quelques minutes plus tard, il passa l'index sur la lame. Des perles de sang s'échappèrent. Il essuya la lame, ferma le couteau et le glissa dans sa poche.

Il se rallongea sur le matelas de sa bicoque et fixa le toit de tôle des yeux en écoutant hurler le vent. Le sable et la poussière pénétraient par les brèches du toit ; les cliquetis de la tôle ondulée lui rappelaient les gangs de prisonniers menottés qui défilaient dans la cour de Pollsmoor.

***

Le vent du sud-est s'épuisa en un dernier souffle violent, puis tout se calma. La ville, purgée de son smog et de sa crasse par le vent qu'on surnomme le « docteur du Cap », devint d'une beauté presque hallucinatoire. Une mousse nuageuse de cappuccino flottait au sommet de la Montagne de la Table tandis que de pleines voitures de corps bronzés et de planches de surf cheminaient vers les plages.

Burn et Matt roulaient au bord de la mer ; ils dépassèrent La Mecque des touristes à Camps Bay et atteignirent une petite plage que seuls connaissaient les gens du coin. Burn, Susan et Matt étaient tombés dessus par hasard et elle était devenue leur lieu de baignade préféré.

L'accès à la plage se faisait par un sentier escarpé qui partait de la grand-route – trop escarpé au goût de la plupart des gens. Burn et Matt le descendirent en se tenant la main, le père prenant le garçon dans ses bras quand le passage devint trop abrupt pour lui. Burn était vêtu d'un short et d'une chemise de coton, et chaussé de sandales. Il portait une glacière et un parasol. Matt, lui, avait un short de bain flottant, un tee-shirt de couleur vive et des tongs. Ils débouchèrent sur une petite plage cernée de gros rochers ronds, là, sur le sable lessivé par l'océan azuré. Ils étaient seuls.

Burn enfonça le parasol dans le sable, l'ouvrit et disposa les serviettes à l'ombre. Il se mit en maillot de bain.

— Tu veux te baigner ? demanda-t-il à Matt.

Le garçon jouait avec un camion dans le sable. Il fit non de la tête.

Burn sortit un sac en plastique de la glacière et descendit jusqu'à l'eau. Y pataugea en sentant la morsure brutale de l'Atlantique glacé. Quelle que soit la température, l'eau du Cap était toujours froide. Au début, habitué aux eaux tempérées du Pacifique, il ne s'était pas aventuré plus qu'à hauteur de genou. Puis il s'était mis à aimer la piqûre glaciale de l'océan, suivie du dégel qu'il éprouvait en retrouvant le soleil.

Il se lança dans l'eau et nagea vers un groupe de rochers, son sac en plastique derrière lui. Il le dénoua et en sortit les couteaux dont il s'était servi pour tuer les deux hommes. L'un après l'autre, il les laissa couler dans l'eau profonde entre les rochers. Puis il s'éloigna un peu, lâcha l'arme qu'il avait trouvée sur le corps du plus petit et la vit dégringoler et disparaître.

Il avait gardé l'arme du plus grand : un colt à canon court. Il savait qu'il était risqué de la garder cachée dans l'armoire de sa chambre, mais elle lui avait donné un certain sentiment de sécurité. L'impression qu'il pourrait se défendre.

Contre quoi, il ne le savait pas.

L'eau commençait à le glacer, à lui piquer la tête et les couilles, mais il se força à rester un peu plus longtemps et plongea pour toucher les algues qui ondulaient au fond de l'eau. Puis il refit surface et gagna la côte à la nage. Il sortit, le souffle coupé par le froid, le corps réchauffé par le soleil. Matt jouait sous le parasol.

Burn se sécha. Il sortit un flacon en plastique de la glacière et se mit à tartiner son fils de protection solaire.

— Matt ?

— Oui.

Le garçon jouait toujours avec son camion et ne regardait pas son père.

— Regarde-moi.

Matt détourna le regard, passa du jouet à son père.

— Ces hommes, la nuit dernière... (C'était aussi difficile qu'il l'avait imaginé.) Ils voulaient faire du mal à maman.

— Pourquoi? demanda Matt en le fixant du regard.

— C'était des méchants. J'ai dû faire ce que j'ai fait pour les empêcher de faire mal à maman, à toi ou à moi. Tu comprends?

Burn soutint le regard de son fils, ses yeux bleu clair qui lui rappelaient tant Susan. Ses yeux sans l'ombre de méfiance qui avait envahi les siens.

— Oui. J'ai eu peur.

— Moi aussi.

Matt hésita.

— Ces hommes... ils ne reviendront plus?

— Non. Ils ne reviendront plus, répondit Burn en hochant la tête.

— Ils sont morts?

— Oui, répondit Burn en regardant son fils droit dans les yeux. Ils sont morts.

— D'accord, dit le garçon en hochant la tête.

Burn fit pénétrer la lotion solaire sur le visage de son fils, en évitant les yeux. Matt gigotait, il languissait de s'échapper.

— Matt, c'est normal d'avoir peur, reprit-il. Tu peux m'en parler ou en parler à maman, si tu veux.

— Non, j'aurai plus peur. S'ils ne reviennent plus.

— Matty, regarde-moi. (Le garçon plissa les yeux.) Tu sais que tu ne peux parler de ce qui s'est passé hier soir qu'avec maman ou moi. Tu comprends?

— Oui, papa.

Faire de son fils un complice le rendait malade. Il finit d'étaler la lotion et ôta ses mains du corps de l'enfant. Matt retrouva soudain un souffle d'énergie et se précipita dans l'eau, où il entra jusqu'à ce que ses orteils soient glacés, pour ressortir en riant.

Burn s'allongea sur le dos, se redressa sur les coudes et regarda son fils jouer sur cette plage idyllique. Il avait encore du mal à intégrer le violent détour qu'avait pris sa vie.

Un détour qui avait commencé deux ans plus tôt, quand Tommy Ryan avait frappé à sa porte.

Susan et lui venaient d'emménager dans une nouvelle maison de la Valley quand Tommy était arrivé, un sac en toile à la main et, sur les lèvres, son sourire irrésistible à peine terni par des années de vie dure et de soins dentaires douteux. Il y avait plus de dix ans que Burn ne l'avait pas revu.

Après l'opération *Tempête du désert*, Burn avait été libéré et s'était installé à Los Angeles, où il avait trouvé un emploi dans la sécurité, un secteur florissant. Tommy, lui, était resté quelques années de plus dans les marines, puis il était passé d'un boulot à l'autre sans pouvoir se fixer, à en croire les rares cartes postales qu'il envoyait, toutes avec des cachets de la poste différents.

Susan n'avait pas apprécié Tommy Ryan. Burn avait eu l'impression que lorsqu'elle le regardait, elle voyait comme le reflet déformé de son mari. Ce qu'il aurait pu devenir si les choses avaient mal tourné pour lui. Mais elle avait fait de son mieux pour masquer ses sentiments et lui avait préparé la chambre d'ami sans demander combien de temps il comptait rester. Elle avait ri de ses plaisanteries et feint de s'intéresser à leurs histoires de guerre. Mais Burn avait remarqué qu'elle évitait Tommy et préférait passer son temps avec Matt, alors en pleine crise des deux ans.

Tommy avait un don. Il se vantait d'avoir un détecteur de conneries plus précis qu'un polygraphe. Un soir, après quelques bières, il avait demandé à Burn s'il était heureux et n'avait pas cru un seul mot de sa réponse. Quelques bières plus tard, Burn lui avait dit la vérité : il manquait d'argent. Son entreprise de sécurité avait moins d'un an et ne réalisait pas encore de bénéfices. Les travaux de rénovation de sa maison avaient coûté plus que prévu et Susan ne travaillait plus depuis leur mariage.

Son vieux pote lui avait décoché son fameux sourire et offert une solution très « Tommy ». Pourquoi ne pas aller jouer au poker à Gardena ? Et de lui rappeler le surnom qu'il avait dans les marines : Burn le Chanceux. Parce qu'il remportait toutes les parties qu'il jouait.

— Bon Dieu, Tommy, lui avait répondu Burn. On misait des bières et des cigarettes.

— Mais on jouait avec les mêmes cartes, frangin. Sauf que maintenant, tu pourrais débarrasser tous ces pigeons de leurs dollars.

Et c'est ce qu'il avait fait. Il était entré dans le casino avec deux cents dollars et avait quitté la table avec plus de deux mille en poche.

— Qu'est-ce que je te disais? T'as pas perdu le coup de main, lui avait lancé Tommy en riant alors que l'aube se levait déjà sur les montagnes de San Gabriel.

Pour l'anniversaire de Susan, le lendemain, Burn avait pu lui offrir la paire d'escarpins italiens dont elle avait secrètement envie et l'inviter à dîner dans un grand restaurant. Ils avaient bu du vin et s'étaient amusés, presque comme avant leur mariage. Puis elle avait marqué une pause et, le visage soudain grave à la lueur de la bougie, elle lui avait demandé s'ils pouvaient se permettre cette folie. Le père de Susan était un joueur alcoolique qui avait disparu de sa vie quand elle avait dix ans et Burn savait comment elle réagirait s'il lui disait d'où venait cet argent. Il l'avait donc regardée droit dans les yeux et lui avait menti pour la première fois. Il lui avait dit que les affaires étaient bonnes.

Que pouvait-il faire d'autre?

Tommy et lui étaient descendus à Gardena deux ou trois autres fois. Tommy avait naturellement présenté Burn aux autres joueurs et le sobriquet de Chanceux lui était resté. Burn faisait honneur à son surnom chaque fois qu'il jouait. Il gagnait parfois gros, parfois ses gains étaient plus modestes, mais il repartait toujours avec des billets dans les poches.

Des billets qui mettaient du beurre dans les épinards.

Au bout de quinze jours, Tommy s'était mis à piaffer, avait fait son sac, repris la route et lui avait envoyé une traînée de cartes postales – San Diego, Baja California, Fort Lauderdale et Chicago où il avait de la famille.

Les deux années qui avaient suivi, Burn avait continué à effectuer ses petites virées secrètes à Gardena. Où il était toujours Burn le Chanceux.

Jusqu'au jour où sa chance s'était tarie.

***

Carmen Fortune s'éveilla seule dans le lit. Comme elle le faisait toujours, elle garda les yeux fermés et fit semblant de dormir, à l'affût d'un bruit de son mari. Selon la manière dont Ricardo Fortune entamait la journée, elle savait à quel traitement s'attendre. S'il était encore ivre mort quand elle s'éveillait, le corps puant d'alcool, de tik et des fluides provenant d'autres femmes, elle savait qu'elle avait le temps de prendre ses distances. Il se traînerait hors de son lit après midi et exigerait qu'elle lui serve à manger. S'il n'avait pas de tik, il serait irritable et parlerait avec les poings.

Les rares fois où il se levait avant elle, c'était pour un boulot. Des affaires de gang ou de drogue, ce qui signifiait qu'il était trop préoccupé pour s'occuper d'elle. Il s'habillait, nettoyait et chargeait son pistolet, puis il s'en allait en claquant la porte de l'appartement.

Mais elle n'entendit rien en s'éveillant. Rien de plus que la respiration sifflante de Tonton Fatty endormi sur le sofa. Elle sortit du lit et entrouvrit les rideaux effilochés de la fenêtre de la chambre. La vitre avait été brisée par un des nombreux ennemis de Rikki et la fenêtre était à moitié colmatée par un carton de bière Castle Lager. Elle regarda dans la rue, à l'endroit où il avait l'habitude de garer sa BMW rouge. Aucune trace de la voiture. Elle se détendit.

Elle traversa le salon et donna un coup de son pied nu dans les côtes de Tonton Fatty. Il grogna et se retourna, sa carcasse décharnée disparaissant sous une couverture crasseuse. Fatty – Errol de son vrai nom – était le frère de la mère de Rikki. Employé municipal pendant des années, il touchait maintenant une pension d'invalidité pour problèmes pulmonaires. Il avait toujours bu, mais depuis qu'il avait arrêté de travailler, il était passé du statut d'amateur chevronné à celui de pro. Il lui versait sa pension de bon cœur et n'exigeait en échange qu'un toit et un flux constant de piquette.

Elle s'assura que Sheldon allait bien. Il était dans son petit lit à côté de la télé ; les yeux ouverts sur le vide, il bougeait les mains. Il avait réussi à survivre une nuit de plus. Elle sentit qu'il avait besoin d'être changé. Elle s'en occuperait plus tard.

Carmen avait avorté trois fois avant la naissance de Sheldon. Deux étaient des bébés de son propre père. Il avait commencé à entrer dans la chambre qu'elle partageait avec ses deux petits frères quand elle avait sept ans. Impossible, dans une maison aussi minuscule, que sa mère ne s'en soit pas aperçue. Carmen était tombée enceinte pour la première fois à l'âge de onze ans.

Sa mère l'avait tabassée, traitée de putain et traînée à la clinique. Elle n'en avait jamais touché un mot à son mari, se contentant de haïr Carmen en silence. Quand cette dernière était retombée enceinte l'année suivante, sa mère l'avait mise à la porte et Carmen s'était rendue seule à la clinique.

À quinze ans, elle avait porté l'enfant d'un voisin sans importance, Bobby Herold. Les Mongrels avaient tabassé Bobby à mort devant ses yeux, le jour où elle avait été admise à la clinique pour sa troisième interruption de grossesse.

Puis elle avait rencontré Ricardo Fortune et c'était encore arrivé.

Contre toute attente, il l'avait épousée. Le petit merdeux maigrichon s'était mis à parader comme un roi avec Carmen au gros ventre en guise de trophée. Puis Sheldon était arrivé et les corrections avaient suivi peu après.

Elle prépara le petit déjeuner. Tonton Fatty réussit enfin à s'extraire du sofa et se promena dans ses sous-vêtements souillés. Elle posa bruyamment une assiette avec un œuf et des fayots devant lui.

— Tu ferais mieux de te laver, aujourd'hui, dit-elle. Tu pues.

Il ne répondit pas et mangea du bout des dents. Seul le coup qu'il boirait après manger pouvait relancer son moteur intoxiqué.

Carmen nourrit Sheldon. Elle n'eut pas la force de le changer immédiatement. Et merde, il ne se rendait compte de rien, de toute façon. L'inconvénient quand Rikki n'était pas là, c'était qu'il n'y avait pas de tik pour adoucir la vie. Elle allait devoir en trouver.

Elle se lava et enfila son plus beau jean et un corsage. Elle essaya de démêler ses cheveux rebelles avec une brosse encrassée et maudit Gatsby d'avoir brisé la glace. Gros con de Boer.

Puis elle entendit frapper et s'attendit à voir un des contacts inutiles de Rikki. Elle ouvrit la porte d'un coup, prête à l'insulter copieusement quand elle reconnut Belinda Titus, l'assistante sociale qui suivait le dossier de son fils. Elles se rencontraient d'ordinaire dans le bâtiment des services sociaux où elle se rendait une fois par mois pour toucher la pension de Sheldon.

— Je suis venue voir votre fils, madame Fortune.

— Vous avez pas téléphoné ni rien, lui renvoya Carmen en bloquant la porte.

— C'est le principe de l'inspection surprise, madame Fortune. Je vous prie de me laisser entrer.

Carmen s'écarta.

Belinda Titus n'avait que deux ou trois ans de plus que Carmen et était elle aussi originaire des Flats, mais elle affichait un air de supériorité.

« Elle croit qu'elle chie de la crème glacée », l'avait-elle décrite à Rikki au cours d'une de leurs rares conversations. Le comportement de l'assistante sociale et le regard qu'elle portait sur elle la rabaissaient au statut de merde.

Le visage pincé, Belinda Titus parcourut des yeux l'appartement miteux. Ce fut le moment que choisit Tonton Fatty pour émerger de la salle de bains, toujours vêtu de son simple slip crasseux. Il contempla les deux femmes, resta muet, s'assit sur le sofa et regarda droit devant lui.

L'assistante s'approcha du petit lit où était allongé Sheldon. Elle écarta le drap qui le couvrait, se pinça le nez et leva les yeux sur Carmen.

— Madame Fortune, dit-elle, cet enfant est dans un état révoltant.

— J'allais le changer.

— Il y a plus grave. Je n'ai même pas besoin de l'examiner pour voir qu'il a des escarres. Et regardez-moi son lit, c'est scandaleux.

Carmen se sentit rosir, la colère montait en elle. Elle lutta pour se maîtriser.

— Mais je viens de vous le dire : j'allais le laver et le changer.

— Je ne peux pas laisser cet enfant dans des conditions aussi déplorables, lui renvoya Belinda Titus en cherchant son téléphone.

— Qu'est-ce que vous dites ?

— Je dis que mes collègues vont venir le chercher et le placer en sécurité. Dans un endroit où l'on prendra correctement soin de lui.

— Mais c'est impossible !

— C'est tout à fait possible, madame Fortune. Et si vous essayez de nous en empêcher, j'appelle la police.

— Vous pouvez pas m'enlever mon enfant !

Belinda Titus l'ignora et parla rapidement au téléphone en donnant l'adresse de l'appartement. Puis elle glissa son petit téléphone de luxe dans sa poche et fixa Carmen d'un regard débilitant.

— Je dois agir dans l'intérêt de l'enfant.

L'assistante sociale s'employa ensuite à remplir un formulaire qu'elle avait extrait de son attaché-case.

Carmen s'assit. Elle avait envie de gerber. En perdant Sheldon, elle perdait sa pension. Et l'argent pour le tik.

***

Le métis tournoyait sur son crâne comme une toupie, puis il exécuta une espèce de poirier en faisant saillir les muscles de son torse nu. Il termina sur un grand écart et fit mine de se relever en prenant appui sur la main qui lui tenait les couilles. Il balança les hanches d'avant en arrière dans le visage d'une ado qui ricanait comme une chienne en chaleur. Ils étaient tout un groupe et dansaient comme des singes dans la cour d'une maison bleu passé.

Le simple fait de les regarder exténuait Rudi Barnard. Il avait mal à la tête et la musique animale qui s'échappait de la sono portable le frappait avec la violence d'un marteau piqueur. Il était garé dans une des ruelles bourrées de monde de Paradise Park, le soleil transformant sa voiture en fournaise, même avec toutes les vitres baissées. La sueur lui dégoulinait dessus, lui brûlait les yeux et réveillait la démangeaison entre ses cuisses.

Il se sentait plus tendu que d'habitude depuis qu'il avait butté le fabriquant de tik. Il avait dû laisser son arme au commissariat général de Bellwood South et se prêter au cirque habituel des formulaires et des communiqués. Des foutaises inutiles qui ne mèneraient nulle part. Mais ça attirait l'attention sur lui et il n'aimait pas ça.

Tout ce raffut de merde le rendait fou. Il était sur le point de descendre de voiture, d'entrer dans la cour et d'exploser le boombox sur la tête des toupies métisses quand un 4 x 4 Pajero tout neuf passa devant lui. Modèle haut de gamme avec jantes brillantes et vitres d'une teinte illégalement foncée. Le véhicule s'arrêta devant une maison qui présentait un fort contraste avec les baraques trapues du voisinage. Maison à étage, neuve, entourée d'un mur élevé surmonté de barbelé lames de rasoir. Le portail s'ouvrit en coulissant et le Pajero entra dans la cour. Barnard démarra sa Toyota et suivit. Le portail se referma derrière lui.

Trois hommes descendirent de la voiture. Deux d'entre eux, de vraies petites frappes des Flats, avec gel sur les cheveux et tatouages. Le troisième était plus âgé qu'eux, entre trente et quarante ans. Sans être très costaud, il avait l'allure d'un homme qui n'a pas peur du sang. Manson. Le chef des Americans de Paradise Park.

Barnard, en nage et la respiration sifflante, quitta son siège.

— T'es en retard, putain, dit-il.

Manson haussa les épaules.

— Les affaires... Qu'est-ce qu'il y a?

Barnard fit le tour de sa voiture, ouvrit le coffre et indiqua un sac de sport. Un des hommes de Manson l'ouvrit, révélant ainsi une planque d'armes de poing.

— Combien? demanda Manson.

— Vingt-sept.

Barnard alluma une cigarette en protégeant l'allumette du vent. Il regarda Manson inspecter la marchandise. Des armes confisquées par des flics en patrouille dans les Flats. Ils rapportaient les armes à Barnard qui les achetait pour trois fois rien ou fermait les yeux sur leurs activités parallèles. Tant qu'elles ne menaçaient pas les siennes.

Manson arma un 9 mm, visa, puis le braqua vers le ciel.

— Combien ?

— Donne-moi trois mille.

— T'es fou, mec.

Manson pressa la détente de l'arme non chargée et le chien fit un clic. Personne d'autre n'aurait pu s'adresser à Barnard ainsi sans devoir cracher ses dents, mais le flic lui accordait de la marge. L'American avait un réseau qui lui était utile et payait toujours rubis sur l'ongle.

— D'accord, disons deux mille cinq.

— Deux mille.

Barnard toussa et cracha.

— Fais chier, fait trop chaud pour marchander. Deux mille deux. À prendre ou à laisser.

Manson acquiesça et fit signe à son homme de main de prendre le sac. Puis il sortit une liasse de billets de son jean de marque et en effeuilla quelques-uns pour Barnard.

Le gros flic les enfonça dans sa poche humide sans prendre la peine de les recompter.

— T'aurais pas vu Rikki Fortune ?

Manson fit non de la tête.

— Moi aussi, je le cherche. Il te doit du fric ?

— Ja, mais j'arrive pas à le coincer.

— Il a pris quelques libertés. Peut-être qu'il cherche à se faire oublier.

— Rends-moi service : quand tu le trouves, laisse-moi lui parler avant de lui régler son compte. D'accord ?

Manson acquiesça. Barnard monta dans la voiture et claqua la portière. Le gangster se pencha par la vitre du conducteur.

— T'as entendu parler de la nouvelle unité anticorruption ?

— Non. Que dalle. Qu'est-ce que c'est ?

— D'après ce qu'on dit, ils prévoient un gros nettoyage. Et ils visent les flics.

Barnard rit.

— On doit approcher d'une élection.

Il démarra la voiture. Manson recula.

— Ouvre l'œil, en tout cas.

— Je suis né les yeux ouverts.

Le portail glissa et Barnard sortit. Son mal de tête avait empiré. Il avait besoin d'un gatsby.

***

Susan Burn était prisonnière de la peur.

Elle était allongée dans la clinique privée et ensoleillée, l'appréhension lui coulant dans les veines comme un poison. Bien sûr, elle avait toujours su qu'après ce que Jack avait fait aux États-Unis, un châtiment était inévitable. Mais elle était entrée dans sa combine. Elle s'était laissé persuader, comme toujours.

C'était comme si elle avait attendu que ces hommes pénètrent dans leur vie, avec leurs armes et leurs yeux de violeurs. Quand ils étaient apparus, elle les avait reconnus sans même les avoir jamais vus. Elle savait qui ils étaient et pourquoi ils étaient là. Ils avaient été envoyés pour remettre les pendules à l'heure, régler une dette karmique.

Et ça ne s'arrêterait pas avec eux. Elle en était absolument certaine.

Quand son mari entra dans la chambre avec un bouquet d'arums — ses fleurs préférées — elle dut résister à la tentation de faire ce qu'elle faisait toujours : lui pardonner. Croire en lui. Croire en ce bel homme souriant. L'homme qu'elle aimait.

Elle s'obstina à le voir penché sur la brute maigrichonne et basanée, prêt à lui trancher la gorge. Elle avait besoin de garder cette image en tête pour renforcer sa résolution.

— Salut, chérie.

Il se pencha pour l'embrasser, mais elle détourna la tête et ses lèvres effleurèrent sa joue. Il recula et se sentit déstabilisé, le temps de poser les fleurs sur la table de nuit. Elle remarqua des traces de tension sur son visage, une coloration jaunâtre sous son bronzage.

— Comment te sens-tu ? demanda-t-il en prenant une chaise à son chevet.

— Je vais bien.

Elle le regarda et vit encore l'homme au couteau.

— Où est Matt ?

— Il attend dehors.

— Comment va-t-il ?

— Ça va. On est allés passer un moment à la plage, aujourd'hui.

Elle scrutait son visage et se rendait compte qu'elle le mettait mal à l'aise. Il se força à sourire. Ce ne fut guère convaincant.

— Quoi ? demanda-t-il.

— Tu es allé à la plage ?

— Il fait un temps superbe. Et je me suis dit que ça pourrait, tu sais bien… lui changer les idées.

— Parce que le soleil et l'océan vont tout guérir ? Et tout ira bien ?

Elle sentit qu'elle prenait des couleurs.

— Calme-toi, chérie, dit-il.

Il lui prit la main, sûr de pouvoir l'apaiser. Elle la lui retira.

— Jack, rien ne va s'arranger. Pas cette fois.

— Tout ça va passer.

Elle réfuta son argument d'un signe de tête.

— Non, Jack. Non. Tu ne peux plus me caresser dans le bon sens du poil et me faire céder, plus maintenant. (Elle remarqua l'inquiétude dans ses yeux.) Être coincée ici après ce qui s'est passé m'a forcée à regarder les choses en face.

— Comme quoi ?

— Comme le fait que j'avais vingt et un ans quand je t'ai rencontré. J'étais une gamine. Et toi, tu approchais de la quarantaine. Tu m'as impressionnée. Je t'ai laissé gouverner ma vie.

— Susan…

Elle leva la main.

— Laisse-moi terminer, Jack. Quand tu as fait ce que tu as fait, là-bas, chez nous, j'étais bouleversée. Abasourdie, en vérité.

En chute libre. J'aurais dû prendre la fuite avec Matt. Et mon bébé.

Il la dévisageait. Il l'avait déjà vue en colère, mais jamais aussi sûre d'elle. Aussi déterminée.

— Je regrette de ne pas l'avoir fait. Je regrette de t'avoir écouté, d'avoir cru à tes promesses d'une vie meilleure. Je veux en finir, Jack.

Elle perçut un élément nouveau dans son expression, comme si le scénario était devenu moins prévisible.

— Qu'est-ce que tu veux dire?

— Je veux rentrer à la maison. Je veux donner une vie normale à mes enfants.

— Tu sais ce que ça implique?

Elle acquiesça sans le lâcher des yeux.

— Ça implique peut-être que je fasse de la prison. Je m'y suis préparée. L'un de nous deux doit cesser d'être égoïste et penser à nos enfants, Jack. Et de toute évidence, ce ne sera pas toi.

— Tu sais que je ne peux pas rentrer, ce n'est pas une option pour moi.

— Je le sais. Les enjeux sont bien plus importants pour toi.

— Nom de Dieu, Susan, je passerais le restant de mes jours derrière les barreaux.

— Je comprends.

Elle faillit lui prendre la main. Mais elle se retint.

— Mais est-ce que toi, tu comprends que tu nous as emprisonnés? Ce qui s'est passé la nuit dernière montre la distance que tu as parcourue. L'homme qui brandissait un couteau n'est pas l'homme que j'ai épousé, Jack.

Elle le vit s'effondrer, comme si toutes ses forces le quittaient.

— Mais qu'est-ce que tu comptes faire exactement?

— Une fois sortie d'ici, je vais contacter le consulat des États-Unis. Je ferai le nécessaire pour être rapatriée avec Matt et mon bébé. Si je dois faire de la prison, ma sœur s'occupera des enfants.

Il la fixa du regard.

— Tu lui as parlé?

— Bien sûr que non, répondit-elle en hochant la tête. Je n'ai pas besoin de lui parler.

— Et moi, dans tout ça?

— Je n'en sais rien, Jack. C'est à toi de décider.

CHAPITRE 6

Le camion de la Sniper Security se gara devant le chantier d'où sortaient les ouvriers ; ils riaient et parlaient fort en xhosa en descendant jusqu'à l'arrêt des taxis-bus. Benny Mongrel sauta du camion et aida Bessie à descendre. Le véhicule s'en alla et Bessie s'accroupit contre un tas de sable et pissa, instable sur ses pattes arrière. Benny détourna les yeux et lui donna le temps de finir ses petites affaires.

Il était arrivé au siège de la Sniper Security une heure avant son horaire habituel, à dix-sept heures. Il avait cherché le chef d'équipe Ishmael Isaacs des yeux, prêt à l'inspection. Avant de prendre le taxi-bus pour la ville, debout dans une bassine en fer au milieu de sa cahute, Benny Mongrel s'était récuré au savon Sunlight. Puis il avait été forcé de demander à la grosse garce du taudis voisin s'il pouvait lui emprunter son fer à repasser. Elle avait failli se chier dessus en voyant son visage, mais avait été assez rapace pour exiger de l'argent. Fut un temps où il l'aurait frappée et serait reparti avec le fer. Mais il l'avait payée, avait repassé son uniforme et lui avait rendu le fer. Elle l'avait repris et lui avait claqué la porte à la figure sans un mot.

Bref, il était arrivé avec une bonne odeur de savon et des plis comme des tranchants de couteau dans sa tenue.

Mais un autre garde lui avait dit qu'Isaacs avait déjà fini sa journée de travail et qu'il ne reviendrait pas. Quel gros trou du cul.

Tandis que Bessie pissait, Benny Mongrel admira la vue. Tout était calme. Une lumière couleur de miel recouvrait la Montagne de la Table, Lion's Head et Signal Hill. En bas, les yachts qui profitaient de la brise sur le calme de l'océan ressemblaient à des jouets.

Il remarqua que la BMW rouge était toujours garée à cheval sur la ligne jaune. Une contravention rose collée à la vitre du côté conducteur claquait doucement au vent.

Bessie apparut à son côté et lui lécha la main. Il prit sa laisse et ils entrèrent tous les deux dans la maison en construction.

***

Burn avait l'impression d'avoir reçu un coup de poing dans le ventre. Il fut soulagé quand Matt, fatigué après la plage, s'endormit dans son siège de voiture sur le chemin du retour.

Burn savait que Susan ne plaisantait pas. Il savait aussi qu'elle avait raison. Mais il n'en avait pas moins l'impression que son univers entier s'était brisé et avait été englouti dans un trou noir. Il n'arrivait pas à concevoir sa vie sans son épouse et son fils. Et imaginer de ne pas pouvoir être un père pour sa fille était trop douloureux.

Il savait enfin qu'il était responsable de la situation.

Alors qu'il traversait le Neck et descendait vers Sea Point, le panorama de montagne et d'océan disparut. Il ne voyait plus que la facilité avec laquelle il s'était fait avoir aux États-Unis et avec quel enthousiasme il s'était laissé prendre au piège.

Après le départ de Tommy Ryan, il était devenu un habitué à Gardena; il jouait au poker avec des inconnus prêts à miser plus qu'ils ne pouvaient se le permettre. La compassion qu'il éprouvait pour eux ne l'empêchait pas de leur prendre leur argent. Un argent qui lui avait permis d'agrandir son entreprise et d'adoucir la vie de Susan et de Matt.

Et c'était indéniable, il aimait la montée d'adrénaline que lui donnait le jeu.

Il était donc passé aux paris sportifs. Un type rencontré à la table de poker lui avait présenté Pepe Vargas, un bookmaker qui conduisait une vieille Eldorado et portait une bague au petit doigt.

Vargas amusait Burn avec ses costumes ringards et sa bonne humeur. C'était un personnage haut en couleur – à le fréquenter, Burn avait l'impression de vivre une vie plus intéressante. Vargas semblait l'apprécier et n'hésitait pas à lui faire crédit. Il n'avait pas l'air ennuyé quand Burn avait du retard pour le rembourser.

Puis la chute s'était amorcée. Des chevaux avaient trébuché sur la dernière ligne droite, des quarts-arrière avaient fait des passes lamentables et des palets de hockey avaient pris des trajectoires qui défiaient toute logique. La dette de Burn envers Pepe Vargas avait approché les vingt mille dollars et Vargas s'était mis à téléphoner chez lui et à réclamer son argent.

Ces appels, ajoutés aux absences de Burn, avaient attisé les soupçons de Susan. Après une confrontation particulièrement dure où elle l'avait accusé d'infidélité, il lui avait avoué qu'il jouait. Elle avait été choquée et furieuse. Allait-il suivre le même chemin que son père ? Abandonner sa famille en ne laissant qu'une traînée de dettes, de mensonges et de cœurs brisés derrière lui ?

Burn lui avait juré qu'il allait arrêter. Dès qu'il aurait remboursé Vargas, ce serait fini.

Il avait tenu parole jusqu'à ce que son plus gros client boive le bouillon.

Burn avait installé le système de sécurité d'un nouveau centre commercial près de la Valley. C'était un système sophistiqué – caméras de surveillance, alarmes reliées à des détecteurs de mouvement, détecteurs de fumée –, le tout intégré à une salle des machines qui ressemblait au centre de contrôle des missions spatiales de Houston. Il avait dû embaucher et avancer les frais élevés de matériel pour remplir son contrat. Les promoteurs du centre ne lui avaient versé qu'un premier acompte, un quart de la facture totale – vite dépensé – quand ils s'étaient trouvés à court d'argent. Alors qu'il était pratiquement terminé, ce qui était d'autant plus enrageant, les travaux du centre avaient été suspendus en attendant la résolution de terribles batailles juridiques.

Le nom de Burn n'était qu'un parmi tant d'autres sur la liste d'entrepreneurs qui allaient récupérer, au mieux, dix cents du dollar.

Pendant ce temps, les employés de Burn devaient être payés et les fournisseurs réclamaient leur argent. Argent qu'il n'avait pas. Il était en danger de perdre sa maison, hypothéquée pour assurer des liquidités à son entreprise.

C'est alors qu'il avait fait ce qui avait complètement foutu sa vie en l'air.

Et la vie de sa famille.

Il avait appelé Pepe Vargas et lui avait demandé de prendre un pari au téléphone : quatre-vingt mille sur un poids moyen coriace de Jersey City du nom de Leroy Coombs, un ancien champion qui faisait un come-back contre un minable. Ils combattaient en première partie d'une défense de titre, à Las Vegas.

Le bookmaker avait observé un silence à l'autre bout du fil; Vargas songeait sans doute à l'argent que Burn lui devait encore. Mais il avait accepté la mise.

Burn prenait un risque insensé en pariant de l'argent qu'il n'avait pas. Mais c'était un coup sûr. Coombs ne pouvait pas perdre face au vulgaire toquard qu'il avait pour adversaire.

Burn avait regardé le match chez lui, sur la chaîne HBO. Tout s'était déroulé comme prévu pendant les dix premiers des douze rounds. Coombs jouait avec son adversaire et, sans parvenir à le mettre K-O, à la fin du dixième round, il lui avait taillé une gueule de steak haché. Burn commençait à se sentir bien, convaincu que sa série de malchances appartenait au passé.

Puis au onzième round, Coombs, trop confiant, s'était mis à faire le pitre et avait pris un coup qu'il aurait dû éviter. Un direct du droit qui l'avait atteint au menton et l'avait expédié au tapis. Il ne s'en était relevé que lorsque l'arbitre avait agité les bras au-dessus de son corps étendu.

Le combat était fini.

Stupéfait, Burn avait regardé Coombs qu'on aidait à s'asseoir; il avait l'impression d'avoir des spaghettis à la place des jambes. Il savait que s'il essayait de se lever, il aurait du mal, lui aussi.

Son portable avait sonné. Vargas voulait savoir quand il comptait descendre à Gardena le dédommager. Burn avait marmonné une vague promesse et raccroché.

Avec cette perte, qui s'ajoutait aux autres dettes sur son ardoise, Burn devait maintenant près de cent mille dollars à Pepe Vargas. Une somme qu'il n'avait pas le moindre espoir de réunir.

Quand le bookmaker avait rappelé le lendemain, sa bonne humeur avait disparu. Il avait donné rendez-vous à Burn sur le parking du casino dans l'après-midi.

Vargas avait garé son Eldorado à côté de la voiture de Burn et lui avait demandé de venir dans son bureau. Le bookmaker était accompagné d'un homme, que Burn voyait pour la première fois. Burn s'était glissé sur la banquette arrière et Pepe avait démarré. Il avait arrêté sa Cadillac près d'un restaurant et, après un bref coup d'œil presque contrit dans le rétroviseur, il était sorti.

L'homme à l'avant s'était retourné. Calme et réservé, il dégageait une impression de menace contenue.

— Tu peux m'appeler Nolan.

— Pourquoi est-ce que je devrais t'appeler ceci ou cela? lui avait renvoyé Burn en mettant la main sur la poignée de la portière.

— On ne sort pas, Jack.

La manière qu'il avait d'utiliser son prénom tapait sur les nerfs de Burn.

— Pourquoi?

— Parce que, crois-moi, tu n'aurais pas envie que je vienne chez toi.

Burn l'avait dévisagé.

— Qu'est-ce que tu veux?

— Te rendre service. Je vais faire disparaître les cent mille que tu dois à Pepe.

— Comment?

— Tu vas faire un boulot pour moi.

— Ça m'étonnerait, avait répondu Burn en ouvrant la portière.

— Si tu sors de la voiture, tu dois comprendre que je tuerai ta femme et ton fils.

Déjà à moitié sorti, Burn l'avait fixé des yeux.

— Qu'est-ce que tu dis?

— Tu as entendu. Maintenant ferme la portière et écoute très attentivement.

Burn avait obéi. Et ça avait commencé. Et ça s'était terminé avec un flic mort dans la neige du Milwaukee, et Burn et sa famille en cavale.

Burn les avait emmenés au Cap et avait trouvé la villa sur les pentes de Signal Hill. Ils avaient de l'argent à ne pas savoir qu'en faire. Il ne leur manquait plus que d'avoir une vie. Ils travaillaient à en inventer une, au jour le jour, quand les métis armés étaient entrés par le patio et avaient tout foutu en l'air.

Et maintenant, Susan s'apprêtait à le quitter.

Burn ralentit devant chez lui et activa la télécommande des portes automatiques. Il avançait la Jeep quand il remarqua une voiture de police garée derrière la BMW rouge. Un flic en tenue tournait autour du véhicule en parlant dans sa radio.

Burn entra dans le garage et la porte se referma derrière lui comme un couperet de guillotine descendant au ralenti.

***

Il faisait encore jour quand Rudi Barnard se gara derrière la BMW rouge. Il n'y avait aucune trace du flic qui l'avait retrouvée. Sans doute en train de se saouler la gueule dans un bordel de Sea Point. Ça l'arrangeait.

Il passa un moment dans sa voiture à scruter les environs. Il n'était pas sur son territoire dans cette banlieue cossue accrochée aux pentes de Signal Hill, avec cette vue imprenable sur Le Cap et sur la baie. Et une chose était sûre : ce n'était pas le territoire de Ricardo Fortune non plus. Non, il y avait quelque chose qui clochait.

Ce matin-là, il s'était réveillé avec un pressentiment confus. Il était persuadé qu'il allait avoir des ennuis. Il s'était donc mis à genoux et avait demandé à son Dieu de le rassurer. De le protéger. De lui donner un signe.

Et Dieu l'avait envoyé dans la montagne, comme Moïse.

Il descendit de voiture et s'approcha de la BMW. Regarda à l'intérieur et ne remarqua rien d'inhabituel. Il essaya les portières. Fermées à clé. Puis il se traîna jusqu'au coffre. Fermé, lui aussi.

Il alluma une cigarette, vérifia les environs, remarqua les villas luxueuses dissimulées derrière de hautes murailles et des portails. La rue était calme. Pas même un piéton en vue. Rien à voir avec les Flats, qui regorgeaient de monde : groupes aux coins des rues, gangsters occupés à dealer, gamins qui jouaient au foot, voisins qui s'insultaient. Rien de tout ça ici, dans ce sanctuaire des privilèges.

Il alla chercher un pied-de-biche dans sa voiture, puis il attaqua le coffre de la BMW. Sa graisse de bibendum Michelin cachait une grande puissance et il réussit à forcer la serrure en quelques secondes. Pas de cadavre. Rien que deux ou trois canettes de bière vides et un tas de chiffons.

Il fracassa une vitre, passa un bras épais à l'intérieur et déverrouilla la portière. Le souffle court, le visage rouge, il se pencha dans la voiture et vérifia l'arrière des sièges et la boîte à gants. À part un préservatif utilisé, quelques joints mordillés et une bouteille de vodka à moitié vide, il ne trouva rien d'intéressant.

Alors qu'il se redressait et s'appuyait contre la voiture pour retrouver son souffle, il remarqua un métis avec un chien, qui le regardait du haut du chantier voisin.

***

Dès qu'il avait vu le gros lever les yeux sur lui, son instinct lui avait dicté de reculer et de se cacher. Même si le flic était en civil dans une voiture banalisée, Benny Mongrel avait tout de suite su à qui il avait affaire. Tout comme il avait su que les autres types étaient des gangsters. C'était le genre de radar qui accompagnait automatiquement la vie qu'il avait menée.

— Hé !

Il entendit le flic crier dans la rue. Il l'ignora. Bessie se mit à grogner doucement. Il l'apaisa d'une caresse.

— Hé, toi, là-haut... c'est à toi que je cause, bordel !

Benny Mongrel savait qu'il avait intérêt à se montrer. Il s'avança. Le gros flic le regardait, les mains sur les hanches.

— Descends ici. Je veux te parler.

Benny fixa le flic des yeux sans un mot. Barnard perdait patience.

— Et alors, t'es sourd, connard? Je t'ai dit de bouger ton sale cul et de venir ici. Tout de suite.

Benny Mongrel lâcha la laisse de Bessie, sortit le couteau de sa poche et le glissa sous un sac de ciment. Mieux valait ne pas l'avoir sur soi au cas où le Boer l'aurait fouillé. Son intuition lui conseilla de ne pas prendre la vieille chienne avec lui.

— Reste, Bessie, lui dit-il doucement.

Elle gémit quand il disparut dans l'escalier, mais elle lui obéit.

Benny Mongrel sortit de la maison en construction et s'approcha du gros flic. Instinctivement, il marcha un peu voûté, comme un pneu qui se dégonfle, et afficha un air soumis. Il s'assura de ne pas regarder le flic dans les yeux.

— Bonsoir, chef, dit-il.

— Cette voiture, tu l'as vue quand pour la première fois? lui demanda Barnard en montrant la BMW rouge.

— Ce matin, chef.

— T'as pas vu les types arriver?

— Non, chef.

— Tu me racontes des salades?

— Non, chef.

Le gros flic l'examinait d'un regard professionnel, analysait son visage balafré et ses tatouages.

— T'es sorti quand?

— L'an dernier.

— Pollsmoor?

— Oui, chef.

— T'es un putain de 28.

— Plus maintenant, chef.

— Me raconte pas de conneries.

— Je suis net, chef.

— Aussi net que mon cul. T'as rien vu la nuit dernière? Cette voiture?

— Non, chef.

— Tu me racontes des salades, connard?

— Non, chef.

Le flic le frappa en plein visage du plat de la main. C'était comme être percuté par un taxi qui roulait à toute allure. Benny Mongrel dut poser une main contre le mur de la maison pour ne pas tomber.

Le flic releva la main.

— Je te conseille de pas me raconter de conneries!

C'est à ce moment-là que Bessie, créature d'une lamentable docilité d'ordinaire, sortit de la maison. Et se jeta sur le gros flic en montrant les crocs et en grondant.

Le flic portait des gros godillots, il lança son énorme jambe en arrière et lui donna un coup de pied dans les côtes. Benny Mongrel entendit l'air fuser des poumons de sa chienne tandis qu'elle tourbillonnait, ses dents heurtant le trottoir lorsqu'elle retomba. Bessie pantelait. Le flic avait un pistolet à la main et le pointait sur elle, le doigt prêt à presser la détente. Bessie leva la tête et lui montra les crocs.

Benny Mongrel saisit la chaîne et tira l'animal loin du gros flic.

— Non, s'il vous plaît, chef. Non.

Le flic soufflait comme un phoque et braquait toujours son arme sur Bessie. Il leva les yeux sur Benny.

— Dis-moi la vérité, tout de suite, bordel. T'as vu les types qui sont venus dans cette voiture ?

— Non chef, je dormais.

Le flic fixa Benny Mongrel pendant une éternité avant de baisser le pistolet et de le ranger dans son étui.

— Espèce de grosse nullité de merde.

Il semblait s'être soudain désintéressé de l'interrogatoire. Il lui jeta un dernier regard méprisant et repartit dans la rue.

Benny Mongrel s'agenouilla à côté de Bessie. Elle haletait, essayait de se relever, ses griffes grattaient le ciment, ses hanches malades ployant sous son poids.

Il la caressa et roucoula tendrement.

— Doucement, Bessie. Tout doux, ma vieille. Vas-y mollo.

***

Burn sortit une bière du frigo. Mme Dollie, sa domestique entre deux âges, discutait avec Matt dans la cuisine. L'emploi de Mme Dollie s'était négocié avec la location de la maison. Au départ, Burn avait pensé se débarrasser d'elle car il ne voulait pas d'inconnus dans leur vie. Mais Susan avait eu pitié d'elle et ils avaient décidé de la garder à leur service.

Petite et maigre, elle avait le teint olivâtre et des vrilles de cheveux gris qui s'échappaient de son foulard islamique. Elle paraissait bien plus frêle qu'elle ne l'était. Burn l'avait vue déplacer des meubles sans effort quand elle passait l'aspirateur. Elle parlait anglais, mais avec son débit rapide et son accent local, Jack et Susan lui demandaient sans arrêt de répéter. Ce dont elle s'acquittait en faisant preuve d'une grande patience, comme si, pardi, ce n'était pas la faute de ces étrangers s'ils étaient aussi simplets.

Matt l'adorait et ne semblait pas avoir le moindre problème à la comprendre. Il la regarda dépoussiérer les feuilles des plantes vertes de la cuisine.

— Écoute-moi bien, Matty. Quand toi, tu es à la maison et moi pas, tu dois bien t'occuper des plantes, d'accord ?

Matt approuva avec enthousiasme.

— Je les arroserai.

— Ja. Comme il faut. N'écoute pas ce qu'on raconte sur les restrictions. Une plante a besoin d'eau.

Elle prit une serpillière et un seau et partit vers la salle à manger carrelée, Matt sur ses talons. Burn la regarda s'attaquer énergiquement aux carreaux, ses bras fins pompant pour nettoyer la zone où avaient reposé les corps. Il eut un instant de panique. Avait-il correctement lavé le sang ? Des traces ne s'étaient-elles pas incrustées dans les joints ? Mais Mme Dollie ne remarqua rien d'inhabituel. Elle passa la serpillière sans cesser de parler à Matt, qu'il entendit rire.

Burn s'éloigna de la conversation et sortit sur la terrasse pour siroter sa bière. Son fils semblait bien aller, mais comment était-ce possible ? Son univers avait été chamboulé ; il avait été traîné à travers le monde et avait la veille au soir assisté à une scène qu'il n'aurait pas été autorisé à regarder à la télé.

Burn buvait sa bière en regardant le soleil s'affaisser vers l'océan. Il n'arrivait pas à croire que les deux hommes étaient entrés chez lui moins de vingt-quatre heures avant.

Il sursauta en entendant la sonnette. Il hésita, son instinct lui conseillant de ne pas répondre. Mais on sonna encore. Le visiteur gardait le doigt sur le bouton.

Burn s'approcha de l'interphone fixé au mur. Un homme énorme tout ratatiné dans le porche de l'entrée apparut à l'écran. Burn prit le combiné.

— Oui? C'est à quel sujet?

L'homme tendit sa plaque devant la caméra.

— Police. J'aimerais vous parler, s'il vous plaît.

Il avait un accent guttural, dur à comprendre dans l'interphone.

Burn hésita.

— D'accord. J'arrive.

Il avait les tripes nouées.

Il passa à côté de Mme Dollie et de Matt. Il ébouriffa la tête de son fils au passage.

— Il faut que j'aille voir quelqu'un dehors. Tu restes avec Mme Dollie, d'accord?

Matt acquiesça.

Burn ferma la porte à clé derrière lui pour s'assurer que Matt ne puisse pas le suivre et descendit.

De quoi s'agissait-il? Est-ce que toute cette affaire allait s'arrêter ici?

Il ouvrit la porte d'entrée.

CHAPITRE 7

Burn eut l'impression d'affronter une Montagne de la Table faite de graisse. Énorme, aussi grand qu'obèse, le flic dégageait un mélange de puanteur corporelle et de relent médicinal.

— En quoi puis-je vous être utile, monsieur?

— Inspecteur Barnard.

L'odeur corporelle devint un doux souvenir quand sa mauvaise haleine frappa Burn de plein fouet. Instinctivement, celui-ci recula d'un pas.

— Y a-t-il un problème? demanda Burn en essayant de retenir son souffle.

— Américain? demanda Barnard en plissant les yeux.

— C'est exact.

— En vacances?

— C'est à peu près ça. Nous avons loué cette maison pour quelques mois.

— Beau coin de la ville.

Le flic sourit en montrant des dents jaunes sous une moustache aussi broussailleuse qu'une queue de putois.

— Tout à fait, oui. Eh bien, écoutez, monsieur…?

— Barnard. Inspecteur Barnard.

— En quoi puis-je vous être utile, inspecteur?

— Simple visite de routine, monsieur, répondit Barnard en sortant un carnet. Comment vous appelez-vous?

— Hill. John Hill.

— Monsieur Hill, il y a eu plusieurs cambriolages dans le quartier ces dernières semaines. Auriez-vous remarqué quelque chose qui sort de l'ordinaire ?

— Non, rien, répondit Burn en hochant la tête. C'est une rue très paisible.

— Et hier soir ? Vous n'avez rien entendu ou vu d'inhabituel ?

— Non, navré.

Barnard montra du doigt la BMW rouge.

— Vous avez peut-être vu qui conduisait cette voiture ?

— Désolé. Je n'en sais rien.

Barnard acquiesça en suçotant entre ses dents. Puis il cloua Burn d'un regard fixe.

— Vous vivez seul ?

— Non, avec ma femme et mon fils.

— Bien. Est-ce que je pourrais parler à votre femme ? Elle a peut-être entendu quelque chose.

— Elle est à l'hôpital.

Barnard eut l'air intéressé.

— Ah bon ? Qu'est-ce qui lui arrive ?

— Elle est enceinte. Des complications. Nous avons dû appeler une ambulance la nuit dernière. Vous comprenez que ça m'a beaucoup occupé.

— Bien sûr, bien sûr. Eh bien, j'espère qu'elle va mieux.

— Merci. Elle va mieux, oui.

— Bon, d'accord.

Burn recula, prêt à fermer la porte.

— Y a-t-il autre chose ?

Le gros flic n'avait aucune envie de partir.

— Non, merci.

Burn allait fermer la porte lorsque Barnard tendit la main et l'en empêcha. La porte refusa de bouger.

— Où est-elle hospitalisée, monsieur Hill ?

Burn étudia les yeux porcins qui le scrutaient sous les plis de graisse.

— Elle est à la clinique des Jardins.

— Je vais peut-être parler aux ambulanciers. Si ça se trouve, ils auront vu quelque chose. Et maintenant, bonne nuit.

Barnard relâcha la porte et permit à Burn de la fermer.

Ce dernier reprit son souffle, enfin libéré de l'odeur nauséabonde de Barnard et du poids de la terreur. Le flic était remonté jusqu'aux gangsters grâce à la voiture. Cela voulait-il dire qu'il avait trouvé leurs corps ?

Burn s'imposa le calme. Il rentra dans la maison, se dirigea droit sur la bouteille de scotch dans la cuisine, s'en servit une rasade et la descendit cul sec. Il eut envie de torcher la bouteille, mais il savait qu'il ne le pouvait pas.

Il avait des plans à échafauder.

Ils allaient être obligés de repartir en cavale.

***

Barnard appela un dépanneur pour remorquer la BMW, puis il quitta les quartiers chics du Cap pour redescendre dans la plaine qu'il connaissait par cœur.

Il n'était pas bien difficile d'imaginer ce que Rikki Fortune et son ami Faried Adams faisaient là-haut dans la montagne. C'étaient des prédateurs. Toujours en quête d'une proie. Ils avaient cherché une putain à Sea Point, puis ils avaient vu quelque chose en se glissant comme des ombres dans cette banlieue blanche, quelque chose qu'ils désiraient. Des bêtes comme eux, rendus à moitié fous par la drogue, ne faisaient jamais de plans. Ils agissaient sur des coups de tête. Ils violaient. Assassinaient. Prenaient ce qu'ils voulaient sans penser.

Mais où étaient-ils passés ?

Il roula jusqu'au Golden Spoon pour avoir son gatsby « main pleine » habituel. Il faisait noir quand il sortit de sa voiture, mais la chaleur était toujours intense. Il prit le temps de s'asseoir tandis qu'il mastiquait comme un hippo au bord d'une rivière en faisant descendre son repas à grand renfort de Double O couleur pisse.

Il avait contacté les flics de la station de police de Sea Point. Aucun crime violent, aucune effraction, aucun meurtre n'avait été signalé au cours des dernières vingt-quatre heures. Et on n'avait jamais entendu parler de ce John Hill.

Barnard songea à l'Américain. Il lui trouvait quelque chose d'inquiétant. Sans pouvoir mettre le doigt dessus, ce type avait quelque chose qui le démangeait encore plus que ses cuisses.

Hill cachait quelque chose. Il en était certain.

***

Benny Mongrel fouilla dans la poubelle noire et trouva une boîte de salade de pommes de terre. Puis une moitié de barre de chocolat belge grignotée. La meilleure trouvaille fut une entrecôte, cuite mais intacte.

Avec le passage des éboueurs prévu le lendemain à l'aube, tout le monde avait sorti sa poubelle. Benny Mongrel était toujours surpris par ce que jetaient les riches. De la nourriture encore emballée, des vêtements tout neufs, des appareils électriques. Le mois précédent, il avait trouvé une télé portable qui fonctionnait à la perfection et l'avait donnée à son propriétaire en échange du loyer.

Pas étonnant que des bandes de sans-abri passent par les portes, les caniveaux et les terrains vagues pour faire les poubelles des nantis. Ces récoltes de choix valaient bien quelques passages à tabac par les flics ou des flics de location.

Il déposa son butin dans un sac en plastique et retourna au chantier. Il grimpa les marches où Bessie fixait la nuit d'un regard absent, son museau gris entre ses pattes. La botte du gros flic l'avait blessée. Quand Benny Mongrel lui avait touché les côtes, elle avait gémi et lui avait léché la main. C'était une dure à cuire. Comme lui. Et comme lui, elle avait des marques de sévices et de mauvais traitements. Elle avait une cicatrice sur la truffe. Quand il la caressait, il sentait les bosses et cicatrices d'anciennes blessures. Le coup de pied du flic n'était qu'une brutalité de plus à laquelle elle s'attendait. Ses côtes guériraient. Benny Mongrel se consola de le savoir, mais s'attrista qu'elle ait été blessée en essayant de le protéger.

En examinant la vieille chienne estropiée, c'était son reflet qu'il voyait.

Il déplia un reste de toile de peintre comme si c'était une nappe. Puis avec grand soin, il étala le festin devant Bessie, un mets après l'autre. Elle renifla la salade de pommes de terre sans être attirée. Elle accorda un coup de langue sommaire au chocolat belge avant de le dédaigner. Benny Mongrel plaça l'entrecôte devant elle. Elle fit semblant de ne pas s'y intéresser, mais l'odeur devint vite irrésistible.

Elle attrapa la viande entre ses pattes avant et se mit à la mastiquer soigneusement. Il s'accroupit à côté d'elle et roula une cigarette en la regardant manger à la dérobée. Quand elle eut enfin terminé, elle leva la tête et le regarda dans les yeux.

Il aurait pu jurer qu'elle lui souriait.

***

Burn dormit d'un sommeil agité. Ses rêves furent encombrés d'hommes morts, avec le gros flic en invité vedette. Matt fit de nouveau pipi au lit et Burn le transporta au petit matin, encore endormi, jusqu'à la salle de bains où il le lava et lui enfila un pyjama propre avec des personnages de Disney dessus.

Puis il le ramena dans son lit et l'écouta dormir jusqu'à ce que la lumière grise de l'aurore envahisse la chambre.

À cinq heures et demie, Burn regarda le soleil se lever sur la terrasse. Il réfléchissait. À son obsession pour le hasard, la chance, les lancers de dés et les tours de roulette. Comment avait-il réussi à se convaincre qu'il avait un avantage inné, un petit « plus » qui lui permettrait de toujours s'en sortir? Il s'était persuadé d'être un vainqueur.

Jusqu'au jour où il s'était retrouvé dans la Cadillac du bookmaker.

La proposition de Nolan avait été simple. Il rassemblait une équipe pour attaquer une banque de Milwaukee et recrutait des gens qui, n'ayant aucun lien avec le Wisconsin, ne laisseraient aucune piste pour les flics. Ils devaient entrer de nuit et dynamiter le coffre-fort. Nolan avait besoin d'un expert en systèmes de sécurité pour désactiver les alarmes et intégrer une séquence en boucle dans les caméras de surveillance. Il avait fait des recherches sur Burn : c'était l'homme de la situation.

S'il acceptait, non seulement Burn effacerait sa dette de cent mille dollars envers Pepe Vargas, mais il recevrait sa part des six millions du butin. Si Burn refusait, Nolan rendrait une petite visite à Susan et Matt. Dans les yeux morts de Nolan, Burn avait compris que sa menace devait être prise au sérieux.

Il avait songé à s'enfuir. Mais avec quoi ? Et où ?

Il avait donc fini par accepter. Il avait dit à Susan qu'il devait assister à une convention de sécurité à Dallas et avait gagné le Wisconsin avec Nolan et deux autres types.

Tout s'était déroulé à la perfection. Burn attendait devant la banque, à l'arrière d'un fourgon : il tapotait sur le clavier d'un ordinateur. Pour Burn, qui montait et installait ces systèmes, il était facile de les contourner. Puis il avait intégré une séquence de la salle des coffres vide qu'il avait fait passer en boucle au centre de surveillance de la banque. Les gardes de l'équipe de nuit buvaient leur café, lisaient le journal et sommeillaient sans se douter que la banque était en train de se faire vider.

Nolan et les deux autres types étaient entrés dans la banque. Burn était resté dans le fourgon et avait maintenu le contact radio ; il suait en dépit du temps glacial. Terrifié. De temps en temps, la voix calme de Nolan lui donnait un compte rendu de leur progression. La porte de la salle des coffres-forts avait été forcée. Ils étaient à l'intérieur.

Il avait eu l'impression que l'opération avait duré des heures, mais elle n'avait pas dépassé les quarante-cinq minutes. Les trois autres étaient revenus avec l'argent dans des sacs de sport. Il y avait une atmosphère de jubilation retenue. Nolan s'était glissé sur le siège conducteur. Un costaud qui avait à peine ouvert la bouche s'était installé à côté de lui. Le troisième type, un maigrichon d'une vingtaine d'années, avait rejoint Burn sur la banquette arrière. Il avait souri, allumé une clope et lui en avait offert une, mais Burn avait décliné d'un signe de tête.

Nolan avait pris la direction du centre de Milwaukee. Il respectait les limitations de vitesse. S'arrêtait aux feux. Puis une voiture de patrouille s'était glissée derrière eux et le flic au volant avait activé la sirène.

Nolan s'était rangé. Il avait jeté un coup d'œil à l'arrière.

— Gardez votre calme.

Il était sorti du fourgon et avait parlé au flic. Le véhicule avait un feu arrière cassé. L'autre flic n'avait pas pris la peine de sortir de voiture. La situation semblait maîtrisée jusqu'à ce que le premier flic braque sa lampe torche sur le costaud du siège passager. Quelque chose sur son visage avait alerté le flic qui avait immédiatement demandé à Nolan d'ouvrir la porte arrière.

Alors Nolan lui avait tiré dessus.

Le flic en uniforme dans la voiture de patrouille avait abattu Nolan, qui s'était effondré dans la neige à côté du flic mort. Le costaud avait sorti un pistolet et riposté. Il s'était glissé du côté du conducteur et tandis qu'il démarrait, la moitié de sa tête avait disparu, le fourgon avait ralenti, puis calé.

Le flic dans la voiture tirait sur le fourgon, une des balles avait transpercé la portière et touché le jeune dans le ventre. Il s'était replié sur lui-même en grognant et avait saigné sur les sacs de billets.

Burn avait sauté par-dessus les sièges. Après avoir poussé le mort hors du fourgon, il avait pris le volant et était parti. Le flic tirait toujours. Burn avait accéléré à fond, fait une queue de poisson et eu du mal à contrôler le véhicule. En dérapant dans une intersection, Burn avait vu le gyrophare de la voiture du flic qui le poursuivait. Peu après, elle avait glissé sur une plaque de verglas et fait un dérapage à cent quatre-vingts degrés avant de percuter un lampadaire et de disparaître du rétroviseur de Burn.

Il avait abandonné le fourgon dans une ruelle, s'était emparé d'un des sacs d'argent et avait disparu dans la nuit en laissant le fourgon et le jeune mourant derrière lui.

Il s'était servi des faux papiers d'identité qu'on lui avait donnés pour le casse afin de louer une voiture et de rejoindre Chicago. Il avait appelé Susan et lui avait dit de partir avec Matt, de prendre le premier avion pour Miami et de l'attendre à l'hôtel. Il les rejoindrait. Il n'arrivait toujours pas à croire qu'elle l'ait écouté, même quand il avait refusé de lui expliquer ce qui se passait.

À Chicago, il avait contacté Tommy Ryan, qui avait les contacts nécessaires. Ce qui avait commencé avec Tommy finissait avec Tommy, la boucle était bouclée. Ça lui avait coûté cher, mais il avait réussi à blanchir près de deux millions de dollars et à en faire transférer la plus grosse partie sur un compte suisse. Les nouvelles identités avaient suivi.

Il avait rejoint Susan à Miami. Ils avaient tous les deux des nouvelles importantes. Il lui avait expliqué ce qu'il avait réellement fait. Elle lui avait annoncé qu'elle était enceinte.

Elle avait pleuré, s'était révoltée contre lui. Elle voulait rentrer à la maison. Elle voulait retrouver leur vie d'avant.

Puis elle s'était calmée, avait accepté de partir avec lui et ils avaient pris tous les trois un avion pour Le Cap.

Le jeune dans le fourgon s'en était sorti. Il avait longuement négocié un plaider-coupable et Jack Burn s'était retrouvé sur la liste des hommes les plus recherchés des États-Unis.

***

Ce furent les chiens qui les découvrirent. Une meute de chiens errants des Flats attirés par l'odeur des cadavres. Ils déchirèrent le plastique des sacs-poubelle à coups de crocs et de griffes, puis l'odeur fétide de restes humains les repoussa. Ils partirent alors fouiller dans les poubelles des maisons voisines.

Ronnie September et Cassiem Davids les trouvèrent ensuite, peu après huit heures du matin. Tous les deux âgés de onze ans, ils portaient leur uniforme scolaire, mais n'avaient pas la moindre intention d'aller à l'école.

Ils traversaient l'étendue du veld en fumant des cigarettes de contrebande et s'éloignaient le plus possible de leurs maisons de Paradise Park. Ils prévoyaient de sauter dans un taxi-bus pour aller jouer à des jeux vidéo à Bellville.

Ronnie vit les Nike blanches qui sortaient de l'herbe. Il s'arrêta et les montra du doigt.

— Vise un peu ça, mec.

Cassiem regarda.

— C'est des Nike.

— Je sais! Tu me prends pour un naze?

Les deux garçons se rapprochèrent du corps d'un petit homme maigre, seulement partiellement couvert par les sacs noirs. Les garçons de leur âge qui ont grandi aux Cape Flats sont habitués aux cadavres, mais l'odeur était nauséabonde.

— Regarde, y en a un autre.

Ronnie désignait le corps d'un grand homme qui s'échappait des sacs en lambeaux. Il parcourut sa tenue vestimentaire.

— Il a des habits de merde, mec.

— Putain, ça pue!

Cassiem se couvrit le nez.

Ronnie tira sur sa cigarette et s'approcha du petit cadavre. Le mort était sur le dos, la balafre déchiquetée de sa gorge ouverte en grand sur le ciel.

— Ouah. Il s'est bien fait poignarder, hein?

Cassiem regardait par-dessus l'épaule de Ronnie.

— Beau pantalon. Un Diesel.

— Il est couvert de sang, mec. (Ronnie se baissa encore un peu.) Il a peut-être un téléphone.

— Je mets pas les mains là-dedans.

Ronnie dévorait les chaussures des yeux.

— Ces Nike sont toutes neuves.

— Je les ai vues en premier!

Ronnie écarta brutalement son ami.

— Ah ouais? Et c'est toi qui vas les enlever? Alors, fais-le!

Cassiem ne dit rien, il recula d'un pas.

Ronnie hocha la tête, écœuré.

— Ma petite sœur a plus de couilles que toi, mec.

— Ja, c'est ça, alors montre-moi comment tu fais. Vas-y.

Ronnie lorgna son ami. Il avait toujours gardé ses distances avec les cadavres qu'il avait vus jusque-là, se contentant d'observer les flics ou les secours les fourrer dans des sacs et les embarquer. Là, c'était différent. Merde, c'était carrément dégueulasse.

Mais il baissa les yeux sur ses chaussures éculées et miteuses héritées de son frère. Il ne pourrait jamais se permettre d'acheter une paire de Nike comme ça.

Ronnie inspira profondément, s'agenouilla et défit le lacet d'une des baskets. L'odeur manqua de le faire gerber. Il défit l'autre. Puis il essaya de l'enlever. Le cadavre avait enflé et raidi, la chaussure était trop serrée. En tirant, Ronnie fit rouler la tête du macchabée, ce qui élargit encore sa plaie. Un gros asticot blanc en sortit.

C'en était trop pour Cassiem, qui rendit son petit déjeuner d'œufs et de restes de curry sur ses chaussures.

Ronnie refusait d'abandonner. Il continua de tirer et finit par extraire une basket, mais pas sans tomber sur les fesses. Il s'attaqua ensuite à la seconde et la sépara du pied du cadavre.

Et se redressa, triomphant. Il agita les chaussures devant Cassiem par les lacets.

— Je les ai.

— Putain, qu'est-ce qu'elles puent!

— C'est toi qui pues, et t'es même pas encore mort.

Ronnie s'éloigna des cadavres, Cassiem le suivit. Le premier s'assit, retira ses anciennes chaussures et les lança le plus loin possible dans les broussailles. Puis il enfila les nouvelles Nike.

— Parfait. C'est ma pointure, dit-il.

Il se releva et remonta son pantalon jusqu'aux chevilles en remuant la pointe du pied.

Puis il agrippa la cravate de Cassiem et le tira contre lui.

— Tu fermes ta gueule, d'accord?

Cassiem acquiesça. Ronnie se dirigeait déjà vers la route. Cassiem jeta un dernier regard en arrière, vers les chaussettes rouges qui dépassaient du sac-poubelle. Puis il suivit son ami.

CHAPITRE 8

Burn alla chercher Susan à l'hôpital peu avant midi. Elle était pâle, mais calme ; il l'aida à monter à l'avant de la Jeep. Il hissa Matt à l'arrière et attacha sa ceinture.

Susan ne le regarda pas pendant le trajet.

— Où va-t-on ?

— Chez nous. À la maison.

Elle refusa d'un signe de tête.

— Je ne veux pas y retourner, Jack.

— Susan...

— Je ne plaisante pas. Pas après ce qui s'est passé.

Il ne répondit pas, puis il s'aperçut que les articulations de ses mains crispées sur le volant étaient blanches. Il s'obligea à se détendre.

— Où veux-tu aller, dans ce cas ?

— Je m'en moque. À l'hôtel. N'importe où, sauf dans cette maison.

Il s'arrêta sur le bas-côté. Une étendue presque absurdement belle de montagnes et d'océan baigné de soleil se déployait en contrebas. Mais ni l'un ni l'autre ne regardait le paysage.

— Susan, il est important que nous ne fassions rien qui sorte de l'ordinaire. Rien qui puisse attirer l'attention sur nous.

— Comme par exemple de tuer deux ou trois autochtones dans la salle à manger ?

Elle était furieuse, deux taches rouges avaient envahi ses pommettes. Elle ferma brièvement les yeux et inspira, les mains posées sur son ventre tendu. Puis elle se tourna vers Matt, qui observait ses parents avec inquiétude.

Elle tendit le bras et lui caressa les cheveux.

— Tout va bien, Matty, dit-elle. Maman et papa ne se disputent pas.

Dans le rétroviseur, Burn vit un sourire hésitant se dessiner sur les lèvres de son fils. Susan se retourna et fixa l'océan des yeux.

— Chérie, détends-toi, dit-il. Je t'en prie.

Il essaya de lui prendre la main. Quand elle la retira, il remarqua qu'elle ne portait plus son alliance.

— Où est ton alliance?

Elle le regarda.

— Jack, as-tu écouté un seul mot de ce que je t'ai dit hier? Sur mon retour à la maison?

— Bien sûr. Je n'ai pensé à rien d'autre.

— J'étais sérieuse.

— Je sais. Et je comprends. (Il dut se maîtriser, faire un effort pour ne pas perdre son sang-froid.) Je te demande seulement un peu de temps. Pour m'organiser.

— Combien?

— Quelques jours. Une semaine au plus. Jusque-là, nous devons respecter notre routine.

En le regardant, elle eut une intuition.

— Que se passe-t-il, Jack? Que s'est-il passé à la maison?

— Rien. Il ne s'est rien passé.

— Ne me mens pas. S'il te plaît.

— D'accord. Ces… ces hommes avaient laissé leur voiture dans la rue, devant la maison en chantier. Elle a sans doute été signalée. Un flic est venu me poser des questions.

— Nom de Dieu, Jack!

— Tout va bien. Il est passé dans toutes les maisons de la rue. Simple routine.

Elle hochait la tête.

— Il surveille la maison, alors?

— Non, je ne l'ai même pas revu. Je t'ai dit, c'est une simple routine.

Elle se tourna légèrement pour le regarder, pour tenter d'interpréter son expression.

— Trois jours, Jack. Dans trois jours, je contacte le consulat. C'est bien compris ?

— Oui.

Il démarra la voiture et reprit la route.

Sa femme était devenue son ennemie.

***

Berenice September apporta ses courses dans sa petite maison. Elle travaillait comme caissière chez Shoprite et utilisait sa remise d'employée pour approvisionner sa famille de trois enfants. Comme beaucoup d'autres femmes des Flats, elle les élevait seule. Sa nullité de salaud de mari l'avait quittée pour une jeune pouffiasse, puis quelqu'un l'avait poussé sous les roues du train d'Elsies River.

Bon débarras.

L'aîné de Berenice, Donovan, se débrouillait bien. Il travaillait et rapportait un peu d'argent à la maison. Sa fille, Juanita, était trop jeune pour avoir des ennuis. Mais son cadet, Ronnie, lui rappelait son défunt époux. Il avait la même attitude genre « va te faire foutre ». Elle allait devoir le surveiller de près.

Ronnie entra en douce tandis qu'elle préparait le dîner ; il se dirigea droit vers la chambre qu'il partageait avec son frère. Elle l'appela.

— Hé, toi, viens ici !

Il tourna autour de l'entrée de la cuisine.

— Ja ?

— Quelle heure est-il ?

Il ne put résister à la tentation de consulter l'énorme montre Batman sur son poignet maigrichon. C'était du toc importé de Hongkong, mais ça n'en restait pas moins sa possession préférée.

— Cinq heures dix, dit-il.

— Bon sang, Ronnie, je sais quelle heure il est. Je veux savoir pourquoi tu es tellement en retard.

— J'avais sports.

— T'as des devoirs ?

— Ja, je vais les faire.

C'est alors qu'elle remarqua ses chaussures. Il suivit son regard et s'éloigna du seuil à reculons. En dépit de sa corpulence, Berenice pouvait se déplacer rapidement quand elle le voulait. Elle prit son fils par le bras et le tira dans la cuisine.

— Où as-tu pris ces chaussures?

Il essaya de se libérer de son emprise.

— Je les ai achetées.

— Avec quoi? Espèce de petit menteur! Est-ce que tu les as volées?

Il fit non de la tête. Elle le saisit à la gorge et le tira vers elle.

— Dis-moi la vérité avant que je te l'arrache avec des baffes!

Ronnie savait que sa mère ne faisait jamais de menaces en l'air.

— Est-ce que je peux les garder si je te le dis?

— Contente-toi de me le dire et je déciderai ce que je fais après.

— Je les ai enlevées à un mort.

Elle le relâcha et recula, horrifiée. Berenice September avait une appréhension superstitieuse des âmes passées dans l'autre monde.

Elle hocha la tête en regardant son fils. Quelle espèce de monstre avait-elle engendré? Pourquoi ne pouvait-il pas voler un vivant, comme toute personne normale, nom de Dieu?

**

Benny Mongrel fit exprès de prendre son poste en avance. Des patrouilles de police filaient dans tous les sens, des membres des forces d'intervention paradant en gilet pare-balles en Kevlar, Ray-Ban sur le nez et pistolet à la hanche. C'étaient les stars du monde de la sécurité.

Benny Mongrel était le dernier maillon de la chaîne. Personne ne le remarquait.

Il savait qu'Ishmael Isaacs ne serait pas là. Il avait fait tout un plat du stage qu'il suivait ce jour-là au siège de la boîte, à Parow. Il avait laissé entendre qu'il allait bénéficier d'une promotion.

Benny Mongrel hésita un instant car ce qu'il était sur le point de faire n'allait pas lui valoir les grâces d'Isaacs, puis il pensa : « Qu'il aille se faire foutre. » Il ne voulait plus surveiller le chantier. Pas après le passage des gangsters. Et surtout pas après que le gros flic avait frappé Bessie. Il voulait que sa chienne et lui se retrouvent le plus loin possible de cet endroit.

Il alla donc trouver la jeune fille à la réception. Elle mâchait un chewing-gum, le nez plongé dans un magazine people. Elle l'ignora. Benny Mongrel dut faire appel à toute sa patience. Avant, il lui aurait mis les yeux au beurre noir et amoché sa bouche maquillée avant même qu'elle ait compris ce qui lui arrivait.

— M'zelle.

Elle s'arracha à sa lecture et le dévisagea.

— Quoi?

— Je veux voir le patron.

— Pourquoi?

— Je dois lui parler. S'il vous plaît.

Il voyait bien qu'elle avait du mal à fixer son visage balafré. Elle détourna les yeux, prit le combiné et marmonna quelques mots. Et lui indiqua un couloir.

— Vous avez cinq minutes.

Benny Mongrel frappa et entra. Il n'avait jamais parlé au Blanc derrière le bureau, il l'avait seulement vu arriver ou partir dans sa Mercedes. Il portait une cravate foncée et une chemise si blanche qu'elle faisait mal aux yeux. Avec la climatisation, son bureau avait tout d'un frigo.

L'homme leva les yeux de dessus son ordinateur portable. Il ne se mit pas debout et n'invita pas Benny à s'asseoir.

— Comment vous appelez-vous?

— Euh. Niemand. Benny Niemand.

— Bon. Y a-t-il un problème?

— Non, monsieur. J'aurais simplement voulu savoir si je pourrais pas surveiller un autre site, comme ça.

— Pourquoi n'en parlez-vous pas à Isaacs?

— Il est en stage, monsieur.

L'homme lui adressa un long regard indulgent.

— Où êtes-vous en poste en ce moment?

— À la maison en construction. Sur les hauteurs de Sea Point.

— Et qu'est-ce qui ne vous convient pas sur ce site?

— Rien. Non, je me disais seulement que je pourrais peut-être faire quelque chose de plus… avec un peu plus de responsabilité, comme ça.

Le Blanc lui rit au visage.

— Ah bon? Parce que vous avez de l'ambition, c'est ça? D'accord, c'est bien, ça. Mais vous êtes avec nous depuis combien de temps? Deux mois? (Benny acquiesça.) Pourquoi ne pas attendre encore un mois ou deux? De toute façon, le chantier sera terminé et on vous déplacera. D'accord?

Benny Mongrel acquiesça une nouvelle fois. Le Blanc s'était déjà replongé dans son ordinateur. Puis il vit que Benny Mongrel n'avait pas bougé. Agacé, il leva les yeux.

— Y a autre chose?

— Ma chienne.

— Comment ça? Vous voulez aussi un nouveau chien?

— Non, non, monsieur. C'est une très bonne chienne. Je me demandais juste si, un jour, je pourrais, comme ça, ben, l'acheter, quoi…

L'homme le regarda, surpris.

— Bon Dieu, Niemand, mais qu'est-ce qui vous prend? On ne vend pas nos chiens, ce n'est pas une animalerie, ici. Allez, maintenant, sortez. J'ai beaucoup de travail.

Le Blanc avait déjà recommencé à taper sur son ordinateur.

***

L'agent Gershwynne Galant était persuadé que son sang bouillait, honnêtement. Il ne pouvait pas rester plus longtemps dans ce container en métal sans ouverture qui servait d'annexe au poste de police. Il prit un tabouret et le plaça devant, dans un petit coin d'ombre. Ses bottes étaient encore en plein soleil, mais au moins, son visage et son torse étaient-ils abrités.

L'annexe du poste de police était le résultat d'une initiative de visibilité disciplinaire rêvée par un homme politique qui passait sa vie dans un bureau climatisé. Comme le poste de police le plus proche se trouvait dans le lointain Bellwood South, les résidents de Paradise Park avaient brandi les statistiques habituelles de viols et de meurtres à la face des élus locaux. Une caravane avait finalement été remorquée dans un veld et le poste annexe avait ouvert ses portes.

La permanence d'un officier de police était assurée de sept heures du matin à sept heures du soir. Ce qui était complètement inutile puisque la plupart des crimes étaient commis pendant la nuit, mais qu'y faire ? La première nuit, dès le départ du flic de garde, des gangsters du coin avaient remorqué la caravane avec un camion. Penauds, les élus l'avaient remplacée par un container très lourd, du genre de ceux qu'on utilise sur les cargos.

L'affectation dans le poste annexe était une punition. Gershwynne Galant s'était fait prendre avec la recette d'un dealer qu'il venait d'arrêter. Voilà pourquoi il devait frire comme un œuf, seul, chaque jour de cette putain de semaine. Nom de Dieu.

Galant feuilletait un magazine qu'il avait trouvé devant le container quand une femme et son fils s'approchèrent. Il consulta sa montre. Dix-huit heures. Il était obligé d'écouter leur histoire.

Le garçon tenait une paire de Nike à la main. Il marchait avec une espèce de sautillement car ses pieds nus brûlaient sur le sable chaud. Sa mère avait une gueule de mégère.

Galant écouta ce que le garçon avait à dire – une histoire de cadavres dans le veld – et décida de ne pas alerter le poste de Bellwood South. Il préféra appeler Rudi Barnard sur son portable. Gatsby chérissait ce genre d'informations et il était toujours utile de rendre service au gros.

Galant raccrocha et demanda à la mère et au fils d'attendre. Quelqu'un venait.

La mégère se renfrogna.

— Et va falloir que j'attende combien de temps ? demanda-t-elle.

Galant haussa les épaules, le nez déjà replongé dans son magazine.

La femme soupira, puis s'adressa au garçon.

— Je dois finir le repas et aider ta sœur à faire ses devoirs. Attends ici et arrange-moi tout ça. Tu m'entends?

Le garçon acquiesça et elle s'en alla.

***

La Toyota de Barnard écorchait le terrain irrégulier du veld. Son poids considérable écrasait les suspensions et le pot d'échappement raclait dangereusement la terre à chaque bosse. Le petit métis voltigeait sur son siège à côté de lui comme dans un séchoir. La voiture projetait un nuage de poussière dans la lumière de fin de journée en se dirigeant vers l'emplacement où le gamin disait avoir trouvé les corps.

Barnard s'arrêta en dérapant et s'extirpa du véhicule, le souffle court; il épongea son visage en sueur de son avant-bras costaud. Ronnie September descendit et regarda Barnard, muet de terreur.

Barnard lui montra les Nike dans la voiture.

— Apporte-les, dit-il.

Le gamin obéit. Barnard lui demanda de passer le premier.

Il le suivit.

Barnard vit d'abord Rikki Fortune. Il s'accroupit. Si la puanteur le dérangeait, il n'en laissait rien paraître. Il remarqua la plaie en travers de la gorge. Ainsi que les sacs-poubelle et le chatterton. Qui donc s'emmerdait à emballer des cadavres comme des cadeaux de Noël avant de les abandonner? Aucun gangster de sa connaissance.

Il prit quelques photos de Rikki avec l'appareil de son téléphone portable.

Puis il se redressa et s'approcha du grand métis. Quelques traces de coups de poignard dans la poitrine et une balle dans l'estomac, d'après lui. Il prit quelques clichés supplémentaires.

Ronnie restait en retrait et tenait toujours les chaussures par les lacets.

Barnard lui fit signe d'approcher.

— Viens ici.

Le garçon s'approcha.

— Redis-moi comment ça s'est déroulé.

Ronnie commença nerveusement :

— Je suis passé par ici ce matin...

— Quelle heure ?

— Huit heures et demie.

— Tout seul ?

Ronnie acquiesça.

— Je passais quand j'ai vu celui-là, dit-il en désignant Rikki. Ensuite j'ai vu l'autre.

— T'as vu personne d'autre ?

Le garçon fit non de la tête.

— Ja. Qu'est-ce que t'as fait après ?

Ronnie souleva les chaussures.

— Je les ai prises.

Barnard le dévisagea.

— Et puis ?

— Puis je suis monté dans un taxi-bus. Jusqu'à Bellville. Pour jouer à des jeux vidéo. Et après, je suis rentré. Et ma maman a vu les baskets. Alors je lui ai parlé d'eux, dit-il en indiquant les corps. Et elle m'a emmené au flic.

— T'as amené personne ici ? (Ronnie hocha encore la tête.) Tu me mens, là ?

Ronnie hocha encore plus vigoureusement la tête. Barnard baissa les yeux sur le garçon. Et tendit la main vers les Nike.

— Donne-les-moi.

Ronnie lui tendit les chaussures. Barnard les attrapa et les lança sur le corps du grand. Il posa un doigt sur le torse de Ronnie.

— Attends ici.

Barnard revint à la voiture et ouvrit le coffre. Il prit un calibre 38 sous la roue de secours et le glissa dans sa ceinture. Il l'avait volé à un dealer mort et le gardait pour des occasions particulières. Comme celle-ci. Puis il prit un jerrican et revint vers le gamin.

Ronnie avait l'air de vouloir s'enfuir.

Barnard s'arrêta devant lui et posa le jerrican. Puis il dégagea le revolver de sa ceinture, l'arma et tira une balle entre les yeux du gamin. Pris par surprise, le petit merdeux le regarda d'un air idiot et s'effondra. Barnard lui envoya une autre balle dans le torse, pour être sûr de son coup.

Puis il tira le corps de Rikki Fortune à côté de celui de son pote l'asperge. Il attrapa ensuite le petit métis par la cheville nue et le jeta à côté des deux gangsters. Vida le jerrican sur les corps, alluma un torchon et recula en le lançant. Les cadavres s'enflammèrent.

Il était hors de question que Barnard signale cette scène de crime. Il savait qu'il n'y avait qu'une chance infime que quelqu'un s'intéresse à ces vies inutiles, mais il n'était pas prêt à prendre le risque.

Non, il était persuadé que la réponse à ses prières se trouvait dans une villa au sommet de la montagne. Un vrai don du ciel.

Dans un emballage foutrement bizarre.

CHAPITRE 9

Burn trouva Susan en train de préparer le lit simple de la chambre d'amis.

— C'est pour moi ? demanda-t-il.

Elle acquiesça en tirant le drap.

— Je crois qu'il vaut mieux.

Il essaya de l'aider en prenant un coin du drap. Elle le lui arracha des mains.

— Je peux m'en occuper, Jack.

— Tu sais que Matt a dormi avec moi les deux nuits dernières ?

— Alors il pourra dormir avec moi, dit-elle en secouant un oreiller.

— Il s'est remis à faire pipi au lit.

— Ce n'est pas très surprenant. (Elle se redressa.) Il a besoin d'un psychologue. Je veux qu'il voie quelqu'un dès que nous serons rentrés aux États-Unis.

— Bien sûr, dit-il en quittant la chambre.

— Jack ?

Le ton de sa voix l'arrêta. Elle le fixait de son regard direct habituel comme si elle pouvait lire entre les lignes de son âme.

— Est-ce que tu crois au châtiment ?

— Où veux-tu en venir, Susan ?

— Est-ce qu'il t'arrive de penser à ce flic ? Celui de Milwaukee ?

— Tous les jours.

— Est-ce que tu connais seulement son nom ? (Burn ne répondit pas. Elle insista.) Est-ce que tu sais s'il avait une femme ? Un fils ?

Burn garda le silence. Il attendait qu'elle ait fini.

Elle lui passa devant avec sa démarche précaire aux pieds écartés.

— Exactement comme toi, Jack.

***

Quand le gros Boer lui montra la photo sur son portable, Carmen Fortune eut du mal à y croire. Était-ce vraiment possible ? Rikki était-il vraiment mort ? Est-ce que ça voulait vraiment dire qu'elle n'aurait plus jamais à le sentir la pénétrer de force ou à recevoir ses coups de poing ?

Elle regarda fixement l'image du téléphone.

— Il s'est fait trancher la gorge ?

— Non, il sourit pour la photo.

Gatsby lui enleva le téléphone des mains et le glissa dans la poche de sa chemise tachée de sueur.

— Qui a fait ça ?

— J'en sais rien.

— Où est-il ? Où est son corps ?

— T'en fais pas pour ça.

Carmen était allée fumer une ampoule de tik et rentrait avec une montée de folie dans la tête quand elle avait vu le gros Boer qui l'attendait devant chez elle. Elle l'avait laissé entrer et s'attendait à se faire insulter à cause de l'argent que Rikki lui devait. Ce flic portait la poisse.

Mais ce jour-là, il lui avait apporté de bonnes nouvelles. Merde alors, incroyable.

Le flic continuait de parler, mais elle était piégée dans le tournis de sa tête. Il la poussa d'un de ses doigts boudinés et elle faillit tomber.

— Je te parle, nom de Dieu !

Elle dut faire un effort de concentration pour rester lucide.

— Quoi, mec ?

Il hocha la tête.

— Sale pute défoncée au tik.

Elle ouvrit la bouche pour répondre, mais il leva la main pour la faire taire.

— Écoute-moi, maintenant, et écoute bien.

— D'accord.

— Les gens voudront savoir où il est, tu me suis?

— Ja.

— Mais tu leur diras pas qu'il est mort.

— Pourquoi?

— Parce que je te le dis, voilà pourquoi!

Il la dominait et il puait comme s'il y avait quelque chose de mort dans la pièce.

— Mais qu'est-ce que je fais… si on me demande où il est?

— Tu dis que lui et son pote…

— Faried.

— Faried… tu dis que tu les as entendus parler d'aller sur la côte Ouest.

— Quoi faire?

— Qu'est-ce qu'on en a à chier? Partis pêcher la langouste ou l'ormeau. Ou voir des putes hottentotes. Contente-toi de dire qu'ils sont partis et que tu les as pas revus depuis. Tu comprends?

Elle acquiesça.

— Ja. D'accord, mec.

Gatsby lui agrippa le bras. Elle sentit ses nichons contre sa main. Il la retira.

— Si je t'entends dire quoi que ce soit d'autre, je viendrai te trancher la gorge. Tu me suis?

Elle fit oui de la tête et s'éloigna de sa puanteur. Il parcourut la pièce des yeux.

— Où est le vieil alcoolo?

— Parti acheter du vin. Vous en faites pas, il dira rien.

— Et le gamin?

— Les services sociaux l'ont pris.

— Quoi? Ils t'ont déclarée inapte? (Elle haussa les épaules.) Donc, plus de mari. Plus de gosse. Tu vas pouvoir te remettre à vendre ton cul.

Un bruit glaireux s'échappa du fond des poumons de Gatsby, comme la succion d'une blessure à la poitrine. Il riait.

— Va te faire foutre! ne put s'empêcher de lancer Carmen.

Il était rapide pour un homme aussi énorme et elle ne vit pas venir son poing. Il s'arrêta à la dernière seconde, et elle sentit ses doigts moites frôler la peau de ses joues. Ils restèrent comme ça, à s'affronter du regard jusqu'à ce qu'il baisse le bras.

— La prochaine fois, je t'expédie à l'hôpital.

Puis il fit demi-tour et sortit d'un pas pesant, sans fermer la porte. Carmen s'en chargea.

Elle s'assit sur le sofa taché. Rikki était mort. Elle n'arrivait toujours pas à y croire. Elle avait redouté de lui annoncer qu'ils avaient perdu la pension de Sheldon. Rikki l'en aurait tenue responsable et, contrairement au gros Boer, il n'aurait pas freiné son poing. Merde alors, connaissant Rikki, il y serait aussi allé à coups de pied.

Elle éprouvait un soulagement et une sensation étrange qu'elle ne connaissait pas. Du bonheur, finit-elle par comprendre. Elle était heureuse. Pour la première fois depuis l'âge de sept ans, quand son père avait commencé à lui rendre visite avec ses exigences moites et mesquines, elle n'appartenait à aucun homme.

***

De la cuisine, Burn regardait Susan et Matt sur le sofa devant la télé. Susan tenait la main de son fils. Deux jours avant, ce tableau l'aurait touché. Il y aurait vu un signe de rapprochement entre Susan et Matt, quelque chose indiquant qu'elle sortait du cercle fermé qu'elle entretenait avec son bébé.

Mais il savait maintenant que Susan se préparait à se rendre à la police. Elle craignait d'être séparée de son fils et voulait profiter du temps qu'elle pouvait encore passer avec lui. Burn ne supportait plus de les regarder en sachant que dans quelques jours, ils disparaîtraient de sa vie.

Pour toujours, sans doute.

Il se retrouva sur la terrasse dans le noir, le regard fixé sur les lumières de la ville en contrebas. Il eut un moment de vertige, comme si tout lui échappait. Il s'assit sur une chaise en bois et s'appliqua à ralentir sa respiration. Il se força à rester calme. À se rappeler qui il était.

Il avait toujours eu l'esprit combatif. Enfant, il avait protégé son grand frère contre les petits tyrans. Il avait récolté des bleus et des dents cassées, mais il n'avait jamais reculé. Jamais. Dans sa ville natale, il y avait encore des piliers de comptoir qui parlaient du soir où il avait fait gagner les championnats de football américain à son lycée... alors qu'il avait un bras cassé. Celui dont il se servait pour lancer le ballon. Il avait fait des passes précises et marqué l'essai de la victoire.

Dans les marines, quand ça leur pétait à la gueule, quelle que soit la nature de ce « ça », il s'était toujours trouvé un coin tranquille, un calme intérieur, qui lui donnait le temps d'agir.

La nuit où les hommes étaient entrés par la terrasse, il avait su qu'il allait les tuer. Ce n'était pas une pensée : c'était un réflexe. Un réflexe de guerrier.

Mais maintenant qu'il perdait sa famille, il faisait que dalle. Il laissait Susan lui échapper et s'éloigner de plus en plus.

Il se leva et arpenta la terrasse en se posant les questions pénibles : souhaitait-il qu'elle s'en aille ? Avait-il envie de se retrouver seul, sans rien à perdre ? Voulait-il se débarrasser de tout ce qui le rendait vulnérable ? Se réfugier dans un coin froid de lui-même et vivre le restant de ses jours en fugitif de la loi et de toutes les émotions qui le rendaient humain ?

Non. Ce n'était pas ce qu'il voulait.

Il rentra. Matt était toujours hypnotisé par la télé. Susan coupait des légumes dans la cuisine.

Il s'accouda au comptoir et la regarda cuisiner. Elle avait de belles mains, de longs doigts fins. Elle faisait de la sculpture quand il l'avait rencontrée. Elle s'en était désintéressée ces dernières années, sa passion artistique diluée par ses devoirs d'épouse et de mère. C'était dommage. Elle avait du talent.

Elle l'ignora. Elle râpait des légumes dans un wok, qu'elle alla poser sur la cuisinière.

Il ne la quittait pas des yeux.

— Ernie Simpkins, dit-il.

Elle leva les yeux sur lui en repoussant une mèche de cheveux.

— Quoi?

— Le flic mort s'appelait Ernie Simpkins.

Elle haussa les épaules et mélangea les légumes avec une cuiller en bois.

— Tu ne peux pas savoir à quel point j'aimerais changer ce qui s'est passé, Susan, mais c'est impossible. Je ne veux pas te perdre. Matt non plus. Ni le bébé.

— Il est trop tard, Jack. C'est déjà fait.

— J'ai merdé, complètement. Je le reconnais.

Elle leva les yeux de dessus le wok.

— Non, Jack. On merde quand on oublie son anniversaire de mariage. Mais assassiner un flic appartient à une tout autre catégorie. Et je ne parle même pas de ce que tu as fait l'autre nuit.

Il la regarda cuisiner, résolu à ne pas laisser la colère de sa femme l'effrayer et le réduire au silence.

— Chérie, tu veux vraiment diviser notre famille? Si tu le fais, tu sais que nous ne pourrons jamais nous revoir. Les enfants grandiront sans savoir qui est leur père.

— Tu dis ça comme si ça posait un problème.

— Je ne te reconnais plus, Susan.

— Pourtant c'est moi, Jack. Il va falloir t'y faire. Je ne suis plus ta petite épouse potiche.

— Tu ne l'as jamais été.

Il se glissa derrière elle, essaya de l'enlacer, mais elle pivota pour se dégager et se dirigea vers le frigo pour y prendre la sauce soja.

Il insista.

— Partons pour la Nouvelle-Zélande.

Elle éclata d'un rire incrédule.

— La Nouvelle-Zélande?

Il acquiesça. Il devait se montrer convaincant. Il avait une chance.

— Je n'aurais pas dû nous faire venir ici. Ce lieu, c'est comme, je ne sais pas, bon sang… comme un château en sucre construit sur une fosse septique. La Nouvelle-Zélande est un pays superbe, sauvage, avec un taux de criminalité presque nul.

— Quelle ironie. Voilà que tu cherches un pays sans criminalité, maintenant.

Elle ajouta le soja aux légumes et remua rapidement.

— Regarde-moi, Susan. (Elle leva les yeux sur lui, à contre-cœur.) Je veux une autre chance. Nom de Dieu, je mérite d'avoir une chance de rétablir la situation. Pour nous tous. Arrête de m'écarter. C'est pas parce que j'ai fait des mauvais choix que tu dois faire pareil.

Elle le regarda enfin dans les yeux. Et soutint son regard.

— Alors comme ça, tu parles d'aller en Nouvelle-Zélande? Dans l'état où je suis?

Elle lui montra son ventre du doigt.

— Oui, après l'accouchement. Je nous trouverai un appartement ici en attendant. Dans un immeuble sécurisé. Demain. Nous allons faire nos valises et nous barrer de cette maison. Et nous partirons dès que tu pourras monter en avion sans danger.

Il sentit qu'il réussissait à l'atteindre, il perçut une faille dans son armure.

— Susan, je t'aime, dit-il. Et Matt aussi. Je veux avoir une chance de me racheter.

Elle fit non de la tête, s'écarta de lui, ravala ses larmes.

Il s'approcha d'elle et l'enlaça par-derrière. Elle tenta de se dégager, mais il resserra son étreinte et la sentit enfin se détendre et céder.

Elle faillit capituler, faillit se laisser convaincre. Puis elle le revit le couteau à la main, penché sur le maigrichon; elle se dégagea et s'éloigna de lui.

Elle vit son visage, le désespoir dans ses yeux.

— Laisse-moi tranquille, Jack.

— Susan…

Il tendit une nouvelle fois les bras vers elle.

— Fous-moi la paix, nom de Dieu!

Elle hurla avant de pouvoir se contrôler. Burn dodelina de la tête et repartit sur la terrasse. Elle s'agrippa au bar de la cuisine en essayant de se calmer.

Elle leva les yeux sur Matt qui la fixait, assis sur le sofa. Il pleurait.

Elle se ressaisit, le rejoignit, s'assit à côté de lui et lui passa le bras autour des épaules.

— C'est rien, Matty.

Elle était consciente d'avoir rejeté son fils et, depuis qu'elle était rentrée de la clinique, elle essayait de rétablir le contact avec lui. De l'aimer de nouveau. Mais chaque fois qu'elle le regardait, elle voyait son père.

L'enfant sanglota dans ses bras tandis qu'elle lui caressait les cheveux et murmurait des mots rassurants. Elle sentit sa douleur et sa confusion. Et sa propre culpabilité. Mon Dieu, comment avait-elle pu faire une chose pareille? À son garçon chéri?

Matt se calma; les sanglots étaient moins désespérés. Susan le moucha dans un mouchoir en papier. Elle lui montra une pitrerie du dessin animé à la télévision et il sourit. Puis il rit. Elle s'installa à côté de lui et le tint dans ses bras jusqu'à ce qu'elle le sente absorbé par les tourbillons de couleurs sur l'écran. Puis elle sortit sur la terrasse, où son mari lui tournait le dos, le regard plongé dans le noir.

Il ne l'avait pas vue et elle prit le temps de l'observer. Il avait toujours été son point de repère, la seule personne de sa vie en qui elle pouvait avoir complètement confiance. Plus maintenant.

— Jack, dit-elle.

Il se tourna vers elle et les lumières de la maison éclairèrent son visage. Son air abattu le vieillissait.

— D'accord.

— D'accord quoi?

— Allons-y. Allons en Nouvelle-Zélande. N'importe où.

Il la fixait des yeux.

— Sérieusement?

— Oui. Mais je le fais pour Matt et pour elle.

Elle posa une main sur son ventre.

Il s'approcha de Susan et la prit dans ses bras, son ventre contre lui. Par-dessus son épaule, elle regarda la lune jaune et gonflée qui pendait comme un fruit meurtri au-dessus de l'océan.

— Je suis désolé, ma chérie, lui dit-il. Je vais tout arranger. Je te le promets.

Plus que tout au monde, elle voulait le croire.

CHAPITRE 10

Pourquoi ne lui avait-il pas giflé sa sale gueule, à cette garce de métisse ?

Rudi Barnard s'éloignait des Flats et traversait le pont de chemin de fer dans sa Toyota pour arriver à Goodwood lorsqu'il s'interrogea sur cette salope de mulâtre, cette Carmen, et se demanda pourquoi il ne l'avait pas frappée. Il ne se posait pas tant de questions d'ordinaire. Quiconque lui manquait de respect ou l'énervait en payait le prix. Il était troublé par son comportement aberrant.

Avait-il vraiment envie de la baiser ? Non, décida-t-il. Ce n'était pas ça. Soulagé, il comprit qu'elle pourrait lui être utile un jour. Et son intuition lui souffla qu'elle avait été victime de tant de sévices infligés par tant d'hommes qu'elle était immunisée contre la violence. En réalité, il pensait même avoir davantage de pouvoir sur elle s'il ne la frappait pas.

Il se fendit d'un sourire satisfait en appréciant sa finesse psychologique. Il connaissait les femmes. Merde alors, il en avait épousé une, dans le temps.

Une putain de salope, ouais.

Sur un coup de tête, il décida de s'arrêter dans un bar fréquenté par les flics, là, dans Voortrekker Road, à quelques pâtés de maisons de son appartement miteux. Le Station Bar avait ouvert ses portes à l'époque où on laissait les hommes boire tranquilles, les femmes étant confinées au salon à cocktails où un homme digne de ce nom n'aurait jamais mis les pieds.

Quoique, légalement, l'accès des femmes au Station Bar ne soit plus interdit, peu en profitaient. Le bar était laid, puait et regorgeait de types grossiers et violents. Les femmes qu'attirait ce genre de compagnie étaient pour la plupart au boulot, à faire le trottoir.

Il prit un tabouret. Le barman, un chauve ridé au teint nicotine, lui fit glisser une bouteille de Double O à l'ananas. Barnard grommela un remerciement et but une gorgée.

Il ne fréquentait pas ce bar pour l'alcool ou pour la compagnie. Il préférait la solitude et ne picolait jamais. Non, s'il venait là, c'était pour sonder le réseau des flics et, quand l'alcool déliait les langues, il glanait souvent des renseignements qu'il pouvait utiliser à son avantage.

Il avait besoin de réponses. Le téléphone arabe lui avait chuchoté quelques trucs qui le réveillaient la nuit, les hémorroïdes en feu et une démangeaison brûlante entre les cuisses.

Il observa un maigrichon avec une grosse bedaine et un brushing ; il était vêtu comme un homme quinze ans plus jeune et s'entretenait avec un métis au fond du bar. Le métis acquiesça, quelque chose le fit rire, puis il descendit sa bière d'un trait et s'en alla.

Barnard leva son Double O et transporta sa graisse jusqu'à un tabouret à côté du petit fringant.

— Lotter, dit-il.

Celui-ci lui adressa un regard indifférent.

— Barnard.

Il fit un signe au barman avachi comme un torchon sale sur le comptoir et lui indiqua le verre vide de Lotter.

— Sers-le.

— Je sais pas ce que tu veux, mais je refuse, dit Lotter.

— Qui a dit que je voulais quelque chose ?

Barnard se rapprocha et tenta de sourire.

Le commissaire Danny Lotter n'était pas particulièrement délicat (on racontait qu'il mangeait des hot dogs pendant les autopsies), mais la mauvaise haleine de Barnard le soufflant, il se ratatina sur son tabouret. Il s'empressa d'allumer une Camel, sans en proposer à Barnard.

Le barman servit le brandy Coca de Lotter et Barnard leva son Double O à sa santé.

— À la tienne.

Lotter grommela, mais ne refusa pas le verre.

— Lotter, j'ai entendu de drôles de choses.

— Va te faire examiner les oreilles.

Barnard dut se retenir pour ne pas attraper ce connard maigrichon par son brushing et lui écraser la gueule sur le bar. Il respira en sifflant, se calma.

— Des histoires de groupes de travail, de mise en place de bidules anticorruption.

Lotter se tourna vers lui.

— Ja, et alors?

— Alors, je sais que tu te tapes la gamine dans le bureau du commissaire général.

— Marie?

— Ja. La moche.

— Elle est pas vraiment moche.

— Lotter, c'est pas parce que tu te l'envoies que c'est pas un cageot, fit-il remarquer en éclatant d'un de ses rires asthmatiques.

Lotter vida son verre et le posa sur le comptoir. Et se leva.

— Merci pour le coup à boire.

Barnard posa lourdement la main sur l'épaule de Lotter, le forçant à reprendre son tabouret.

— J'essaie d'être gentil, tu sais. Alors continuons comme ça.

Lotter essaya de résister un moment, puis il se rendit compte que ça n'avancerait à rien et acquiesça.

— D'accord. Mais ôte tes mains de ma veste. Elle sort de chez le teinturier.

Barnard retira sa main et Lotter rajusta son col.

— Écoute, c'est censé rester secret et je n'ai eu vent que de quelques bribes, mais une espèce d'enquête se prépare.

— Ja?

— Ja. Et tu fais partie des gens sur qui ils doivent enquêter.

— Ah ouais?

Lotter confirma d'un signe de tête.

— C'est ce que j'ai entendu dire.

Barnard haussa les épaules.

— Ils peuvent aller se faire foutre, de toute façon. On en est à combien d'enquêtes de ce genre?

— Cette fois, c'est différent.

Lotter tira une grande bouffée de sa cigarette.

— Comment ça?

— C'est des négros de Jo'burg[1] envoyés par le ministère de la Protection et de la Sécurité. Pour nettoyer Le Cap.

— Des négros, dis-tu?

— En costume-cravate et BMW.

— Ah bon? Ils ont que dalle sur moi.

Lotter haussa les épaules.

— Dans ce cas, t'as pas à t'en faire.

Il écrasa son mégot, se leva et s'en alla.

Ce n'était pas entièrement inattendu. Un homme comme Barnard se faisait des ennemis. Souvent puissants. Il connaissait le sort réservé à ceux qui avaient eu des démêlés avec leurs supérieurs. Les plus chanceux avaient été licenciés sans indemnités. Les moins chanceux avaient fini à la prison de Pollsmoor avec la racaille métisse qu'ils avaient passé leur vie à combattre.

Ce n'était pas un sort que Rudi Barnard pouvait envisager.

Si Lotter avait raison (et Lotter n'avait pas l'imagination nécessaire pour inventer quoi que ce soit), Barnard avait une bataille en perspective. Il savait bien que pour remporter une guerre politique en Afrique du Sud – et si des négros y étaient impliqués, elle ne pouvait être que politique – il fallait savoir donner des pots-de-vin aux acteurs clés. Un sacré tas de pognon, déposé au bon endroit, pouvait effacer tous les ennuis.

Leur donner de l'argent. Ou les tuer.

***

Benny Mongrel et Bessie étaient au sommet du chantier. Bessie dormait. Elle avait monté l'escalier plus facilement ce soir-là, et

1. Johannesburg. *(N.d.T.)*

quand il lui avait touché les côtes, là où le gros flic lui avait flanqué un coup de pied, elle n'avait pas gémi.

Depuis sa conversation avec son patron blanc, Benny Mongrel essayait d'échafauder un plan. Allongé dans sa cahute, chez lui, incapable de dormir, il avait écouté le vent pousser des hurlements de moribond.

Il avait réfléchi.

Il se sentait en paix depuis qu'il avait pris sa décision. Dans deux jours, il toucherait son salaire mensuel. Une misère, mais c'était tout ce qu'il avait. Puis Bessie et lui commenceraient une nouvelle vie ensemble.

Il avait juré de ne pas dévier du droit chemin quand il avait franchi les portes de Pollsmoor. Ce qu'il voulait, c'était une vie hors des structures trop familières de la prison. Et voilà qu'il s'apprêtait à commettre un nouveau crime.

Évidemment, voler un chien – une vieille chienne galeuse aux hanches fatiguées – n'était rien en comparaison de ce qu'il avait fait dans le passé. Mais Bessie appartenait à la Sniper Security. Ce qui lui donnait plus de valeur que la plupart des métis à qui il avait souhaité bonne nuit au fil des ans. Même si elle était destinée à être piquée par le véto et balancée quelque part, enfermée dans un sac.

Il devait le faire. Pour eux deux.

Il se bâtirait une nouvelle cabane dans le dédale infini qui jouxtait Lavender Hill, un bidonville nommé Cuba Heights. Personne ne les y retrouverait.

Il avait un plan. Ils trouveraient du travail, ils surveilleraient les magasins et les petites usines qui, se construisant dans la périphérie des Cape Flats, étaient donc exposés aux attaques et aux vols. La plupart des propriétaires ne pouvaient pas se permettre la Sniper Security, mais ils pourraient s'offrir Benny Mongrel et Bessie.

— Y en a plus pour longtemps, Bessie, murmura-t-il. Plus pour longtemps.

Et il la caressa dans son sommeil.

***

Barnard remonta Voortrekker Road, passa devant les concessionnaires de voitures, les gargotes et les putes qui affichaient leur sourire au tik dans les phares de sa voiture. Il ne pourrait pas dormir. Pas après ce que Lotter lui avait appris. Rentrer dans son appartement exigu de Goodwood n'avait donc aucun sens.

Il allait avoir besoin d'argent. Et pas la petite monnaie qu'il soutirait aux types du genre Rikki Fortune. Non, de l'argent sérieux. Du fric pour de vrai.

Il songea aux Americans morts dans les Flats, à Rikki et à son asperge de copain enveloppés dans des sacs. Quelque chose avait fait tilt en lui dès qu'il avait vu les corps. Appelez ça de l'intuition. Ou un pressentiment. Appelez ça comme vous voulez, mais Rudi Barnard savait que l'autre Américain, celui qui venait de ces putains d'États-Unis, était impliqué dans l'affaire.

La clé de ce truc, c'était John Hill. Il en était sûr et certain.

Barnard avait envie de traverser la ville, d'arriver devant sa villa somptueuse le revolver à la main et d'y entrer à coups de pied. D'enfoncer son arme dans la gueule de ce putain d'Américain. De foutre des baffes à sa femme enceinte. De menacer son gamin. De leur faire tout ce qu'il faisait de son côté de la ville. De faire le nécessaire pour obtenir la vérité.

Mais sur la montagne, les règles n'étaient pas les mêmes. L'argent attirait les avocats. Et les feux des médias. Il allait devoir adopter de nouvelles méthodes s'il voulait découvrir ce qui s'était réellement passé. Les enjeux étaient plus importants. Il fallait s'y prendre en douceur et en beauté. En finesse. Et l'heure viendrait où il ferait ce qu'il faisait le mieux.

Tuer.

Il n'aurait pas su dire combien de personnes il avait tuées. Il savait que certains avaient la manie de compter, mais il n'en avait jamais ressenti le besoin. Il passait à autre chose, tout simplement. En revanche, il se souvenait de la première fois. Ça ne s'oublie jamais.

À l'âge de treize ans, Rudi Barnard avait tué l'amant de sa mère. Quelques secondes après, il avait tué sa mère.

Il était né dans un petit coin paumé à cinq heures de route du Cap, au nord-est du pays. La ville était divisée par un ruisseau qui coulait dans la zone aride, goutte à goutte, comme de la pisse. Les taudis des métis d'un côté. De l'autre, les maisons des Blancs s'agglutinaient autour du clocher de l'Église réformée hollandaise, qui semblait dresser un doigt accusateur vers les cieux. Barnard y avait passé une éternité d'après-midi étouffants à craindre l'enfer et le soufre qui se dégageait de la chaire, à attendre en vain que Dieu lui parle.

À treize ans, il était déjà gros et détesté de tous. Et il puait. Un jour, une garce d'institutrice l'avait renvoyé chez lui avec un mot demandant à sa mère de lui purger les intestins avant qu'il puisse revenir à l'école. Humilié, il était rentré chez lui sous une chaleur accablante, le soleil martelant son cou rouge.

Il approchait de chez lui lorsqu'il avait vu la vieille camionnette de Truman Goliath, un factotum métis, garée dans l'allée. Son père employait Goliath pour remplacer des plaques en tôle rouillées sur le toit.

Barnard était entré chez lui, la porte-moustiquaire claquant derrière lui. Il avait entendu sa mère crier. Il avait couru dans la chambre de ses parents et ouvert grand la porte. Il lui avait fallu quelques secondes pour comprendre que Truman Goliath n'était pas en train d'assassiner sa mère. En réalité, elle stimulait le métis athlétique à grand renfort de claques sur ses fesses nues et de cris d'encouragement, sans se rendre compte que son fils était dans la chambre.

C'est alors que Dieu avait parlé à Rudi Barnard pour la première fois.

Il s'était rendu dans la pièce où son père gardait ses armes, avait choisi une carabine calibre 22 long rifle et l'avait soigneusement chargée. Puis il était revenu dans la chambre à coucher et avait fait éclater la nuque de Truman Goliath sur le mur. Mme Barnard, nue, couverte de sang, d'éclats d'os et de morceaux de cervelle, dévisageait son fils et l'ovale que forma sa bouche quand elle cria fut parfaitement lyrique.

Rudi Barnard avait alors abattu sa mère en lui tirant en plein visage.

Puis il avait téléphoné à son père, à l'abattoir. Les deux gros Rudi, le père et le fils, avaient réfléchi ensemble et concocté l'histoire que la ville avait envie d'entendre. Le viol et le meurtre d'Elsie

Barnard : Truman Goliath avait attendu que le père et le fils quittent la maison et avait pris Elsie par la force. En bonne épouse de Boer de l'ancien temps, elle s'était débrouillée pour s'emparer de la carabine de son mari et avait abattu le salopard. Qui avait malheureusement utilisé ses dernières forces pour arracher l'arme à Elsie et l'expédier dans les bras de Jésus.

Si les métis des bidonvilles de l'autre côté de la ligne de chemin de fer s'étaient demandé comment Truman avait réussi à faire tout ça avec la moitié de la tête sur le mur, ils avaient su garder leurs questions pour eux.

Après cette première fois, Rudi avait trouvé facile de tuer. Il était doué pour ça.

Il attendait à un feu dans Voortrekker Road, en suant toujours à profusion. Une pute camée au tik boitilla vers lui sur ses talons hauts. Elle souleva sa jupe pour lui montrer ses cuisses décharnées, aussi séduisantes que celles d'un cadavre. Normalement, il serait descendu de sa voiture et lui aurait fait regretter son erreur. Mais il ressentit soudain le besoin urgent de rentrer chez lui.

Il allait imprimer les photos qu'il avait prises avec son téléphone, celles de Rikki et de son pote. Il voulait les montrer à quelqu'un.

***

Burn était enlacé dans les bras de sa femme endormie. Son fils dormait à côté de lui. Il ne s'était pas senti aussi bien depuis des lustres. Il irait dans une agence immobilière dès le lendemain et il louerait un appartement. Quel que soit le coût, ils seraient partis de cette maison le lendemain soir.

Puis il passerait du temps sur Internet pour faire des recherches sur la Nouvelle-Zélande. Il se souvenait vaguement qu'il y avait deux îles, celle du Nord et celle du Sud. L'île du Sud était censée être plus sauvage, plus coupée du monde, moins peuplée. Toute en montagnes élevées et en plages intactes.

C'est avec ces images à l'esprit que Burn s'était endormi.

Quand il se réveilla, le soleil ruisselait dans la chambre. Il était seul. Il entendit les bruits d'eau de la piscine sous la fenêtre de sa chambre. Les cris et quolibets africains des ouvriers du chantier voisin flottaient jusqu'à lui.

Il bâilla et frotta sa joue mal rasée.

Il entendit la voix de Susan, à l'intérieur de la maison. Dans la cuisine, semblait-il. Elle devait discuter avec Matt en préparant le petit déjeuner. Il trouva l'idée agréable.

Puis il entendit une autre voix. Celle d'un homme. Une voix qu'il n'arrivait pas à identifier.

Burn sortit du lit par réflexe. Il enfila un short et un tee-shirt. Avant de comprendre ce qu'il faisait, il avait ouvert l'armoire et avait le colt dans la main.

Il se déplaça silencieusement, pieds nus, vers la cuisine. Susan dit quelque chose qu'il ne réussit pas à comprendre. On aurait dit une question. L'homme répondit. Burn reconnut alors sa voix.

C'était le gros flic qui était dans la cuisine avec Susan.

CHAPITRE 11

Burn entra dans la cuisine.

Susan et le gros flic le regardèrent. Susan semblait effrayée.

— Jack, dit-elle, j'allais t'appeler.

Le flic posa son énorme panse sur le plan de travail de la cuisine. Susan gardait ses distances, de l'autre côté du comptoir.

— Que pouvons-nous faire pour vous, inspecteur ?

Burn s'efforça de rester décontracté, calme. Il ne voulait rien dévoiler. Il n'était qu'un citoyen ordinaire surpris de trouver un flic dans sa cuisine au petit matin.

— Je voulais simplement vous faire voir deux ou trois photos, à vous et à votre femme.

Barnard tenait une grande enveloppe jaune le long du corps. Il la posa sur le comptoir et en sortit deux clichés sur papier brillant.

Il les tendit à Susan. Elle les prit, un dans chaque main, et les regarda longuement. Puis elle ferma les yeux. Quand elle les rouvrit, elle les fixa sur Burn. Son visage avait perdu toute couleur.

Barnard ne l'avait pas quittée des yeux.

— Est-ce que vous reconnaissez l'un ou l'autre de ces hommes ?

Elle fit non de la tête et reposa les photos sur le comptoir comme si elles étaient toxiques.

Burn s'approcha et vit les visages des types qu'il avait tués. Bon Dieu, on les avait retrouvés. Déjà. Ils avaient l'air bouffi, marbré. Ils étaient en décomposition. Il lutta pour garder son calme, ne laissa rien paraître sur son visage.

Il ne toucha pas les photos.

Barnard le regardait.

— Et vous, monsieur?

— Non, je n'ai jamais vu ces types.

Puis Burn se plaça derrière Susan. Elle tremblait. Il la fit asseoir sur un tabouret.

— De quoi s'agit-il? Ma femme n'est pas en état d'être tourmentée comme ça.

Barnard remit les photos dans l'enveloppe.

— Vous vous rappelez la voiture qui était garée dehors? La BMW rouge? (Burn acquiesça.) Je pense que ces deux hommes sont venus avec. Dans votre rue.

— Je vous l'ai déjà dit. On ne connaît pas cette voiture. Ni ces hommes.

Barnard détacha sa bedaine du bar.

— Eh bien tant mieux. Car ce ne sont pas des gens bien.

Il regarda Susan d'un air sadique, ses dents jaunes tels des fragments osseux dans une plaie ouverte.

— Désolé de vous avoir tourmentée, madame Hill.

Susan ne répondit pas, elle le fixait d'un air absent.

Burn tenta d'apaiser sa femme d'une caresse. Elle avait les épaules raidies par la tension. Elle se dégagea. Le flic s'en aperçut. Matt entra dans la cuisine. Il regarda le gros flic, puis il alla vers le frigo en gardant ses distances avec lui.

— C'est votre fils? demanda Barnard en le regardant se servir un jus de fruit.

Burn se plaça instinctivement entre Matt et le flic.

— Ce sera tout, inspecteur?

Barnard fit oui de son énorme tête.

— Je vous contacterai si j'ai besoin de vous, dit-il en se traînant jusqu'à la porte d'entrée.

Burn le suivit pour lui ouvrir et s'assurer qu'il était bien parti.

Du coin des yeux, il vit Susan quitter la cuisine. Et l'entendit claquer la porte de la chambre à coucher.

***

Berenice September était devant le poste de police annexe à sept heures du matin. Il n'y avait aucun signe de la présence du flic. Le soleil cognait sur les banlieusards qui partaient au travail. Un groupe de gamins en uniforme d'école passa en criant.

Son fils Ronnie n'était pas rentré de la nuit. Tous les parents des Cape Flats redoutaient ce moment. Des dizaines d'enfants disparaissaient chaque année. La plupart d'entre eux étaient retrouvés dans le veld, violés, sodomisés, assassinés.

À sept heures quinze, Berenice n'en pouvait plus d'attendre. Elle était déjà en retard pour le travail. Elle n'arriverait jamais à payer ses factures à la fin du mois si on lui retenait une partie de son salaire. Puis elle vit le flic qui quittait l'arrêt de taxi en flânant comme s'il se baladait avec sa petite copine en bord de mer. Berenice lui fit un signe de la main. Cela ne le fit en rien presser le pas.

Elle s'avança vers lui en se frayant un passage à travers un groupe de banlieusards qui cherchaient à s'entasser dans le taxi-bus.

— Vous vous souvenez de moi ? Hier ? lui demanda-t-elle.

Le flic prit son temps avant d'acquiescer. Il continua de marcher et Berenice dut lui emboîter le pas.

— Je n'ai pas vu mon fils depuis que je vous l'ai laissé.

Le flic haussa les épaules. Ils étaient arrivés au container, il fouilla ses poches pour trouver la clé.

— Je ne l'ai pas vu moi non plus, dit-il.

— Qu'est-ce qui s'est passé, hier soir, après mon départ ?

Il déverrouilla la porte du container et l'ouvrit en grand. Les gonds réclamèrent de l'huile à grands cris.

— Il ne s'est rien passé.

Le flic entra et Berenice le suivit. Elle eut l'impression de traverser un mur de chaleur. Entre le soleil et la nervosité, elle commençait déjà à transpirer. Elle se sentit mal, sortit à reculons et reprit son souffle. Le flic la regarda avec une indifférence totale.

Elle réessaya.

— Hier soir, vous avez dit que des gens allaient venir. Je vous ai laissé mon fils, Ronnie, pour qu'il puisse leur parler.

— Ja. Mais il s'est cassé, votre gamin. Avant qu'ils arrivent. Il a attendu que vous partiez et juste après, il s'est enfui en courant.

Elle le dévisageait.

— Enfui où?

— Qu'est-ce que j'en sais, moi? C'est votre fils, pas le mien.

Il sortit la main courante et un stylo.

Berenice hocha la tête. Elle fit demi-tour et rentra chez elle. Elle allait téléphoner au boulot et dire qu'elle était malade. Ils pouvaient bien retirer cette journée sur son salaire. Il fallait qu'elle retrouve son fils.

***

— Ce flic sait quelque chose, Jack, dit Susan.

Elle arpentait la chambre à coucher, les joues enflammées par la colère.

— Comment le pourrait-il?

Burn s'appliquait à rester immobile pour contrebalancer l'agitation de son épouse.

— Dans ce cas, qu'est-ce qu'il faisait ici? demanda-t-elle en exigeant qu'il clarifie cette pagaille.

— Il a dû passer dans toutes les maisons de la rue. C'est juste une visite de routine.

En fait, Burn avait vu le gros flic monter dans sa voiture et s'en aller, mais il se garda de le dire à sa femme.

— Où les as-tu mis, ces types?

— Dans un terrain vague. Derrière l'aéroport. À des kilomètres de tout.

— Eh bien, il faut croire que non. Bon Dieu, Jack.

Elle s'arrêta, posa une main sur son ventre, et reprit son souffle. Il s'approcha d'elle.

— Allons, calme-toi, dit-il. Assieds-toi sur le lit.

— Laisse-moi tranquille, bordel de merde!

Ses mots l'arrêtèrent net, comme s'il avait reçu un coup. Susan ne parlait jamais comme ça.

— Susan...

— D'accord, Jack, alors voilà où on en est. Moi, Matt et... et elle (elle lui montra son ventre), on a dû raquer pour le flic que tu as tué. Mais il est hors de question qu'on tombe pour ce que tu as fait l'autre soir. Tu m'entends?

— Je t'entends. Mais personne ne va tomber.

Elle hocha la tête.

— Tu te trompes, Jack. Tu vas tomber. Tu vas tomber tout droit en enfer, bordel de Dieu, mais tu ne nous entraîneras pas dans ta chute!

***

Superbe. L'empreinte digitale se dessina sur l'écran de l'ordinateur de Barnard. L'Américaine avait laissé une empreinte presque parfaite de son index droit sur la photographie de Rikki Fortune.

Avant de se rendre chez les Américains, Barnard avait soigneusement nettoyé les clichés, puis il les avait glissés dans l'enveloppe. Il avait espéré que Burn les touche, mais l'homme avait veillé à les laisser sur le comptoir. Ce qui n'avait fait qu'aiguiser les soupçons de Barnard. Il devrait se contenter des empreintes de la femme.

Après être passé chez les Américains, Barnard s'était dirigé tout droit vers le labo de la police. Un technicien qui lui devait un service avait relevé les empreintes et les lui avait envoyées par e-mail dans les deux heures.

Il était assis devant son ordinateur portable posé sur le bureau de son appartement. Ceux qui le connaissaient présumaient automatiquement que ses doigts boudinés avaient du mal à maîtriser un ordinateur, mais il manœuvrait la souris et le clavier avec une aisance surprenante. Il s'était formé aux nouvelles technologies sans réticence, contrairement à la plupart des collègues de son âge; il était assez malin pour savoir que quand on perd pied dans ce domaine, on se retrouve vite mort et enterré.

On aurait aussi été surpris par son appartement d'une seule pièce. Il était spartiate, d'une propreté maniaque et d'une simplicité quasi monacale. Le lit était fait et une bible était soigneusement posée sur sa table de chevet. La vaisselle était faite et rangée. Il n'y avait pas d'auréoles de crasse dans sa baignoire.

S'il n'avait aucun contrôle sur les odeurs fétides et nocives que dégageait son corps, ou s'il n'en était pas conscient, il imposait l'ordre et la discipline à son cadre de vie.

Il consulta sa montre. Il était tôt à Arlington, en Virginie, mais Dexter Torrance avait dû finir ses prières. Il décrocha le téléphone.

Il était rare que Rudi Barnard rencontre quelqu'un avec qui il ait des affinités. En général, il ne ressentait que mépris et répugnance pour le reste de l'humanité, comme si la simple présence d'autrui se dressait entre lui et ses récompenses éternelles.

Dexter Torrance, c'était une autre affaire. En apparence, Barnard et le vice-marshal[1] américain ne pouvaient être plus différents. Alors que Barnard était gras et corpulent, Torrance était petit et avait l'air perpétuellement affamé. Pas avide de nourriture, non, mais du secours de la version de Jésus-Christ en laquelle il croyait avec une ferveur discrète.

Torrance, membre de la Force internationale spéciale de police pour la recherche des fugitifs, était venu au Cap quelques années auparavant pour ramener en Virginie-Occidentale un homme recherché pour le viol et le meurtre d'un catéchiste de Charleston. Le prisonnier s'était dérobé à la justice, mais après une série d'actes de plus en plus idiots, s'était fait arrêter au Cap. Les autorités sud-africaines n'avaient eu aucune hésitation à l'extrader en Virginie-Occidentale, État qui, comme l'Afrique du Sud, avait aboli la peine de mort.

Si Rudi Barnard avait eu la responsabilité de transférer le prisonnier pour Dexter Torrance, c'était simplement parce qu'à ce moment-là, ses supérieurs participaient à une fiesta politique organisée par le commissaire principal de police.

Dans le peu de temps que Torrance et Barnard avaient passé ensemble, ils s'étaient aperçus que leurs visions du monde étaient étrangement semblables. Torrance n'avait pas eu besoin de dire grand-chose (seulement qu'il était désenchanté que l'État où avait eu lieu le crime ait cru bon d'abolir la peine de mort) pour que Barnard reconnaisse une âme sœur. Barnard avait les mêmes opinions sur la Constitution libérale de son propre pays et faisait de son

---

1. *Marshal* : agent fédéral du ministère de la Justice américain. *(N.d.T.)*

mieux pour redresser la situation en exécutant autant de déviants que possible.

Torrance avait hoché la tête tandis qu'ils fixaient des yeux le prisonnier dans sa cellule. D'après le vice-marshal américain, quand ce fumier serait extradé aux États-Unis, il serait incarcéré dix ans, puis libéré et recommencerait ses méfaits.

Torrance et Barnard avaient trouvé leur collaboration aussi spontanée et divertissante qu'une équipe de double qui joue ensemble depuis des années, chacun sachant précisément quand l'autre va monter au filet. Barnard avait tenu le prisonnier pendant que Torrance l'étranglait avec la ceinture qu'il s'était achetée.

Après ça, Barnard avait soulevé le prisonnier tandis que Torrance glissait sa ceinture par les barreaux de la cellule et la lui passait autour du cou. Et ils l'avaient laissé pendre là le temps d'aller boire un thé en parlant, comme d'un ami intime, du Dieu interventionniste qui leur était si cher.

Un agent de police avait trouvé le pendu en effectuant sa ronde.

Le médecin de garde, ivre et irrité d'être arraché à un échange de fluides avec son mignard, n'avait pas perdu de temps : il avait constaté le suicide et signé le certificat de décès.

Torrance était reparti aux États-Unis avec un cercueil. Il avait éprouvé un grand plaisir à rendre le corps du prisonnier à sa famille pour les funérailles.

Du bon boulot.

Il avait gardé une grande estime pour Rudi Barnard, son frère d'armes dans l'Armée du Christ, et quand Rudi l'avait appelé ce matin-là pour lui demander de vérifier une empreinte digitale dans la banque de données du FBI, il lui avait répondu que ce serait un honneur.

***

Burn descendit en Jeep jusqu'à Sea Point, une banlieue quadrillée de bureaux et d'immeubles dominant l'Atlantique.

Quand il avait vu Susan toucher les photos, il avait résisté à l'envie instinctive de les lui arracher et de nettoyer ses empreintes.

Merde, la paranoïa de sa femme commençait à déteindre sur lui. Ce flic avait l'air d'un gros con. On avait dû lui ordonner de frapper à quelques portes, de suivre les procédures. On était au Cap, une dizaine d'autres personnes allaient mourir dans la journée, combien de temps un flic pouvait-il perdre à enquêter sur deux gangsters?

Mais s'il avait réussi à relever une empreinte? Burn savait que Susan avait été arrêtée lors de sa première année d'université à UCLA[1] pour avoir fumé de l'herbe à une fête. Elle avait raconté cette histoire à Burn peu après leur rencontre et avait ri en se rappelant comment elle avait été conduite à Santa Monica à l'arrière de la voiture du shérif. L'arrestation. Les plaisanteries avec le bel adjoint sur son profil flatteur quand il avait pris les photos d'identité judiciaire. Le flirt qui avait continué quand il avait appuyé sur ses doigts pour relever ses empreintes.

Burn se souvint de son sentiment de jalousie irrationnelle… pour un événement survenu trois ans avant qu'il rencontre Susan! Et maintenant, il ne pouvait plus se sortir de l'esprit l'image de ses mains noircies d'encre…

Un klaxon retentit derrière lui. Il rêvassait au feu vert. Il démarra et essaya de se calmer. Même si les empreintes de Susan avaient été relevées, où étaient-elles aujourd'hui? Et comment un flic du Cap pouvait-il y avoir accès?

Burn se rendait dans une agence immobilière. L'important était de partir de cette maison le plus tôt possible. Elle ne cessait de rappeler les deux morts à sa femme. Et ils étaient devenus une cible pour le gros flic.

Il allait déménager sa famille, après quoi il devrait convaincre Susan de le suivre en Nouvelle-Zélande. Après la naissance du bébé.

**

1. Université de Californie, campus de Los Angeles. *(N.d.T.)*

Carmen Fortune faillit vomir en lui taillant une pipe. Elle tenta de dégager sa tête, mais la cogna contre le volant. Le type l'attrapa par les cheveux avec ses mains rugueuses et s'enfonça plus profondément en elle, comme si elle était l'avaleuse de sabre qu'on voyait à la télé.

Après un début de merde, la journée avait empiré. L'impression de légèreté et de liberté qui avait accompagné l'annonce de la mort de Rikki s'était évaporée quand elle n'avait pas pu acheter de quoi fumer une ampoule. Elle n'aurait plus assez d'argent maintenant que la pension de Sheldon avait été supprimée.

Elle s'était prostituée à l'occasion quand elle était ado, avant de rencontrer Rikki. Comme la plupart de ses amies. C'était un moyen facile de s'offrir des jeans de marque. Mais elle ne l'avait pas fait depuis des années.

En prenant un taxi-bus pour Voortrekker Road, elle ne savait donc pas trop à quoi s'attendre. Elle s'était plantée dans un coin et avait dévisagé les conducteurs qui passaient. C'était jour de paye et elle n'était pas laide. Quelqu'un allait s'arrêter. Elle savait qu'il était risqué de faire le trottoir en plein jour. Elle allait peut-être devoir tailler une pipe à un ou deux flics. Mais elle ne pouvait pas attendre que la nuit tombe. Il fallait qu'elle trouve de la came. Et vite. Pour se débarrasser de cette putain de démangeaison abominable, cette impression d'avoir les nerfs à vif.

Une voiture s'était arrêtée. Une belle BMW toute neuve. Carmen s'était avancée et avait préparé son plus beau sourire professionnel en se penchant à la vitre du conducteur.

Son sourire s'était effacé quand elle avait reconnu le Nigérian au volant. Avant qu'elle puisse reculer, il l'avait agrippée par le tee-shirt et tirée à moitié dans la voiture.

— C'est mon turf ici, tu comprends ? C'est le territoire de mes filles. Si je te revois ici, je te descends.

Pour éviter tout malentendu, il avait ouvert sa veste de lin et lui avait fait voir un énorme revolver dans son étui d'épaule.

Elle avait acquiescé, il l'avait repoussée et avait démarré à toute vitesse en faillant lui écraser les pieds. Saloperies de Nigérians.

Elle était allée traîner un moment au centre commercial. Mais elle devenait folle et avait commencé à se gratter jusqu'au sang. Elle était donc repartie sur la route, à quelques centaines de mètres de l'endroit où le Nigérian l'avait menacée et, nerveuse, restait aux aguets.

Elle n'avait attendu que quelques minutes avant qu'un vieux pick-up cabossé s'arrête à côté d'elle. Le conducteur était métis, mais foncé. Dans les Flats, où les calibrages de couleur sont précis, où la naissance d'un enfant clair de peau est célébrée et où les femmes se tartinent avec tout un tas de potions pour s'éclaircir le teint, il est impossible d'afficher de la fierté pour une peau foncée.

Elle s'était quand même approchée de la vitre du conducteur. Il portait une combinaison de travail crasseuse et sentait la sueur.

— Combien pour une pipe ? lui avait-il demandé.

Il n'avait pas toutes ses dents.

— Cent, avait-elle répondu en doublant le prix qu'elle avait envisagé de demander.

— Vinssinq.

— Cinquante.

— Merde alors, à ce prix, t'as intérêt à me sucer comme un aspirateur, avait-il dit en ricanant et en se penchant pour lui ouvrir la portière côté passager.

Ils s'étaient engagés dans une ruelle et il s'était garé à côté d'un terrain vague. Il avait ouvert la fermeture de sa combinaison et exhibé la fierté de sa vie. Elle était énorme, et ne sentait pas la rose.

Carmen avait sorti un préservatif de son jean et déchiré l'emballage entre ses dents. L'homme avait hoché la tête.

— Pour cinquante, pas de capote, nom de Dieu !

— Écoute-moi bien, si tu crois que je vais me mettre ce truc dégueulasse dans la bouche sans l'emballer, t'es fou à lier. C'est à prendre ou à laisser.

Il avait haussé les épaules, elle avait étiré le préservatif. Et tout à coup, il l'avait attrapée par les cheveux et lui avait fait avaler tout le merdier.

Elle s'étouffait, mais l'entendit s'exciter comme un fou. C'était le bon moment. Elle repoussa les mains du type et releva la tête pour prendre une bouffée d'air.

— Pourquoi t'arrêtes?

— Relaxe un peu, Speedy. Prends ton temps.

Elle lui descendit la combinaison sur les genoux et sortit le couteau de cuisine de son jean. Puis elle lui attrapa la bite d'une main, et de l'autre elle posa le couteau à la base de son membre.

— Bon Dieu, mais qu'est-ce que tu fais?

Il la dévisageait. Dans la main de Carmen, l'affaire commençait à se faner et à ressembler à un serpent en caoutchouc.

— Sors ton portefeuille et pose-le sur mes genoux.

— Va te faire foutre!

Elle agrippa la bite molle et lui enfonça la pointe du couteau dans la peau. Il hurla.

— Je te jure que je suis prête à te la couper!

Elle enfonça le couteau assez profondément pour le faire un peu saigner.

— D'accord, d'accord.

Il mit la main dans sa poche et en sortit son portefeuille.

— Pose-le sur mes genoux.

Il obéit.

Elle laissa la lame où elle était, dégagea son autre main et ouvrit la portière derrière elle. Puis elle attrapa le portefeuille et sortit de la voiture. Il essaya de se jeter sur elle, mais s'empêtra dans la combinaison autour de ses genoux.

— Espèce de salope, je te tuerai! s'écria-t-il.

Elle s'enfuit de la ruelle en courant et revint dans Voortrekker Road juste à temps pour sauter dans un taxi-bus qui s'apprêtait à partir.

Le taxi n'était pas plein, elle s'assit à l'arrière, seule, et reprit son souffle. Elle ouvrit le portefeuille. Et vit la photo d'une femme souriante et d'un bambin. Quel salopard. Elle prit l'argent et jeta le portefeuille par la fenêtre. Trois cents.

Elle n'irait pas loin avec ça.

***

Berenice September maîtrisa sa panique pour suivre Cassiem, l'ami de Ronnie, à travers le veld. Le soleil de l'après-midi lui cognant sur la tête, une sueur incessante lui coulait le long des cheveux et du visage jusqu'à former une flaque au creux de sa poitrine.

Le garçon jeta un œil en arrière et s'arrêta en voyant son visage rouge et le sang sur ses jambes égratignées par les épines.

— Ça va, tantine? demanda-t-il.

Pas question de s'autoriser le moindre arrêt: elle savait qu'elle risquait de perdre courage et de rebrousser chemin.

— Avance, Cassiem. Emmène-moi là-bas.

Cassiem progressait avec difficulté dans le veld; la femme s'essoufflait derrière lui.

Berenice avait passé la journée à chercher Ronnie. Elle était allée à l'école. Il n'y était pas. Elle avait pris un taxi-bus jusqu'au centre de jeux vidéo de Bellville et, pour la première fois de sa vie, avait espéré le surprendre en pleine école buissonnière. Aucune trace de lui.

Après l'école, elle était allée chez Cassiem, à deux rues de chez elle. Cassiem lui avait dit qu'il n'avait pas vu Ronnie depuis la veille. Au départ, le garçon avait nié savoir pour les deux cadavres. Il avait fallu que Berenice le menace d'en parler à ses parents pour qu'il accepte de lui dire la vérité. Il était avec Ronnie quand son ami s'était approprié les Nike.

— Je veux que tu m'y emmènes, lui avait-elle dit.

— Pourquoi, tantine? C'est horrible.

— Peut-être que Ronnie y est retourné.

— Mais pourquoi, tantine?

Elle ne savait pas comment répondre à cette question. Elle savait seulement qu'elle devait être emmenée jusqu'aux cadavres.

Cassiem traversa d'épaisses broussailles et arriva dans un coin dégagé. Il montra du doigt un fourré épineux, de l'autre côté.

— C'est là.

— Allons-y, ordonna-t-elle.

Le garçon était réticent. Berenice le poussa et il s'avança lentement.

Berenice sentit l'odeur caractéristique de chair brûlée. Puis elle vit un monticule de matière noire, calcinée, méconnaissable.

Ronnie s'arrêta. Berenice rassembla son courage et s'approcha.

— Je vous en prie, mon Dieu, dit-elle en un souffle.

Elle s'approcha des cadavres. Il lui fallut un moment pour interpréter ce qu'elle voyait. Deux hommes – elle présuma que c'en était – allongés côte à côte, carbonisés. Puis elle distingua une forme plus petite, qui semblait étendue en travers.

Les traits étaient méconnaissables. De la chair noire brûlée sur un crâne. Des lambeaux d'étoffe calcinés dans la peau. Ce qu'elle vit ensuite lui donna un haut-le-cœur.

Elle réprima un hurlement et tomba à genoux dans la terre pour s'approcher des corps, pour voir – je vous en prie, mon Dieu – ce qu'elle redoutait de voir par-dessus tout. Au bras du plus petit corps, il y avait une montre. Une montre ridiculement grande, bien trop grande pour le poignet maigrichon. Le verre était brisé et le cadran tordu et noirci, mais il en restait suffisamment pour qu'elle repère Batman.

Berenice leva les yeux vers le soleil brûlant et libéra le cri de sa poitrine, hurla que Dieu la prenne en sa miséricorde.

CHAPITRE 12

Assis dans la salle des interrogatoires du quartier général de la police de Bellwood South, l'agent spécial Disaster Zondi attendait Rudi Barnard, qui avait vingt minutes de retard. Zondi ne montrait aucun signe d'impatience ou d'agacement. Il profitait de son temps libre pour relire le dossier Barnard. Un dossier aussi gros que le flic qui le regardait sur la photo.

Disaster Zondi refusait catégoriquement de changer son nom, en dépit des moqueries qu'il lui attirait. C'était comme un fier étendard qu'il portait le nom que lui avaient donné ses parents zoulous illettrés. Chaque nouvelle raillerie lui forgeait le caractère. Lui rappelait qu'il s'était sorti avec difficulté d'une vie de pauvreté rurale et de privations. Il avait obtenu une bourse, suivi des études de criminologie et, dans son poste actuel, il relevait directement de l'autorité du ministre de la Protection et de la Sécurité. Rares étaient ceux qui osaient lui rire à la figure maintenant qu'il revêtait la cape invisible du pouvoir.

Rudi Barnard et Disaster Zondi étaient diamétralement opposés dans la lutte entre le bien et le mal. Barnard était obèse. Zondi était mince et athlétique. Barnard croyait en la force de Dieu. Zondi croyait en la force de la Justice. Barnard était un glouton, un junkie de la malbouffe. Zondi mangeait avec parcimonie et pas n'importe quoi. Barnard n'était pas très porté sur le sexe. Zondi était sujet à des pulsions tumultueuses qui menaçaient en permanence de bouleverser son équilibre, mais il les réprimait et les maîtrisait par la seule force de sa volonté.

La seule référence religieuse de Zondi était de s'imaginer en inquisiteur parcourant les champs de bataille de la corruption dans l'Afrique du Sud contemporaine. Il y avait une constante chez lui : il ne pouvait pas être acheté. Il avait eu affaire à des hommes dans des positions bien plus élevées que Rudi Barnard. Des hommes politiques et des magnats. On lui avait offert des millions, qu'il avait rejetés sans sourciller. On lui avait offert le pouvoir et de hautes fonctions. Qui n'avaient pas le moindre attrait à ses yeux.

On lui avait offert des femmes : épouses, filles, maîtresses, le corps des scélérates elles-mêmes. Ces dernières étaient les plus difficiles à rejeter. Il avait dû puiser dans sa détermination. Mais il avait tenu bon. Il avait résisté.

Disaster Zondi estimait que la police était un rempart, la fine ligne bleue qui sépare la société de l'anarchie. Sa mission dans la vie était d'éliminer les mauvais flics qui s'enrichissaient allègrement sur le dos du miracle de la transformation en Afrique du Sud.

Zondi n'ignorait pas que Rudi Barnard était un dinosaure qui avait réussi – allez savoir comment – à échapper à la période glaciaire de la fin de l'apartheid. Il s'était créé un fief dans la ville du Cap, à coups d'assassinats et de rackets dans le chaos des Cape Flats. Il était extraordinaire qu'il s'en soit tiré impunément aussi longtemps. En tout cas, son heure était venue. L'agent spécial Zondi entendait bien mettre un terme au règne de Rudi Barnard.

La porte s'ouvrit et le flic prodigieusement énorme entra en respirant avec difficulté. Zondi repéra les petits yeux, comme des brûlures de cigarette sur un canapé en peau de porc : ils évaluaient sa peau noire, sa chemise blanche et son costume Roberto Cavalli.

Il vit que Barnard ne le reconnaissait pas. Pourquoi en serait-il allé autrement ? La dernière fois que Zondi l'avait vu de ses yeux alors voilés par la douleur et par le sang remontait à plus de vingt ans. À l'époque, il n'était qu'un énième Noir sans visage.

Zondi se leva et tendit une main parfaitement soignée.

— Disaster Zondi, dit-il.

***

Elles montèrent dans le taxi-bus à Mowbray : deux adolescentes saucissonnées dans leurs jeans trop étroits. Elles bousculèrent Benny Mongrel et s'assirent derrière lui. Leurs yeux s'écarquillèrent à la vue de son visage cauchemardesque. Alors que le taxi partait en brinque-balant, elles parlèrent de lui à voix basse, certaines qu'il ne pouvait pas les entendre par-dessus le bruit.

Mais il les entendait.

— T'as vu sa tête ?

— Ja. C'est atroce !

— Imagine que tu te réveilles avec ça dans ton lit.

— Je hurlerais. Non, honnêtement.

— Tu crois qu'il est marié ?

— S'il est marié, c'est avec une aveugle !

Elles ricanèrent en se dissimulant derrière leurs mains aux faux ongles qui ressemblaient à des griffes.

Benny Mongrel eut envie de se retourner et de leur dire qu'il pouvait se passer d'une garce d'épouse à la langue de vipère. Il aurait pu leur foutre une trouille bleue. Mais il ne fit rien et les chassa de ses pensées.

D'ailleurs, il avait eu son lot de femmes. À la prison de Pollsmoor, un officier du 28 pouvait choisir qui il voulait. Benny Mongrel s'était promené parmi les nouveaux venus et quand il voyait un jeune corps sans tatouage de gang, il le désignait.

L'homme suivait toujours.

Benny Mongrel l'installait dans le lit à côté du sien. Il lui offrait sa protection et, en échange, exigeait qu'il lui fasse la cuisine, qu'il lui lave et repasse ses vêtements et lui coupe les ongles des doigts de pied. Et la nuit, dans la cellule surpeuplée, Benny s'allongeait sur le garçon, face à face, et le sodomisait.

Les devoirs de l'épouse.

Si vous aviez suggéré à Benny Mongrel qu'il était homosexuel, il vous aurait tué. En prison, il y avait des gays, des tantouses outran-cières qui portaient des tee-shirts courts en guise de robes, qui se lais-saient pousser les cheveux, qui mettaient des bigoudis et réussissaient à faire entrer du rouge à lèvres et du fard à joues. Ces hommes, que les prisonniers appelaient les « moffies », étaient tolérés. Ils étaient amusants, ils faisaient partie de la culture de la prison. Mais Benny Mongrel ne s'était jamais approché d'eux.

Il ne gardait jamais une femme plus de quelques semaines. Il n'était jamais question d'intimité. C'était une procédure froide, brutale, fonctionnelle.

Pendant ses dernières années de prison, Benny Mongrel avait cessé de prendre des femmes. Il s'en était désintéressé. Il n'avait plus aucun désir de toucher ou d'être touché. Il restait seul sur son lit en ignorant les bruits bestiaux de viol et de luxure.

Ça ne représentait plus rien pour lui.

Maintenant qu'il était libre, prendre une femme était la dernière chose qui lui serait venue à l'esprit. Que ce soit par la force ou autrement. Il savait ce qu'elles voyaient en lui : la même chose que ces petites pétasses dans le taxi. Comme s'il était un monstre. Sous la menace d'un couteau, il aurait pu les traîner dans les buissons par les cheveux et les prendre. Il l'avait déjà fait. Mais il n'avait plus envie de ce genre de choses.

Il s'était résigné à la solitude.

Jusqu'à ce qu'il rencontre Bessie.

À sa surprise, il avait trouvé son point d'équilibre, comme un havre de paix, avec la vieille chienne. Elle était heureuse de le voir tous les soirs. Elle dormait à côté de lui, mangeait ce qu'il lui donnait et n'en demandait pas plus. C'était étrange, mais quand il était avec elle, il avait une image différente de lui-même. Pour la première fois de sa vie, il pouvait se contenter d'être.

Plus que deux jours et il pourrait entamer la nouvelle vie dont il rêvait depuis sa sortie de prison.

Le taxi s'arrêta brusquement à Salt River et Benny Mongrel en descendit. Il était tout près de la Sniper Security où il devait prendre son poste.

***

Le vent chaud hurlait avec une férocité qui faisait vibrer les nerfs comme des cordes de banjo. Et la saison des feux avait commencé. Un mégot qu'on jette sans réfléchir, une étincelle, ou un éclat de verre concentrant le soleil sur les broussailles desséchées – il n'en fallait pas plus pour mettre le feu à la montagne.

Debout à côté de la piscine, Burn observait un hélicoptère qui s'immobilisa sur l'océan avant de puiser de l'eau dans un seau suspendu sous sa coque. L'hélico s'éleva en combattant le poids de l'eau et la force du vent et passa presque exactement au-dessus de lui. L'appareil vira près du feu qui dévorait Lion's Head et largua sa cargaison d'eau. Puis il repartit, allégé, vers l'océan.

Une fumée orange foncé bloquait le soleil couchant, obscurcissait l'étage supérieur des immeubles de Sea Point.

Burn se sentit piégé.

***

La maison sur la montagne attirait Rudi Barnard comme un aimant. Il n'aurait pas su donner d'explication rationnelle à sa présence près de la maison de l'Américain, mais il est inutile de justifier l'instinct. Le sien était souvent juste.

Assis dans sa voiture, il observait le travail de l'hélicoptère, là, si bas que des gouttes du seau éclaboussèrent son pare-brise. Il tira une dernière bouffée de sa cigarette et lança le mégot encore fumant dans la rue. Au cul ! Il se foutait pas mal que cet endroit de merde soit réduit en cendres.

Ses hémorroïdes le faisaient souffrir, mais son esprit restait fixé sur ce singe en costume. Disaster Zondi. Tu parles d'un nom à la con.

Le face-à-face s'était déroulé comme il l'avait pressenti. Le négro avait dévisagé Barnard comme s'il n'était qu'une merde collée à la semelle de ses chaussures de luxe et il avait tapoté des doigts l'épais dossier posé devant lui. Le dossier qui portait son nom.

Il n'avait pas confronté Barnard à un fait particulier, il lui avait seulement dit qu'il faisait l'objet d'une enquête. Qu'il s'agissait d'une rencontre préliminaire. Qu'ils auraient d'autres périodes de contact. Parce qu'il avait utilisé ces mots-là : des « périodes de contact ». Sa voix, son espèce de voix traînante à l'américaine lui avait grincé dans les oreilles comme une craie sur un tableau noir.

Il connaissait les hommes de son genre. Merde alors, il avait tout de même passé une grande partie de sa vie à les chasser, à les torturer et à les tuer. Certains avaient hurlé comme des femmes, imploré qu'il leur laisse la vie sauve, mais d'autres l'avaient dévisagé d'un air hautain jusqu'à ce que la mort leur brouille la vue.

C'était ce regard qu'avait Zondi. Celui d'un homme décidé à le démolir et que rien ne pouvait arrêter. Certainement pas celui du soi-disant supérieur hiérarchique de Barnard.

Le commissaire Peterson représentait tout ce que Rudi Barnard détestait. Un métis qui avait bénéficié de la discrimination positive pour catapulter sa carrière en passant au-dessus de flics blancs plus qualifiés. Un homme politique mineur qui portait un uniforme de policier, mais n'aurait pas été fichu de régler la circulation. Un homme de relations publiques dont la langue avait fini par se souder au cul de ses maîtres.

Après la confrontation avec Zondi, Barnard était allé droit au bureau de Peterson. Il savait qu'il terrifiait son supérieur. Barnard faisait la loi et continuait à l'exercer grâce à la ruse et à la manipulation. Il achetait ceux qu'il pouvait acheter. Il intimidait ceux qui refusaient d'être achetés. Au fil des ans, il avait réuni une somme colossale de renseignements sur ses collègues et supérieurs. Il savait qui était corrompu, qui falsifiait les arrestations, qui ne s'était jamais fait verbaliser pour conduite en état d'ivresse, qui acceptait les faveurs des putes et qui se tapait les épouses de ses collègues policiers.

Assis en face de Peterson dans le bureau du commissaire au quartier général de Bellwood South, Barnard sentait la peur du métis. L'homme s'aspergeait de tonnes de lotion après-rasage, mais il puait. Barnard, qui ne s'apercevait pas ou se fichait de sa propre puanteur, avait une perception aiguë de celle des autres.

Peterson, mari heureux, chrétien pratiquant et modèle de vertu de la nouvelle Afrique du Sud, avait eu quelques années auparavant une liaison avec une femme beaucoup plus jeune que lui. Le mari de sa maîtresse était un marchand de ferraille qui trempait dans le trafic de voitures volées. Barnard savait, et de source sûre, que Peterson avait monté un coup contre lui en déposant des pièces volées dans sa casse pour se débarrasser du mari quelques années. Le pauvre diable était mort en prison, victime de la discipline des gangs.

Et Peterson savait que Barnard savait. Ce n'était pas plus compliqué que ça.

Barnard faisait donc comme bon lui semblait et prenait rarement le temps d'aller au quartier général. Mais ce jour-là, il avait un but bien précis. Il se pencha vers Peterson.

— Débarrassez-moi de ce négro.

Peterson refusa d'un hochement de tête.

— Je n'ai pas la moindre autorité dans cette affaire, inspecteur.

— Vous me comprenez mal, Peterson. Faites disparaître cet enculé.

Peterson tripotait un stylo de luxe.

— Il faut me croire : nous sommes tous tenus à l'écart. C'est le ministère qui gère tout en direct.

— Vous voulez dire que je dois accepter d'être tenu par les couilles ?

Peterson haussa les épaules.

— Je suis désolé. J'ai les mains liées.

Barnard acquiesça. Il tenta même de sourire, ce qui n'était pas beau à voir.

— Comment va votre petite copine ?

L'odeur de sa peur se répandit sur le bureau.

— Je vous en prie, Rudi. C'est de l'histoire ancienne, tout ça. Ne me considérez pas comme un ennemi dans cette affaire. Comprenez-moi : je ne peux absolument rien faire pour changer les activités de cet homme de Jo'burg. Rien.

Barnard s'était levé et dominait Peterson tel un mur de graisse nauséabond.

— N'oubliez pas que si je tombe, je ne tomberai pas tout seul.

Dans sa voiture, Barnard alluma une autre cigarette, les yeux fixés sur la maison de l'Américain. Les lumières s'étaient allumées dans l'obscurité naissante.

Barnard allait avoir besoin d'argent pour arroser les gens dans cette affaire. Beaucoup d'argent. Et s'il ne pouvait pas s'en tirer avec des pots-de-vin, il serait obligé de faire ce qu'il faisait le mieux. Zondi n'était pas une pute camée des Flats, c'était un négro avec une position importante, mais ça ne l'immunisait pas contre les balles.

Il mourrait comme tous les autres.

Cette idée le fit sourire. D'un sourire qui s'évapora quand il repéra des phares dans son rétroviseur. Une voiture se rapprochait lentement de la sienne. Un véhicule blindé.

Barnard avait horreur des vigiles, ces flics de location qui profitaient de la paranoïa des nantis. À l'aise dans leurs patrouilles des quartiers huppés, ils méprisaient les vrais flics. En temps normal, il aurait adoré un face-à-face avec le cow-boy qui conduisait – rien que pour le plaisir : son insigne de flic pesait toujours plus lourd qu'une carte d'identité de flic de location et il le savait.

Mais pas ce soir.

Il ne voulait pas être repéré près de cette maison. Il démarra et partit avant que le flic de location puisse arriver jusqu'à lui.

***

Burn revint à l'intérieur et vit Susan allongée sur le sofa – elle dormait ou faisait semblant. Matt regardait la télé. Burn l'aurait d'ordinaire éloigné du petit écran et se serait opposé à son envie de s'abrutir devant la banalité de la télé.

Mais pour l'instant, c'était presque un soulagement de le voir occupé, distrait de la rupture de ses parents.

En rentrant, il avait trouvé Susan en train de lire un magazine de mode, les pieds dans la piscine pour se rafraîchir. Matt, lui, éclaboussait partout avec des palmes. À l'intérieur, Mme Dollie maniait l'aspirateur comme une arme, le bruit aigu de l'appareil l'empêchant d'entendre ce que Burn avait à dire.

Il avait expliqué à Susan qu'il avait trouvé un appartement. Face à l'océan, au-dessus de Clifton Beach et, point crucial, il était disponible tout de suite. L'agence lui avait demandé une journée pour le faire nettoyer, après quoi sa famille pourrait s'y installer.

Susan l'avait fixé des yeux, avait haussé les épaules et s'était remise à la lecture de son magazine.

L'hélicoptère était passé au-dessus de leurs têtes dans un grand fracas et Susan avait ouvert les yeux et croisé son regard. Elle avait refermé les yeux.

— Susan?

Il avait dû élever la voix pour se faire entendre à cause de l'hélicoptère qui passait.

— Oui?

Ses yeux étaient restés fermés. Matt avait ri en voyant un bonhomme se faire écraser par un rocher dans son dessin animé.

— Je sors.

Ses yeux s'étaient entrouverts.

— Bien.

— Viens avec moi si tu veux. J'ai besoin de prendre un peu l'air.

Elle avait refusé d'un signe de tête.

— Non, on va rester ici.

— Ça va aller?

— Ne t'en fais pas pour nous, Jack.

Elle n'essayait même pas de dissimuler son agacement.

— Je peux rester si tu préfères.

— Non, va-t'en. C'est mieux.

Elle avait de nouveau fermé les yeux et l'avait ignoré.

— Ferme bien les portes. D'accord?

Elle ne lui avait pas répondu.

Il avait pris les clés de la voiture et était parti vers le garage.

En reculant la Jeep, il avait remarqué que les flammes avaient gagné du terrain sur la montagne. Deux hélicos essayaient d'éteindre le feu.

***

Assis dans un café qui dominait l'océan, non loin du Waterfront, Disaster Zondi buvait une pâle imitation de cappuccino. Excès de mousse et manque de coup de fouet.

Il ôta un peu de mousse avec sa cuiller et la déposa dans sa soucoupe, mais au moment de porter la tasse à ses lèvres, il faillit en renverser une goutte sur sa chemise en soie. Il reposa la tasse dans la soucoupe et la poussa de côté.

La nuit était tombée et il était le dernier client du café. Les employés lui tournaient autour comme des vautours, impatients de se débarrasser de lui.

Après l'entretien avec Barnard, il avait réprimé son désir de se précipiter à l'hôtel pour prendre une douche. La puanteur du flic lui avait coupé le souffle. Elle allait au-delà de l'odeur corporelle, elle était toxique, fétide. Sulfureuse. Un souvenir issu de son éducation dans une pension anglicane ressurgit soudain dans son esprit : le diable avait une odeur pestilentielle, qui ressemblait au soufre. Naturellement, Zondi ne croyait plus au diable. Ni à Dieu.

Mais tout de même.

Il n'aurait pas cru que cette rencontre le perturberait autant. Il avait délibérément choisi de l'abréger, de se contenter de lancer un avertissement au gros. De lui passer le message que Disaster Zondi s'occupait de son cas. Être près de Barnard n'avait pas été loin de faire fondre sa froideur, la couche de permafrost derrière laquelle il se protégeait du monde. Il comprit qu'il était en train d'en faire une affaire personnelle. Il fallait ralentir. Se détacher. Rester concentré.

Il s'était échappé du QG de Bellwood South au volant de sa BMW de location tandis que le soleil se couchait sur l'océan ; ses derniers rayons doraient la Montagne de la Table. Le Cap se donnait en spectacle. Même le voile de fumée de l'incendie sur Lion's Head ne pouvait atténuer sa splendeur.

Le Cap le choquait. Sa lenteur languide et sa dévotion au culte du soleil, ses dégustations de vin et la divinisation de sa beauté naturelle, tout cela lui semblait décadent et ridicule. On aurait dit une femme complètement obsédée par son apparence. Cette ville ne ressemblait même pas à l'Afrique. C'était comme un fragment d'Europe transplanté sur une péninsule montagneuse qui s'étend vers le pôle Sud comme un doigt d'honneur. Jusqu'au climat, qui est méditerranéen.

Et c'était la seule ville subsaharienne où un Noir se retrouvait minoritaire.

Comme il n'avait aucun désir de rentrer à l'hôtel, il avait soudain eu envie de s'arrêter prendre un café. Ce cappuccino imbuvable.

La serveuse métisse lui enleva brusquement sa tasse. En retournant à la cuisine, elle s'arrêta pour bavarder avec une autre métisse qui nettoyait une table et y alignait les salières et les poivrières.

Elles parlaient à voix basse, dans le dialecte local, mais Zondi les entendait. Et les comprenait.

— Il voit pas qu'on veut s'en aller ?

— C'est typique, c'est comme ça avec ces négros. Je suis désolée, mais ils sont comme ça.

— Ils se croient tout permis.

— Mais c'est que tout leur est permis. Maintenant.

— Je sais. Ça me rend malade.

— T'as pas entendu la radio ce matin ? Ils vont jusqu'à dire que Dieu est noir.

— Non !

— Si je te le dis...

— Je suis désolée. Je veux bien admettre que Dieu soit blanc. Mais pas noir. Je bosse encore pour un patron blanc !

Elles rirent et disparurent dans l'arrière-cuisine.

Zondi s'autorisa un sourire crispé. Son portable se mit à gazouiller. QG de Bellwood South.

***

Carmen Fortune serra la bouche sur l'ampoule et aspira goulûment. Le verre lui brûla les lèvres, mais elle ne perçut pas la douleur, impatiente qu'elle était de sentir la fumée dans ses poumons et le flash qui suivait tel un train débouchant d'un tunnel.

Doux Jésus, elle eut l'impression que sa tête allait exploser en mille éclats de cervelle et d'os. Elle vit une main tatouée aux ongles noirs de crasse s'emparer de l'ampoule puis elle s'effondra sur le matelas puant, les yeux clos. Après le flash, elle restait dans l'euphorie, le rayonnement, l'impression d'avoir le monde entier à ses pieds.

Elle ouvrit les yeux et sourit. Conway Paulsen la regardait, accroupi ; un champignon de fumée de tik s'échappa de sa bouche. Il lui rendit son sourire aux dents noircies par des années de drogue.

Carmen s'assit, la tête légère. Elle était dans le zozo de Conway, une case en bois dressée sur le terrain de ses parents. Conway, encore adolescent, était un contact de Rikki, un aspirant American qu'ils utilisaient comme garçon de courses, mais n'autorisaient pas à suivre l'initiation dont il rêvait. Il était simple d'esprit et la cible de blagues cruelles sans fin.

— Alors, tu vas brancher Rikki. Tu vas lui dire que je veux vendre pour lui, d'accord ?

— Ja. Dès qu'il reviendra de la côte Ouest.

— Qu'est-ce qu'il fout là-bas, d'ailleurs ? J'ai entendu parler d'un business d'ormeaux avec les Chinetoques.

— J'en sais rien, putain. Peut-être.

— Ou alors c'est pour le tik ? Tu penses qu'il fournit des villes jusqu'en Namibie ?

Elle haussa les épaules.

— Tu connais Rikki, dit-elle.

Il rit.

— Ja. Faut reconnaître que c'est du sérieux, avec lui.

Carmen prit appui sur le mur pour se remettre debout. Elle remercia Conway et disparut dans la nuit.

Elle descendit Tulip Street, passa devant les rangées de maisons identiques en évitant les nids-de-poule et se dirigea vers son quartier dans le ghetto. La chaleur était oppressante, elle avait l'impression de suffoquer sous une couverture d'air vicié. Des bribes de vie des Cape Flats flottaient vers elle tandis qu'elle avançait : cris, jurons, lamentations d'une femme en pleurs, rire d'un homme saoul.

Une Honda Civic sans capot, trafiquée pour faire du boucan, cahota vers elle et la força à s'écarter. Elle vit les quatre garçons à l'intérieur, avachis sur les sièges, les yeux glissant sur elle, du rap gangsta s'échappant sur leur passage.

Petits branleurs.

Elle pressa le pas. Elle passa devant trois femmes au foyer qui cancanaient à un carrefour, sous un lampadaire. Deux avaient des bigoudis dans les cheveux et elles tiraient toutes sur des cigarettes comme s'il s'agissait de respirateurs artificiels. Leurs yeux se fixèrent sur elle.

Elle fit semblant de les ignorer, leurs murmures lui parvenant en écho comme des bâtons qu'on traîne sur une palissade en bois. Elle entendit « pute camée » et « pouffiasse » avant d'être hors de portée d'oreille.

Elle entendit son nom, mais n'y prêta pas attention. Elle s'attendait à plus d'insultes. Puis elle sentit qu'on la tirait par la manche et elle serra les poings, prête à frapper. Elle se retourna et reconnut la femme de son gros nul de frère.

— Qu'est-ce que tu veux?

Carol était une demi-portion qui avait peur de son ombre. Elle lâcha la manche de Carmen et recula.

— C'est ton père, Carmie.

— J'ai pas de père.

— Il est très malade.

Carmen regarda la fille.

— Tant mieux. J'espère que ce pourri va y passer.

Puis elle poursuivit son chemin. Assez de bonnes nouvelles pour cette nuit.

***

Burn ne pouvait pas perdre.

Quoi qu'il fasse, il continuait à battre le croupier qui distribuait les cartes. Il buvait du scotch à la table de black-jack du Grand West Casino, la réplique de celui de Las Vegas.

Le croupier, qui avait une reine, donna un dix et un six à Burn.

Burn tapa sur son jeu.

— Carte.

Des murmures désapprobateurs s'élevèrent autour de lui. Qu'ils aillent se faire foutre. Le croupier lança un regard inquisiteur à Burn.

— Vous avez entendu : carte.

Le croupier lui donna un cinq, tira un six pour lui-même, puis un dix. De trop.

Il poussa violemment un tas de jetons vers Burn, qui lui en relança deux ou trois, les fit claquer sur la table, puis les glissa dans une fente à pourboire.

Burn finit son scotch et tendit son verre vide à une serveuse qui passait. Pourquoi ne pas en boire un autre ?

Il savait qu'il était fou d'être venu ici. Stupide. Irresponsable. C'était le jeu qui avait provoqué tous les malheurs de sa vie. Qui lui avait fait abandonner un flic mort dans la neige. Il allait perdre à jamais sa femme et son fils, et voilà qu'il jouait de nouveau. Il occultait la réalité.

Mais il ressentit un peu de l'ancienne exaltation, le frisson que le jeu lui avait toujours donné, comme une montée d'adrénaline en plein dans le cœur. Il adorait ça.

Encore maintenant.

Le croupier lui donna un dix et un sept et tira un roi.

Le voisin de Burn, un basané aux dents en or, ne cacha pas ce qu'il pensait.

— Arrête, tu m'entends ?

Burn l'ignora et tapa sa main.

— Carte.

Le croupier lui donna un quatre avec indifférence. Vingt et un. Puis la banque capota en tirant deux figures.

Burn éclata de rire et tendit la main vers le scotch qui était apparu sur la table.

Il était imbattable.

CHAPITRE 13

Disaster Zondi regardait les corps calcinés. Les projecteurs portables à la lumière froide et crue cliquetaient dans le vent furieux qui menaçait de les renverser en dépit des sacs de sable pour les stabiliser. Le ruban jaune protégeant la scène de crime claquait et chantait dans le vent et les techniciens travaillaient en se battant avec la poussière.

Le vent apportait des bribes de conversation aux oreilles de Zondi. Les techniciens se demandaient pourquoi on les avait dérangés pour constater le foutoir habituel des Flats. Les regards se dirigeaient sur lui, comme si cette décision venait forcément de lui.

Impassible, Zondi ne faisait aucun cas de leurs propos et communiait avec les morts.

Le petit corps était manifestement celui d'un enfant et la mère soutenait qu'il s'agissait de son fils. Ils vérifieraient la dentition le lendemain matin, mais Zondi ne doutait pas qu'elle ait raison. Une mère ne se trompe jamais dans un cas pareil.

Zondi avait conscience d'outrepasser ses responsabilités par sa présence. C'était de la recherche, disons : l'homme de Johannesburg s'imprégnait de la criminalité qui jugulait les Flats. Mais l'affaire était loin d'être typique. Les cadavres des deux hommes auraient indiqué une tuerie de gang. Et celui de l'enfant, s'il avait été isolé, aurait pu être le résultat d'un crime de pédophilie, ce genre d'homicide survenant avec une régularité effarante dans les Flats.

Mais les trois corps ensemble ? Le crime semblait signé par une bête d'une tout autre nature.

Le commissaire Peterson, commandant en chef de Bellwood South, avait fait le déplacement. Zondi savait que c'était à cause de lui. Peterson avait l'air repu d'un homme qui laisse le sale boulot aux autres.

Un sergent en tenue s'approcha de Peterson.

— Commissaire, l'agent Galant est arrivé, dit-il en désignant une voiture de patrouille.

Peterson suivit le sergent. Zondi le rejoignit.

— Je peux vous accompagner, commissaire ?

Si ça dérangeait Peterson, il n'était pas près de l'avouer.

— Naturellement.

L'agent Gershwynne Galant, responsable réticent de l'annexe du poste de police, attendait à l'arrière de la voiture. Il portait un jean et un tee-shirt qui empestaient comme s'il sortait tout droit d'une taverne. Il avait l'air inquiet et maussade.

— Allez chercher la mère, sergent.

Le commissaire désigna du menton Berenice September, assise sur le siège passager de sa voiture.

Berenice s'approcha à pas lents. Elle trébucha et le sergent dut la soutenir. Son visage captait suffisamment la lumière des projecteurs pour laisser entrevoir l'enfer qu'elle traversait.

Peterson lui montra Galant.

— Madame September, est-ce bien l'agent auprès duquel vous avez amené votre fils ?

Berenice se tourna vers Galant qui croisa son regard, puis détourna les yeux.

— Oui, c'est lui.

Peterson demanda au sergent de raccompagner la femme à sa voiture, puis il se glissa à côté de Galant. Zondi se pencha par la vitre du passager et écouta.

— Cette femme vous a confié son fils. Que s'est-il passé après ?

— Il s'est enfui, comme je lui ai dit.

Peterson hocha la tête.

— Nous savons tous les deux que ça ne s'est pas passé comme ça. (Il marqua une pause.) Elle dit que vous avez téléphoné à quelqu'un. Sur votre portable. Alors soit vous nous dites qui vous avez appelé, soit nous consultons le registre de vos appels. Croyez-moi, je me montrerai nettement plus indulgent si vous coopérez. Vous me comprenez?

Galant acquiesça.

— Bien. Alors je vous le redemande : qui avez-vous appelé?

Galant s'essuya le nez du plat de la main et renifla.

— L'inspecteur Barnard.

Zondi se tourna vers Peterson. Était-ce de la peur qu'il lisait sur son visage?

— Et que s'est-il passé ensuite?

Peterson semblait éprouver une certaine réticence à poser la question.

— L'inspecteur est venu et il est reparti avec le garçon. Dans sa voiture.

Peterson sortit du véhicule et se tourna vers le sergent.

— Bouclez-le. Cellule d'isolement, d'accord?

Le flic acquiesça, prit le volant, démarra et s'en alla. Zondi et Peterson restèrent là, debout dans les hurlements du vent, à essayer de se protéger les yeux.

— Je vais lancer un mandat d'arrêt contre Barnard, dit Peterson en clignant des yeux.

— Je crois que c'est une bonne idée. Je veux être tenu au courant de toutes les étapes de la procédure, commissaire.

— Bien sûr, absolument.

Berenice September s'avança vers eux. Elle avait entendu la fin de la conversation.

— C'est Gatsby qu'a fait ça?

Zondi lança un regard perplexe à Peterson, qui haussa les épaules.

— Gatsby, c'est le surnom qu'on donne à Barnard dans les rues.

Il se tourna vers Berenice.

— Il est encore trop tôt pour se prononcer.

Zondi prit la femme par le bras et la raccompagna à sa voiture. Peterson parut sur le point de suivre, puis il resta en retrait.

— Vous connaissez ce Barnard? demanda Zondi en aidant Berenice à monter dans le véhicule.

— Ja, tout le monde le connaît. C'est lui qui fait la loi ici.

— Je pense que cette époque est révolue.

Berenice ne répondit pas, l'esprit trop accaparé par le cauchemar qu'elle vivait.

Zondi se dirigea vers sa BMW ; le vent tiraillait son costume, la poussière et le sable lui arrachaient des larmes. Au loin, la Montagne de la Table resplendissait, des langues de feu bondissant dans le ciel nocturne.

***

Rudi Barnard avait horreur du vent. Il habitait au Cap depuis des années, mais il n'avait jamais réussi à s'y habituer. Le vent accentuait sa solitude. Barnard était fier de son autonomie : il n'avait confiance qu'en lui et en Dieu. Il faisait peu de cas des interactions humaines, mais ce soir-là, il avait besoin de parler à quelqu'un. Il avait besoin qu'on le rassure.

Il traversa les ruelles de Goodwood jusqu'à la voie ferrée. Il resta dans sa voiture et leva les yeux sur un immeuble délabré : deux appartements au-dessus d'un guérisseur africain. Le local du guérisseur était fermé, mais les lampadaires éclairaient les fenêtres sommairement peintes du lieu où l'on offrait des remèdes pour tout, de l'impuissance au sida. *Venez nous voir avant qu'il ne soit trop tard,* disait une affiche.

Lors de sa dernière visite, le local était occupé par une animalerie. Tout change.

La lumière était allumée dans un des appartements. Il hésita, il n'était pas venu depuis des mois et faillit perdre courage. Mais il descendit de voiture et jura en prenant une rafale de sable en pleine figure.

Putain de vent.

Il se hâta de rejoindre le seuil de l'immeuble et enjamba un homme et une femme endormis sous des cartons et des plastiques, anesthésiés par l'alcool bon marché. Il gravit péniblement les marches du premier étage en haletant comme s'il finissait un marathon et frappa à la porte d'un appartement. Il entendit des mouvements et des chocs sourds, puis les pas traînants de celui qui se tenait de l'autre côté de la porte et écoutait.

— C'est moi, pasteur. Rudi Barnard.

Après plusieurs tours de clé et l'ouverture de nombreux verrous, la porte s'entrebâilla. Un œil jaune examina Barnard avec méfiance. Puis la porte s'ouvrit sur un homme grand, squelettique et dont les cheveux gras et blancs encadraient un visage ridé au teint couleur d'urine. Sa bouche se tordit en un rictus, son dentier mal ajusté y allant d'un petit claquement moite.

— Entre donc, frère Rudi.

Barnard était le plus insensible des hommes, mais il dut surmonter le choc qu'il éprouva en constatant la déchéance du pasteur depuis leur dernière rencontre.

Johan Lombard avait jadis été maître de l'Armée de l'Église de Dieu, mais il traversait une situation financière des plus précaires. Cinq années derrière les barreaux de Pollsmoor pour sévices sexuels sur des enfants des rues l'avaient laissé plus peureux et paranoïaque que lors de son arrestation. Lombard avait juré qu'il était innocent et qu'il s'était cantonné à faire son devoir en présentant les enfants à Jésus. Quant à savoir pourquoi il s'était aussi senti obligé de leur présenter son pénis, il n'avait pas su l'expliquer. Rudi Barnard n'avait jamais remis en question l'innocence de Lombard ; il le croyait victime des mensonges et de la vengeance de sales métis impies.

Lombard portait un pantalon de flanelle gris et souillé, des pantoufles et une chemise élimée qui avait été blanche par le passé.

— Je n'ai pas réveillé monsieur le pasteur, si ?

Barnard était particulièrement respectueux, encore convaincu que les lèvres exsangues de Lombard étaient proches de l'oreille de Dieu.

— Qui parvient à dormir de nos jours, frère Rudi ?

Lombard devança son hôte dans un petit salon encombré d'un sofa pelucheux, de deux chaises avec des pieds à griffes et à boule et de piles de livres de théologie.

Il lui indiqua une des chaises.

— Je t'en prie, assieds-toi.

Les manches de Lombard étant relevées sur ses coudes osseux, Barnard repéra les traces des piqûres de morphine qu'il s'administrait lui-même. Lombard se percha sur le sofa, les mains sur les genoux. Barnard s'assit, son estomac se mettant à gronder comme une bétonnière. Il le tapota.

Lombard ébaucha un sourire.

— Tu as bonne mine, Rudi.

Barnard acquiesça.

— Je vais bien. Et vous?

Le pasteur haussa les épaules.

— Ma récompense éternelle ne tardera plus. Que Dieu soit loué.

Le cancer lui avait attaqué une grosse partie du foie et commençait à lui ronger les organes voisins.

— Et ton travail? Tu mènes toujours le combat pour le bien?

— J'essaie, monsieur le pasteur.

— Tu es un homme courageux, Rudi. Tu dois rester fort.

— Je fais de mon mieux.

— Penses-tu encore à demander l'aide de Dieu?

Barnard hocha son énorme tête avec enthousiasme.

— Tous les matins et tous les soirs, monsieur le pasteur.

— Bien. Et il t'écoute. Je vois sa force en toi.

— Merci, monsieur le pasteur.

Les mains de Lombard, semblables à des griffes, s'agrippèrent au sofa pendant que son corps était en proie à un spasme d'agonie. La sueur coula sur son front et il ferma ses yeux comme voilés par des rideaux poussiéreux.

Barnard se sentit mal à l'aise. Il n'était pas naturellement enclin à la compassion.

— Je ne veux pas déranger monsieur le pasteur, dit-il.

Lombard réprima la douleur, soupira et se carra sur son siège. Il ouvrit les yeux et tendit une main tremblante.

— Non, non, je t'en prie. (Il inspira.) Est-ce que quelque chose te préoccupe, Rudi? Tu as l'air soucieux.

Barnard haussa les épaules.

— Je ne veux pas accabler monsieur le pasteur.

— Parle-moi, Rudi. Si je peux faire quoi que ce soit pour toi…

Ses joues creuses avaient repris un peu de couleur.

— Je suis confronté à une bataille. Peut-être la plus importante de toute ma vie.

— Ton ennemi a-t-il un visage?

— Oui.

— Dans ce cas, Dieu te donnera sa force, Rudi. Considère qu'il s'agit d'une chance, l'occasion pour toi de traverser le feu. Un cadeau qu'il te fait.

— J'essaie.

Un éclat de folie passa dans l'œil de Lombard.

— Tes ennemis sont des pécheurs, frère Rudi. Tout comme la montagne brûle ce soir, leurs âmes périront dans un lac de flammes. Leurs os et leurs poumons fondront dans les feux de l'enfer. Une puanteur atroce s'échappera d'eux. Et ce feu est un feu éternel. (Il reprit son souffle, mais refusa de descendre de sa chaire imaginaire.) Mais toi, Rudi, tu traverseras le feu et tu recevras le Saint-Esprit! Je le sais! J'ai déjà suivi cette voie!

Lombard se leva.

— Allons, mon fils, à genoux.

Barnard souleva toute sa masse de la chaise et s'agenouilla devant l'homme tremblotant. Il ferma les yeux.

Lombard leva le visage vers l'emplacement qu'il attribuait au paradis, quelque part au-delà du plafond taché, et plissa ses yeux clos. Il plaça une main tremblante sur le front de Rudi Barnard, un torrent de mots aspirés et inintelligibles se déversant de ses lèvres avec de plus en plus de force et de puissance.

Barnard s'agenouilla comme un petit garçon tandis que Lombard parlait en langues qu'il déversait sur lui comme une offrande.

**

Berenice September était dans son salon, la télé marmonnait en sourdine, un homme politique quelconque mentait sur les statistiques de la criminalité en Afrique du Sud. Juanita, assise à côté d'elle sur le sofa, pleurait doucement. Berenice enlaça sa fille et tenta de puiser en elle la force nécessaire pour la réconforter.

La porte d'entrée s'ouvrit et Donovan rentra de son service de nuit au McDonald de Goodwood. Il portait encore la chemise McDo et ramenait un sac de Big Mac et de frites.

Il regarda sa mère et sa sœur sans bouger.

— Maman ?

Berenice leva les yeux sur lui.

— Je l'ai retrouvé.

Donovan posa le sac sur la télé.

— Dis-moi tout.

Berenice se leva et embrassa Juanita sur le front.

— Reste ici. Je dois parler à ton frère.

Juanita la retint, agrippa son chemisier, serra le tissu entre ses doigts. Berenice se dégagea tendrement de l'emprise de sa fille.

— Attends-moi ici, ma chérie, je n'en ai pas pour longtemps.

Donovan suivit sa mère dans la cuisine et elle lui dit tout ce qu'elle supportait de répéter. À dix-huit ans, c'était un homme, il avait le droit de connaître la vérité. Donovan écoutait, le visage gris. Et soudain il vomit : des Big Mac à moitié digérés se déversèrent dans l'évier. Elle passa derrière lui, mouilla un torchon et lui essuya la bouche tandis qu'il reprenait son souffle.

Quand enfin il put parler, il la regarda droit dans les yeux.

— Tu es sûre que c'est Ronnie ?

— Certaine.

— Et c'est Gatsby ? Qu'a fait ça ?

— C'est ce qu'ils disent, ja.

Donovan hocha la tête. Sans un mot. Il était le fils silencieux, l'aîné. Silencieux au point d'inquiéter sa mère, parfois.

— Donovan.

Le regard dans le vide, il essayait d'assimiler ce qu'elle lui avait dit.

— Donovan, regarde-moi. (Elle parvint à croiser son regard.) Tu dois me promettre de ne pas faire de bêtises maintenant. La police va démêler tout ça.

Il cracha dans l'évier.

— La police. Qu'elle aille se faire foutre !

Il ne parlait jamais comme ça. Il se rinça, puis se tourna vers elle.

— Excuse-moi, maman.

— Ça va. Tu es un bon garçon. Je ne veux pas que tu t'attires des ennuis.

Il acquiesça. Elle s'approcha de lui et le prit dans ses bras.

— Promets-le-moi, Donovan.

Son regard se perdit au-dessus de l'épaule de sa mère.

— Je te le promets, maman.

***

Benny Mongrel se tapit contre un mur avec Bessie pour se protéger du vent de sud-est. Les ouvriers avaient oublié de recouvrir un des tas et la tempête précipitait le sable contre la maison en construction. La chienne sifflait et gémissait, gênée par le vent. Benny Mongrel la caressa. Il sentait les grains de sable qui s'étaient incrustés dans sa fourrure emmêlée. La Sniper Security traitait ses gardiens comme des animaux et ses animaux comme de la merde. Depuis quand les poils de Bessie n'avaient-ils pas été lavés?

C'était la première chose qu'il allait faire quand il l'emmènerait dans sa cabane; il sortirait la bassine en fer et la remplirait d'eau. Puis il prendrait son savon Sunlight et la nettoierait. Et si les nœuds refusaient de se défaire, il les trancherait avec son couteau.

Benny Mongrel lui aussi devenait fou à cause du vent. Il s'était noué une étoffe autour des oreilles et de la bouche, mais le sable parvenait tout de même à passer au travers.

Il s'accroupit, regarda les flammes danser sur la montagne et sentit une pluie de cendres et de fumée âcre. Les hélicoptères étaient encore à l'œuvre, ils ronflaient et déversaient de l'eau dans la gueule du brasier.

Ça lui rappela son séjour à Pollsmoor : quand la montagne brûlait, les détenus agités se mettaient à arpenter leurs cellules, et même les vieux de la vieille essayaient de tordre les barreaux à mains nues.

Pendant une tempête de vent, un an auparavant, un autre Mongrel, sur le point d'être remis en liberté conditionnelle, un idiot, avait perdu la boule et volé de la nourriture dans le lit de Benny. Ce dernier avait surpris l'homme et les codétenus avaient attendu qu'il lui souhaite bonne nuit.

Mais Benny avait ordonné qu'on retienne l'homme et qu'on lui enfonce une serviette dans la bouche pour l'empêcher de crier. Benny lui avait alors tranché les doigts des deux mains avec son surin improvisé, un boulot qui exigeait du temps et de la force. Benny lui avait laissé les pouces. Le sang giclait et la douleur avait fait perdre conscience au détenu.

Un des prisonniers de la cellule avait un réchaud électrique. Benny Mongrel avait cautérisé les moignons sanguinolents sur la plaque, l'odeur de chair brûlée se mêlant à celle de la fumée du feu dans la montagne.

Le lendemain matin, les gardiens avaient évacué l'homme à l'hôpital de la prison. Il avait refusé de dire quoi que ce soit sur le responsable de son amputation. Une semaine plus tard, il était de retour dans la cellule avec des pansements et un nouveau sobriquet.

Fingers.

Les détenus avaient demandé à Benny Mongrel pourquoi il lui avait laissé les pouces. Pour qu'il puisse rentrer chez lui en stop, leur avait-il répondu. Ils avaient ri. Pas Benny.

Ce putain de vent rendait fou.

Benny Mongrel entendit un moteur de voiture. Il reconnut la Jeep de la maison voisine et ne prit pas la peine de se lever. Dans un moment d'accalmie, il entendit la porte automatique du garage de l'Américain, puis la voiture se garer. Suivit un bruit de métal éraflant la brique.

Bessie gronda. Benny Mongrel s'avança au bord du balcon.

L'Américain avait percuté le mur et endommagé son pare-chocs droit. Il recula et sortit pour constater les dégâts. Il était ivre et Benny Mongrel l'entendit jurer. Il remonta dans la voiture, finit de la garer et la porte se rabaissa.

Benny Mongrel se tapit contre le mur et attendit que le vent s'épuise.

***

Barnard roulait, encore excité par l'intensité de sa visite chez Lombard. Il avait senti une force, une chaleur acheminée dans son corps par la main du pasteur. Il se sentait ravivé, plein de la ferveur dont il avait besoin pour gérer ce qui l'attendait.

Son portable sonna et il se rangea sur le bas-côté pour le sortir de sa poche. Quand il vit qui l'appelait, il s'empressa de répondre et entendit l'accent traînant de Dexter Torrance.

— Salut, Rudi. J'ai du nouveau.

— Je t'écoute.

Le vice-marshal américain expliqua qu'il avait fait une recherche sur les empreintes de la femme et trouvé une histoire de possession de drogue sans gravité et qui remontait à plusieurs années. Puis il avait fait des recherches dans d'autres banques de données et trouvé à qui elle était mariée aujourd'hui. Et le nom de son époux. Et pourquoi il était en cavale.

Barnard se confondit en remerciements.

Puis il raccrocha et remercia son Dieu de lui avoir envoyé Jack Burn.

CHAPITRE 14

Barnard rentra chez lui en sachant qu'il n'aurait pas pu recevoir de message plus clair. Sur cet Américain qui se faisait appeler Hill, mais qui était en réalité un fugitif des États-Unis, en cavale avec des millions de dollars.

Barnard avait l'intention de le faire payer.

Dexter Torrance, le vice-marshal américain, n'avait aucune envie de transmettre ses conclusions aux autorités de son pays.

— Burn a tué un flic, Rudi, que ce soit lui ou un autre qui ait pressé la détente. Mais il a eu la triste chance de le faire dans un État qui n'applique pas la peine de mort. Je n'ai pas envie de le voir passer du temps en prison aux frais du contribuable. Il mérite de payer le prix ultime.

Rudi Barnard avait assuré son ami qu'il s'en chargerait. L'Américain aurait ce qu'il méritait.

Mais Barnard devait commencer par trouver de l'argent. Un simple chantage ne suffirait pas. Cet Américain était manifestement plus coriace et ingénieux qu'il ne l'avait cru. S'il soupçonnait d'être repéré, il disparaîtrait aussitôt.

Non, il devait le coincer sans lui laisser la moindre marge de manœuvre.

Il s'approcha de son immeuble, en pleine cogitation. Quand il vit une voiture de police banalisée garée devant chez lui, il ne s'en inquiéta pas. De nombreux flics habitaient dans ce quartier. Puis ses yeux se portèrent jusqu'à son appartement, au quatrième étage. Les rideaux étaient tirés, mais par une fente, il aperçut une lumière allumée. L'aurait-il oubliée ? Il ne s'en souvenait pas. Il s'arrêta, mais laissa tourner le moteur. Devenait-il parano? Il ne le pensait pas. Comme Lombard l'avait exprimé de manière vivante, il était engagé dans une bataille entre les forces du bien et les forces du mal. Et celles-ci ne reculeraient devant rien.

Barnard poursuivit son chemin.

***

Disaster Zondi surveillait la fouille des inspecteurs chez Rudi Barnard. L'appartement était petit et, si l'on considérait l'aspect physique répugnant de son occupant, étonnamment bien tenu. Une seule pièce avec un lit, une chaise solide devant un bureau et une cuisine à l'américaine. Pas de télé. Pas de chaîne stéréo. Pas de photographies. Pas de souvenirs. Zondi sentit la puanteur caractéristique de Barnard, comme si son essence avait imprégné les rideaux, la moquette beige élimée et les vêtements extra-larges dans sa penderie.

Il analysa l'atmosphère de la pièce et la trouva oppressante et déprimante. Fonctionnalité de l'ameublement, absence d'esthétique visible. La plupart des flics corrompus sur lesquels il avait enquêté étaient des matérialistes cupides qui finançaient leur voracité de biens grâce à leurs activités illicites. À Soweto, la semaine précédente, il avait vu un écran plasma si grand qu'il dépassait du mur et occupait la moitié du couloir; son équipe avait dû en faire le tour pour circuler jusqu'à ce qu'il lui ordonne de l'enlever. Il avait l'habitude de fouiller des maisons encombrées d'appareils électroniques, de sofas en cuir, d'armoires regorgeant de vêtements de marque et de bijoux tape-à-l'œil, et des garages qui n'arrivaient pas à contenir leurs 4 × 4 à gros cul.

Il était presque rassurant de trouver les manifestations matérielles des désirs les plus vils de ces hommes. Il n'y avait aucune ambiguïté. On savait exactement à qui on avait affaire.

Mais là, il se trouvait dans l'antre d'un fanatique. Un homme motivé par une conviction intime, persuadé non seulement qu'il avait raison de faire ce qu'il faisait, mais aussi qu'il devait le faire. À l'époque de l'apartheid, Zondi avait rencontré quelques individus de cet acabit. Différents des alcoolos, des cow-boys ou des profiteurs : c'étaient les fanatiques. Ils étaient investis d'une mission.

Il les reconnaissait car il en faisait peut-être partie.

Il sortit de ses pensées et s'approcha du bureau. Un ordinateur portable fermé était posé à côté d'un carnet vide et d'un stylo-bille bon marché. Il glissa le portable dans son sac et le porta en bandoulière. Puis il s'approcha du lit et ouvrit la bible en afrikaner sur la table de chevet. Il remarqua l'inscription en lettres serrées : *Pour Rudi. De la part de ton père pour tes dix ans.*

Même les monstres avaient un père. Et une mère.

Il s'assit sur le lit et ouvrit le tiroir de la table de nuit. Un magazine *Hustler*, abondamment feuilleté, et un tube de Préparation H pour les hémorroïdes. Pointilleux sur l'hygiène, il refoula l'image de Barnard l'obèse appliquant la crème à son fondement. Il referma le tiroir.

Il ouvrit la porte du meuble de chevet où s'entassait une petite pile de tracts de la droite chrétienne. Du fiel rédigé par des illettrés. Sans surprise. Il trouva une photo, la première dans l'appartement, sous la pile.

Il s'empara du cliché aux couleurs passées : quatre hommes faisaient cuire de la viande sur un feu de camp dans la brousse. Blancs, costauds, une canette de bière à la main, ils grimaçaient tous pour la photo. Il reconnut immédiatement un ancien capitaine de la police de sécurité. Afin d'éviter les poursuites judiciaires, celui-ci avait offert des excuses publiques pour les atrocités qu'il avait commises à l'époque de l'apartheid. L'homme à la droite du capitaine était le jeune Rudi Barnard. Pas de moustache, déjà fort, mais plus mince que la montagne de chairs qui était entrée à bout de souffle dans la salle des interrogatoires l'autre jour.

Zondi examina la photo. La conversation à voix basse des inspecteurs qui l'accompagnaient disparut progressivement à ses oreilles.

Il glissa la photo dans sa poche.

***

Barnard était garé en face du Station Bar. Il vit le commissaire Lotter en sortir et se diriger vers une Nissan toute neuve. Il traversa la route et s'affala sur le siège passager de la Nissan avant que Lotter ait eu le temps de démarrer.

Lotter jeta un coup d'œil à Barnard et se mit à hocher la tête, ce qui décoiffa son brushing.

— J'ai rien à voir dans cette affaire. Rien, dit-il.

Barnard laissa échapper un de ses ricanements asthmatiques.

— Du calme. Si j'avais voulu te descendre, ce serait déjà fait.

— Alors qu'est-ce que tu veux ?

— Que tu me dises ce qui se passe, c'est tout.

— Je sais seulement qu'il y a un mandat contre toi.

— Pourquoi ?

— Pour le meurtre d'un gamin. Et de deux hommes non identifiés.

C'était inattendu. Il avait anticipé une accusation montée de toutes pièces, mais on l'avait associé au gamin métis.

— J'ai pas tué ces deux salopards.

Lotter le regardait.

— Et le gamin ?

Barnard ne répondit pas. Lotter hocha la tête.

— Nom de Dieu, Barnard !

— Ils tiennent Galant ?

— Oui, il est incarcéré à Bellwood South. D'après ce que je sais, il t'a déjà balancé.

— Sale fumier.

Il suça sa moustache, le regard perdu dans le lointain.

— Tu ferais mieux de disparaître, et rapidement, Barnard. Je donne pas cher de ta peau à Pollsmoor.

Barnard descendit sans un mot. Il regarda Lotter s'en aller et l'imagina au téléphone avec Peterson.

Il revint à sa voiture et ficha le camp.

L'étau se resserrait autour de lui. Il devait fuir – et vite. Il n'avait qu'une solution pour s'en tirer : rassembler assez d'argent pour passer dans la clandestinité et changer d'identité. L'ironie de la situation ne lui échappait pas.

Tout comme son ami américain.

***

L'hélicoptère tira Burn de son sommeil; il volait assez bas pour que le bruit de ses pales le réveille. Le bruit de l'appareil et l'âcreté de la fumée dans ses narines le ramenèrent en février 1991, au moment où un hélicoptère d'attaque Apache avait plongé sur l'unité de Burn dont le véhicule traversait les débris fumants de la Death Road.

La quatre-voies, qui traversait le désert et qui était encombrée de véhicules chargés de butins pillés au Koweït, avait été bombardée la nuit précédente. Les véhicules étaient criblés d'impacts de balles, il y avait partout des carcasses de voitures et des centaines de soldats et de civils irakiens calcinés.

Burn se réveilla. Il était au Cap. La montagne brûlait et il avait une gueule de bois d'enfer. Il était dans la chambre d'amis, les fenêtres étaient fermées et l'atmosphère étouffante.

Il réussit à se mettre debout; il avait dormi tout habillé. Il avait une haleine de chiotte. Il glissa une main dans sa poche et y trouva une liasse de billets. Ses gains du black-jack, la veille. Il maudit sa faiblesse et sa bêtise.

Il alla chercher une aspirine dans la cuisine.

Susan préparait le petit déjeuner. Des œufs au bacon. L'odeur seule lui donna envie de gerber. Matt, assis au bar, lisait un album de Dr Seuss en balançant les jambes. Burn le lui lisait le soir, à la maison. Bon Dieu, ça remontait à quand?

Il ébouriffa les cheveux de son fils.

— Bonjour, Matty.

Sa voix était mal assurée. Piteuse.

Matt le salua d'un signe de tête, absorbé par sa lecture. Susan resta tournée vers la cuisinière.

Il trouva les cachets d'aspirine dans le tiroir et en avala deux avec un verre d'eau. Susan se servit et servit Matt. Elle posa l'assiette du garçon devant lui et passa sur la terrasse avec la sienne. Il n'était guère plus de sept heures, mais le soleil cognait déjà fort.

Burn la suivit, les yeux plissés.

Au-dessus d'eux, la montagne était carbonisée, noire, fumante. Les hélicos aspergeaient les dernières étincelles. Heureusement, le vent s'était apaisé.

Susan s'assit à la table de la terrasse, les yeux dissimulés derrière ses Ray-Ban noires.

Burn resta debout. Il tournait autour d'elle.

— Je suis désolé, dit-il.

Elle ne lui répondit pas. C'était comme s'il n'était pas là.

Il n'avait rien de plus à dire à son épouse. Il savait qu'elle ne serait pas en paix tant qu'il ne lui aurait pas tourné le dos et ne serait pas parti.

***

Disaster Zondi prenait son petit déjeuner dans sa chambre du Sheraton Arabella. Une salade de fruits avec des kiwis supplémentaires, des œufs pochés et du pain complet grillé. Et une orange pressée. Pas de bacon. Il ne touchait jamais au porc. Il portait son pantalon de costume et une chemise blanche sans cravate. Ses mocassins italiens brillaient.

Les employés du ministère jouissaient de bonnes conditions de travail. Ils voyageaient en classe affaires, louaient des BMW et des Mercedes. Les notes de frais leur permettaient de s'acheter des costumes Cavalli. Presque. Et pourquoi pas, après tout ? C'était un dur boulot que de ratisser les bas-fonds de la corruption, d'être confronté chaque jour au pire de la nature humaine. Quelques petites gâteries mettaient du baume au cœur.

Il ramassa soigneusement les miettes sur la nappe blanche et les versa dans son assiette. Puis il empila les plats du petit déjeuner sur le plateau et le posa dans le couloir.

Il revint à la table et alluma une nouvelle fois l'ordinateur portable de Rudi Barnard. Il avait examiné le contenu de son disque dur jusqu'au petit matin. Et n'y avait pas trouvé grand-chose, ce qui ne l'avait guère surpris. Barnard n'était pas assez bête pour laisser les détails de ses activités sur un ordinateur.

L'examen de ses e-mails n'avait fait apparaître qu'une correspondance anodine : les nouvelles du fonds de pension de la police, une objection à une hausse de loyer de son appartement. Puis Zondi avait trouvé l'e-mail envoyé à un compte Yahoo anonyme avec, en pièce jointe, la photo JPEG d'une empreinte digitale. Zondi l'avait longuement étudiée la veille ; il en avait examiné les sillons comme s'ils pouvaient lui apporter une explication. Il n'y en avait pas eu et il s'était imposé le sommeil.

Après le petit déjeuner, il revint donc à sa méditation sur l'empreinte. Il savait confusément qu'elle était importante, qu'elle pouvait le mener jusqu'à Rudi Barnard. Qui s'était évaporé.

Il avait posé la photo des hommes souriants au barbecue de brousse à côté du portable. Tout en sirotant sa tasse d'Earl Grey, il se laissa aller aux complaisances du souvenir.

Ils remontaient à 1988. Zondi, qui avait alors dix-huit ans, étudiait à l'université de Johannesburg et fréquentait un groupe de jeunes militants. Son meilleur ami, Jabu, était un dirigeant politique étudiant bien en vue. Un soir, Zondi se trouvait chez Jabu, à Soweto, quand les services de sécurité avaient effectué une descente. Des costauds blancs en jean et tee-shirt, avec des coupes de cheveux austères et des épaules d'avants de rugby. L'un d'eux était le commissaire qui figurait sur la photo. Ils avaient jeté Zondi et Jabu dans une voiture et les avaient conduits à John Vorster Square, à Johannesburg.

Les deux étudiants avaient été séparés et incarcérés seuls. Les jours suivants, des hommes avaient défilé dans la cellule de Zondi et l'avaient torturé en exigeant qu'il leur donne le nom des associés de Jabu, noms que Zondi ignorait.

Barnard, plus jeune, avait glissé un sac humide sur la tête de Zondi, puis lui avait poussé la tête dans un seau d'eau jusqu'à ce qu'il soit près de se noyer. Le gros l'avait ensuite frappé et criblé de coups de pied. Barnard et un autre lui avaient ligoté les jambes en lui gardant le sac humide sur la tête et avaient continué à le cogner. Ils lui avaient brisé les côtes.

Ils lui avaient ôté le sac de la tête juste avant qu'il ne perde connaissance. Il saignait du nez, de la bouche et des oreilles.

Barnard avait de nouveau exigé des réponses que Zondi ne pouvait pas lui donner.

Puis il lui avait asséné des coups de pied jusqu'à ce qu'il perde connaissance.

Zondi était revenu à lui dans sa cellule, mouillé et couvert de sang. Il avait été incarcéré deux jours de plus et régulièrement tabassé, puis, sans explication, on l'avait conduit en voiture à Soweto où on l'avait jeté dans un terrain vague. En plus de ses côtes brisées, il avait les reins tuméfiés et le bras droit fracturé. Mais il était en vie.

Il n'avait jamais revu Jabu.

Neuf ans plus tard, aux côtés de la mère et de la sœur de Jabu, dans un immeuble anonyme de Johannesburg, Zondi avait entendu le commissaire de la photo présenter ses excuses devant la commission Vérité et Réconciliation. Pour éviter les poursuites. Parmi les membres du tribunal qui jugeaient le commissaire se trouvaient un évêque anglican, un avocat, un médecin et un universitaire; ils avaient le regard hanté par les horreurs qu'ils avaient absorbées au cours des quelques dernières années.

Le commissaire, un homme doucereux avec un sourire à bouffer de la merde, leur avait expliqué que Jabu était décédé au cours de l'interrogatoire. Son corps avait été transporté dans un lieu isolé et incinéré sur un feu de bois qui avait mis sept heures à anéantir toute trace de son corps. Pendant la crémation, un groupe de policiers de sécurité avait bu et fait rôtir de la viande sur un autre barbecue.

Alors que la mère de Jabu s'effondrait dans un silence horrifié, le commissaire avait fourni des détails supplémentaires. En buvant, cuisinant puis mangeant leur dîner, les policiers étaient venus régulièrement s'occuper du feu du crématoire; ils avaient tourné les fesses et le torse du mort au cours de la nuit pour s'assurer que tout soit réduit en cendres. Et le lendemain matin, après avoir ratissé les cendres pour être certains qu'il n'y avait plus de viande ni d'os, ils étaient partis chacun de leur côté.

Quand il avait obtenu le dossier de Barnard, Zondi ne s'en était pas souvenu immédiatement. C'est seulement en découvrant son passé dans la police de sécurité et en voyant les clichés d'identification des années quatre-vingt qu'il avait pris conscience de l'homme à qui il avait affaire.

Savoir qui était Barnard ne changeait rien pour lui. Zondi était un professionnel. Et il aurait un comportement professionnel. Mais il lèverait un verre de whisky single malt à la mémoire de Jabu quand il aurait fait tomber Barnard.

CHAPITRE 15

Barnard sortit en marche arrière d'un container de stockage au volant d'une Ford marron des années quatre-vingt. Il verrouilla le container vidé et traversa des rangées de containers identiques en sortant.

Il avait conservé cette Ford pour ce type d'urgence ; il en rechargeait la batterie lors de visites rituelles, un dimanche sur deux. Pendant que la batterie se chargeait, il en profitait pour nettoyer et huiler un colt Cobra 320 et un fusil à pompe Mossberg 500. Les armes et la petite réserve de billets de banque qu'il avait conservées dans le container se trouvaient maintenant dans le coffre de la Ford.

Après avoir abandonné sa Toyota de fonction dans Goodwood, la veille, il avait pris un taxi jusqu'au centre-ville et était descendu dans un hôtel bon marché, loin de ses repaires habituels. Il avait payé à l'avance et en liquide. Il avait mal dormi. Pas par peur : il ne craignait pas de voir la porte céder et Zondi entrer comme un ange vengeur. Non, c'était l'impatience de la suite qui l'avait tenu éveillé.

Le matin venu, il avait pris un autre taxi qui l'avait amené à quelques rues du dépôt de stockage, où il avait attendu que le taxi disparaisse dans les embouteillages avant d'aller récupérer la Ford et les armes.

Il se dirigeait maintenant vers la ville en passant en revue la liste des choses qu'il devait faire. Il avait un plan.

Il connaissait exactement le sort qu'il réservait à l'Américain.

***

C'était le jour le plus dur de la vie de Burn. Le dernier qu'il passerait avec son fils.

Burn et Matt descendirent à la péninsule en Jeep. Bien que les incendies aient été maîtrisés, certaines zones continuaient à fumer et la montagne ressemblait à un paysage lunaire. Mais le ciel était bleu et le vent s'était calmé. L'océan variait du turquoise, près du rivage, à l'aigue-marine profond plus au large.

Ils écoutaient les Beach Boys en roulant et chantaient *Good Vibrations* en chœur, comme ils l'avaient toujours fait.

Burn se forçait à égayer l'atmosphère et à faire rire Matt. Il craignait de se mettre à pleurer sinon et de ne jamais pouvoir s'arrêter.

Ce matin-là, Burn avait choisi de nouveaux papiers d'identité dans son coffre-fort. William Morton. Il s'était rendu à l'agence de voyage de Sea Point avec le passeport et une liasse de dollars et avait réservé un vol pour Denpasar, Indonésie, via Johannesburg et Singapour. Son avion quitterait l'aéroport du Cap à dix heures le lendemain matin. Il avait choisi l'Indonésie car elle semblait bien plus accueillante que l'Algérie, l'Angola, la Moldavie, le Yémen, le Zimbabwe ou tout autre pays n'ayant pas de traité d'extradition avec les États-Unis.

Maintenant qu'il n'était plus accompagné d'une femme enceinte ou d'un jeune enfant, l'immensité de l'Indonésie lui semblait plus attrayante. Et il y avait pire que Bali pour raccommoder les lambeaux de sa vie.

Il s'était résigné au fait que Susan allait se rendre aux autorités. Il espérait que le gouvernement des États-Unis se montrerait compréhensif et que Susan ne serait pas sanctionnée trop sévèrement.

Un jour, ils se retrouveraient. Il devait y croire.

Burn et Matt s'arrêtèrent dans un petit port et se dirigèrent vers la jetée, où des hommes pêchaient nonchalamment. Des bateaux aux couleurs vives rentraient doucement au port, ralentis par leurs prises.

Burn acheta un cabillaud tout frais. Il le cuisinerait peut-être ce soir, pour son dîner d'adieu non déclaré. Il avait l'intention d'attendre que Matt s'endorme pour annoncer ses projets à Susan. Il dirait au revoir à son fils avant de partir le lendemain matin. C'était le seul moyen qu'il avait d'imaginer l'inimaginable.

Matt tint la main de Burn et observa avec fascination une femme à la peau cuivrée, en bottes en caoutchouc, vider le cabillaud, assise sur une caisse, au milieu d'entrailles de poissons. Elle maniait le couteau à fileter sans avoir à regarder ses mains, tout en flirtant avec les pêcheurs dans leur patois local chantonnant. Elle avait un rire gras, mariné dans la piquette et le tabac.

Elle fit un clin d'œil à Matt.

— Beau gosse, dit-elle dans un anglais à fort accent. Il a les yeux de son papa. (Puis elle se tourna vers Burn.) Il va en briser, des cœurs.

Elle rit de nouveau en finissant de racler les entrailles roses qu'elle jeta par terre.

Burn revint à la voiture en tenant la main de Matt, le poisson dans un sac plastique.

***

Barnard descendit Main Road, dans Greenpoint. Il s'arrêta à un feu rouge et alluma une cigarette en attendant. Il sentit la nicotine passer dans son système, le ralentir un tout petit peu. Il savait qu'il était gonflé à bloc. Prêt à l'action. C'était bien. Mais il devait rester concentré. L'heure était critique.

Un fourgon de police s'immobilisa à côté de sa Ford et la femme flic en tenue baissa les yeux sur lui. Il lui rendit son coup d'œil, puis il regarda droit devant lui en sentant la sueur lui dégouliner le long de la poitrine, et la friction de son jean sur ses cuisses. Cette putain de démangeaison avait reparu en pustules rouges et irritées sur son océan de chairs blanches. Il avait besoin de prendre une douche et de choisir des vêtements propres parmi ceux qu'il avait récupérés dans le container.

Le feu passant au vert, il démarra lentement et changea tranquillement de vitesse. Le fourgon de flics s'élança et disparut dans la circulation. Barnard dépassa quelques adolescentes qui faisaient le trottoir en minijupes. L'une d'elles lui envoya un baiser. En temps normal, il se serait arrêté, leur aurait montré son insigne de police et les aurait fait fuir. Il leur aurait foutu la trouille de leur vie. Pas aujourd'hui. Aujourd'hui, il gardait le profil aussi bas que le permettait son physique de char d'assaut.

Il vit une pancarte indiquant des chambres à louer et se gara dans un parking. L'hôtel était petit, miteux et désagréable. Un repaire de putes, de dealers et de couples adultères fauchés. Ça ferait très bien l'affaire.

Il ouvrit le coffre de la Ford. Il y avait empilé les armes, l'argent et des habits dans un sac marin. Il verrouilla sa voiture et se rendit à la réception, le sac à la main.

Un métis peu accueillant suivait un match de cricket à la télévision. Il regarda à peine Barnard, prit le liquide qu'il lui tendait et lui glissa une clé. Barnard traîna sa graisse à l'étage, dans une chambre encombrée. La climatisation était bruyante, mais elle fonctionnait.

Il commença par se déshabiller et prit une douche. Il n'y avait pas de cabine, seulement un rideau autour de la baignoire. Il lui était difficile de manœuvrer dans un espace aussi réduit, la pression de la douche était irrégulière et l'eau tiède.

Mais au moins, il était propre.

Il écarta les fesses et s'étala la pommade. Ses hémorroïdes s'étaient réveillées et il souffrait le martyre. Il marcha lourdement dans la chambre, nu, puis sortit une boîte de talc de son sac marin. Il s'en appliqua sous les bras et entre les cuisses, là où la peau s'irritait quand il marchait. Puis il enfila un jean, un tee-shirt et des grosses bottes. Il s'assit sur le lit ; les ressorts se comprimèrent sous son poids.

Il sortit ce dont il avait besoin. D'abord le fusil à pompe Mossberg au canon scié. La crosse était pratiquement au niveau de la poignée. Barnard l'avait confisqué à un gangster des Flats ; il l'avait forcé à avaler la gueule du canon et avait tiré. Séduit par l'effet sur la tête du gangster, qui s'était ouverte comme un couvercle, il avait décidé de le garder.

Il le nettoya, vérifia le mécanisme et colla deux cartouches dans la chambre. Puis il nettoya, huila et chargea le calibre 38 qu'il portait depuis quelques jours. Il prépara enfin le calibre 32 et le glissa dans son étui de cheville.

Il sortit du sac marin un rouleau de chatterton, une paire de gants chirurgicaux et quelques liens pour câbles en plastique noir. Il les glissa dans une pochette qu'il avait fixée à sa ceinture.

Il enfila son holster d'épaule et y glissa le calibre 38. Il le dégaina plusieurs fois, réajustant la hauteur de l'étui jusqu'à ce qu'il soit à l'aise. Puis il emballa le canon scié dans une serviette de plage bariolée qu'il avait trouvée dans la salle de bains et le glissa dans le sac marin. Il ferma le sac, vérifia qu'il n'avait rien oublié dans la chambre et se dirigea vers la porte.

Il n'avait pas l'intention de revenir.

***

Si elle ne partait pas maintenant, elle n'en aurait jamais le courage.

Susan Burn s'apprêtait à s'en aller, une petite valise à la main. Mme Dollie nettoyait la baie vitrée du salon, astiquant vigoureusement le verre avec du papier journal jusqu'à ce qu'il offre une vue sans tache du monde extérieur.

— Est-ce que je peux vous aider, madame Hill ?

Susan refusa d'un hochement de tête.

— Non merci, madame Dollie, ça ira.

Susan ébaucha un sourire, mais elle vit dans les traits inquiets de la femme plus âgée qu'il n'était guère convaincant.

Mme Dollie hésita, puis elle franchit le fossé entre employé et employeur et serra Susan dans ses bras. Susan faillit donner libre cours à ses larmes, eut envie de se raccrocher à la gentillesse de cette femme et de pleurer toutes les larmes de son corps jusqu'à se dessécher comme l'imposante montagne calcinée.

Mais elle se dégagea de son étreinte et réussit à afficher un sourire plus convaincant.

— Merci, madame Dollie. Pour tout. Dites à Matt que je le verrai bientôt.

Mme Dollie acquiesça.

— Prenez bien soin de vous, d'accord ?

Susan descendit prudemment l'escalier, ouvrit la porte du jardin et s'approcha du taxi qui l'attendait. Quand il remarqua son ventre rond, le chauffeur, un métis d'âge moyen, s'empressa de venir lui ouvrir la portière arrière. Il se chargea aussi de la valise.

— Je vous amène où, madame ?

— À la clinique des Jardins.

Le taxi démarra et Susan ferma les yeux ; la climatisation atténuait un peu la chaleur.

Elle avait pris sa décision le matin même, avant que Jack et Matt la laissent seule à la maison. Elle irait à la clinique et leur demanderait de déclencher le travail. Après l'épisode du décollement de placenta, son médecin la soutiendrait. Elle ne supportait plus d'attendre. Ni d'assister à l'effet que l'effondrement de son mariage avait sur son fils. Mon Dieu, elle lui devait bien ça.

Après la naissance de sa fille, elle contacterait le consulat des États-Unis. Elle espérait que, d'ici là, Jack se serait enfui pour la Nouvelle-Zélande, ou Dieu sait où.

Quand elle lui avait dit au revoir ce matin-là, elle s'était convaincue qu'elle le voyait pour la dernière fois.

***

Benny Mongrel se présenta au travail en fin d'après-midi et alla directement au chenil chercher Bessie. Elle haletait au fond de la cage, à côté d'une gamelle d'eau vide. Ces salopards n'étaient même pas fichus de s'occuper de ça. Il remplit la gamelle au robinet et la regarda laper toute l'eau.

Puis il l'attacha avec sa laisse et partit vers le camion. Une voix l'arrêta. Ishmael Isaacs, le chef d'équipe, lui demanda d'attendre. Isaacs traversa la cour à grands pas, son uniforme paramilitaire impeccable avec des plis comme des lames de couteau. Il portait un bloc-notes.

Isaacs le scruta du regard.

— Le patron dit que t'es allé le déranger, l'autre jour.

— Je voulais lui demander un truc, c'est tout.

— Pourquoi tu m'en as pas parlé avant ?

— Vous étiez pas là.

— Ne refais jamais ça sans me consulter, jamais. Tu comprends? (Benny Mongrel acquiesça.) De toute façon, je te retire du chantier à partir de demain.

— Pourquoi?

— Tu as assez de métier pour être muté dans une des usines. Un des nouveaux te remplacera.

Benny Mongrel acquiesça. Ça lui convenait tout à fait. Il fit demi-tour.

— Ah oui… on va te donner un nouveau chien.

Benny Mongrel s'arrêta, se retourna et fit face au chef d'équipe.

— Pourquoi?

— Regarde-la.

Isaacs poussa légèrement le train arrière de Bessie du bout de sa botte cirée. Elle gémit.

— Elle a les hanches bousillées, mec. D'après le véto qui est passé ce matin, elle n'est plus apte à travailler. C'est son dernier soir.

— Est-ce que je peux l'acheter, dans ce cas?

— Pourquoi?

— Je veux la garder.

— Non. Ces chiens sont dressés pour l'attaque. On ne peut pas les relâcher au milieu d'une population civile.

— Qu'est-ce qui va lui arriver?

Isaacs lui lança une grimace de mépris.

— T'es mou du chapeau, ou quoi? Qu'est-ce que t'en as à foutre? Ses jours sont comptés; on va la piquer.

Il s'éloigna, le bloc-notes sous le bras.

Benny Mongrel regarda Bessie. Ainsi, c'était comme ça. C'était décidé. Ils s'évaderaient dès le soir venu. La paye était dans deux jours, mais qu'y faire?

Benny Mongrel partit avec Bessie vers le camion.

***

Le soleil était bas dans le ciel quand Burn et Matt rentrèrent à la maison. Ils trouvèrent Mme Dollie assise dans la cuisine.

Matt s'approcha d'elle, le poisson à la main.

— Regarde ce qu'on a trouvé!

— Il est énorme! lui répondit-elle en souriant.

Burn était perplexe.

— Où est Susan?

Mme Dollie sembla mal à l'aise.

— Elle m'a demandé de passer la nuit avec Matt. Elle m'a dit qu'elle devait aller quelque part.

Burn réfléchit à toute vitesse. Avait-elle contacté le consulat? Les flics pouvaient-ils débarquer à tout instant? Il se calma.

— Où est-elle allée, madame Dollie?

La femme le regardait sans rien dire, incapable de mentir.

Burn lui parla de son ton le plus rassurant.

— Madame Dollie, je sais que Susan vous a dit où elle allait. Il faut que je le sache. S'il vous plaît.

Elle acquiesça.

— Elle a pris un taxi. Pour la clinique.

— Elle va bien? Est-ce qu'elle saignait?

— Elle avait l'air de bien aller. Je n'ai rien remarqué d'anormal.

Burn se dirigea vers le téléphone et composa nerveusement le numéro de la clinique. Il parla à une femme à l'accueil qui refusa de lui communiquer des renseignements par téléphone.

Il prit ses clés de voiture.

— Je dois aller à la clinique, madame Dollie, dit-il. Pouvez-vous faire manger Matt?

Mme Dollie regarda le poisson. Burn écarta l'idée d'un hochement de tête.

— Non, faites-lui un simple hot dog ou autre chose. Le poisson peut attendre.

Il prit le sac en plastique et le mit au congélateur. Puis il gagna sa voiture.

***

Barnard attendait dans sa Ford, à quelques maisons de chez Burn. Il faisait presque nuit, les lampadaires étaient allumés. Il venait de passer deux heures à combattre la chaleur, l'ennui et l'irritation qui lui provoquait des démangeaisons à hurler sous les couilles.

Une heure auparavant, il avait vu le taxi arriver. La blonde était sortie seule. Elle était montée à l'arrière et partie. Quelques minutes plus tard, une métisse en tablier de ménage était sortie et avait balayé la terrasse. Aucun signe de l'homme ou du garçon.

Puis, dix minutes après, la Jeep lui était passée devant et était entrée dans le garage. Burn était au volant, l'enfant attaché sur la banquette arrière.

Et maintenant, la porte du garage remontait et la Jeep sortait à reculons. L'Américain était seul.

Barnard vit la Jeep ralentir au stop; ses feux rougirent dans le crépuscule. Puis elle descendit vers Sea Point et disparut.

La métisse et l'enfant étaient seuls.

Il allait attendre quelques minutes, jusqu'à ce qu'il fasse vraiment noir. Puis il entrerait.

CHAPITRE 16

Burn se rendit à l'accueil de la clinique. La jeune réception-
niste, une fausse blonde aux racines brunes, lui lança un sourire
professionnel.

— Je viens voir ma femme. Susan Hill. Où puis-je la trouver?

Les doigts de la femme survolèrent son clavier. Elle fredon-
nait.

— Je vous prie de m'excuser un instant.

Elle le laissa et se dirigea vers un téléphone hors de portée de
voix. Sa conversation fut brève, ponctuée par un certain nombre
de hochements de tête, positifs et négatifs.

Elle revint vers lui sans sourire.

— Je suis désolé, monsieur, mais Mme Hill refuse toute
visite.

— Je suis son mari.

— Navrée, répondit-elle en hochant la tête. J'ai mes instructions.

Burn se dirigea vers l'escalier en ignorant les cris de la femme
derrière lui.

Il grimpa les marches deux à deux jusqu'à l'aile privée. Il se
rendit dans la salle où Susan avait été hospitalisée précédemment,
ouvrit la porte en grand et passa la tête à l'intérieur. Un homme
était au chevet d'une femme pâle dont la tête était relevée par des
oreillers. La femme pleurait, l'homme lui tenait la main. Burn marmonna des excuses et referma la porte.

Alors qu'il s'approchait de la salle suivante, il fut rejoint par une sœur et un garde de sécurité en uniforme. La sœur, d'allure pugnace, semblait capable de tenir dix rounds contre Mike Tyson au sommet de sa gloire. C'est elle qui parlait.

— Je suis désolée, monsieur, mais je dois vous demander de partir.

— Je veux voir ma femme.

Burn tenta de les écarter. Le garde, un costaud, lui posa une main sur l'épaule en guise d'avertissement. Un autre garde se dirigeait déjà vers eux en parlant dans son talkie-walkie.

La sœur essaya d'apaiser Burn.

— Nous respectons les ordres de votre épouse : elle ne veut pas vous voir pour le moment.

Le second garde les rejoignit. Burn leva les bras et les supplia :

— D'accord. D'accord. Donnez-moi au moins de ses nouvelles.

— Elle va bien. Tout est normal.

— Qu'est-ce qu'elle fait ici, alors ?

— La procédure sera parfaitement routinière.

— Quelle procédure ?

— Vu ses antécédents, votre femme a demandé à ce qu'on provoque le travail. Le bébé sera prématuré de quelques semaines, l'accouchement aura lieu par césarienne si c'est nécessaire, mais il n'y a aucun danger.

— Et c'est prévu pour quand ?

— Demain matin. (La sœur tenta un sourire, on aurait dit qu'elle recrachait son protège-dents.) Vous devriez partir... vraiment. Je suis sûre qu'après la naissance de l'enfant, votre femme sera moins... moins émotionnelle. Elle voudra vous voir.

Il acquiesça. Il repartit vers l'escalier, escorté par les deux gardes de sécurité.

***

Les feux avaient repris sur la montagne, les flammes léchaient le ciel nocturne, l'odeur de brûlé arriva jusqu'aux narines de Benny Mongrel. Il était tendu maintenant que l'heure était venue. En partant tout de suite, ils auraient neuf heures pour prendre le large.

Il était sur le point d'attacher la chaîne au collier de Bessie et d'entamer leur nouvelle vie quand il vit le gros flic descendre péniblement la rue. Il s'immobilisa. Attendit. Le flic sonna à la porte de l'Américain, puis Benny l'entendit parler dans l'interphone.

***

Barnard occupait tout le recoin de la porte lorsqu'il sonna, son doigt saucissonné dans le gant chirurgical comme une bite dans une capote. Peu après, il entendit une voix de femme. La domestique métisse, inquiète. Demandant qui était là.

Barnard brandit son insigne de police devant la caméra et l'orienta pour qu'il soit bien éclairé par la lumière du dessus de la porte.

— Police. Ouvrez, s'il vous plaît.

La voix de la femme était hésitante, chargée de toute la méfiance qu'on éprouve envers les flics dans les Cape Flats.

— M. et Mme Hill ne sont pas là.

— Je sais. Peu importe. C'est à vous que je dois parler.

— À quel sujet ?

— Écoutez, ma petite dame, comment vous appelez-vous ?

Une hésitation, puis une réponse nerveuse.

— Madame Dollie.

— Madame Dollie, si vous ne voulez pas d'histoires, ni avec moi ni avec votre patron, vous feriez mieux d'ouvrir cette porte immédiatement. Vous m'entendez ?

La menace contenue dans sa voix eut de l'effet, la porte se déverrouilla. Barnard entra et la referma derrière lui.

***

C'était l'heure.

Benny Mongrel mit sa laisse à Bessie et claqua doucement la langue.

— Allez, viens, Bessie. On y va.

La vieille chienne se remit debout laborieusement et peina à retrouver le mouvement dans ses membres postérieurs.

Ils avaient une longue marche devant eux. Benny Mongrel savait qu'il n'avait aucune chance d'être pris en taxi avec la chienne. Ils devraient faire la route à pied, avec des arrêts fréquents pour permettre à l'animal de se reposer. Benny Mongrel et Bessie descendirent l'escalier en construction et passèrent entre les piles de sable et de gravier pour gagner la porte et la liberté.

Puis une voiture blindée rouge de la Sniper Security s'arrêta. Juste en dessous du lampadaire. Ishmael Isaacs, qui était au volant, regarda Benny Mongrel droit dans les yeux.

**

Burn attendait dans sa voiture, devant la clinique. Il ne savait pas quoi faire. Il avait pris sa décision : il s'était préparé à enterrer profondément la douleur de quitter sa famille et à prendre l'avion le lendemain matin.

Mais la situation avait changé. Susan était à la clinique. Leur fille naîtrait le lendemain. Il ne pouvait plus laisser Matt. Il avait confiance en Mme Dollie, mais il était hors de question qu'il lui laisse la garde de son fils et s'envole. Pas avant que Susan soit rentrée et en état de s'occuper d'elle et de Matt. Le sentiment que la décision avait été prise à sa place, il l'accueillit presque comme un soulagement. Il restait.

Il démarra la voiture.

**

Isaacs alluma une Camel et en tira une grosse bouffée avant de souffler la fumée dans le visage de Benny Mongrel. La voiture blindée tournait au ralenti, Isaacs était au volant, les yeux levés sur son employé.

— Où tu vas?

— Patrouille de routine.

— Patrouille?

Son ton moqueur agaça Benny Mongrel. En d'autres temps et d'autres lieux, ce salopard aurait déjà été rejoindre Allah.

— Et tu patrouilles où?

Benny garda son sang-froid. Il n'en avait plus pour longtemps.

— On fait un tour devant le chantier toutes les heures.

— D'accord, dit Isaacs. (Il inspira et rejeta la fumée.) Avec ces feux, on a placé des unités supplémentaires. Ils ont tous peur de voir griller leurs satanées maisons.

Benny Mongrel garda le silence; il se vida l'esprit, comme il avait appris à le faire en prison.

Isaacs enclencha une vitesse.

— Je reviendrai peut-être faire un tour un peu plus tard, alors ne va pas patrouiller trop loin, tu m'entends?

Il ricana et partit en arrachant inutilement la gomme.

Trou du cul.

Ils allaient être obligés d'attendre.

***

La domestique métisse restait derrière la porte de sécurité et observait Barnard qui montait vers elle en respirant péniblement. Il s'aperçut qu'elle était entre deux âges, et musulmane, si on en croyait son foulard. Il détestait ces sales païennes.

— Bonsoir, madame Dollie, dit-il.

— Bonsoir.

— Je suis l'inspecteur Barnard.

Il gardait ses mains gantées hors de vue.

— Oui.

— Puis-je entrer, s'il vous plaît?

Elle hésita.

— Mon patron m'a dit de ne laisser entrer personne.

— Je ne suis pas personne. Je suis un policier.

Barnard essaya d'avoir l'air rassurant. Ce qui l'effraya d'autant plus. Elle refusa d'un hochement de tête, s'écarta de la porte de sécurité et sortit son portable de sa poche.

— Je vais appeler M. Hill et vous pourrez lui parler.

Avant qu'elle puisse être hors d'atteinte, Barnard passa un bras charnu entre les barreaux – il passait juste –, saisit la femme à la gorge et la souleva sur la pointe de ses chaussures confortables, les pieds gigotant. Elle eut les yeux exorbités de terreur et s'étouffa. Il lui prit le portable des mains et le glissa dans sa poche.

La clé était dans la porte de sécurité, du côté intérieur. Sans la lâcher, il tendit sa main libre et la tourna. Poussa la porte et laissa retomber la femme.

Elle heurta violemment le sol, puis, tout en cherchant à reprendre son souffle, se dirigea à quatre pattes vers le salon. Elle essayait de crier, mais aucun son ne sortait de sa gorge.

Barnard ferma la porte. Puis il tomba sur elle de tout son poids, son genou lui entrant dans le dos et l'épinglant au sol. Il prit la tête de la femme entre ses mains et d'un seul coup, lui tordit le cou comme à un vulgaire poulet. Il s'empressa de s'éloigner pour éviter le filet d'urine qui s'échappait d'elle ; puis il se remit debout et se retrouva face au garçon.

Dans son pyjama couvert de personnages de Disney, le gamin avait les yeux fixés sur lui. Puis sa bouche s'ouvrant, il s'apprêta à pousser un hurlement de tous les diables.

Barnard le rejoignit en un instant, la paume de sa main lui bloquant le cri dans les poumons. Il lui tint le visage d'une main, ouvrit sa banane de l'autre et en sortit un chiffon et le chatterton. Il ôta sa main du visage de l'enfant, lui permettant ainsi de respirer un coup, puis il lui fourra le chiffon dans la bouche qu'il entoura de chatterton.

Le garçon était en hyperventilation, il aspirait l'air par le nez, ses grands yeux bleus écarquillés de terreur. Barnard le retourna sur le ventre, lui ligota les mains derrière le dos et glissa un câble autour de ses poignets, qu'il serra assez fort pour couper la peau. Et fit la même chose avec ses chevilles nues.

Puis il le souleva, le prit sous un de ses énormes bras comme s'il s'agissait d'un sac d'oranges, et enjamba la morte pour atteindre la porte.

CHAPITRE 17

S'il y avait une activité dans laquelle Benny Mongrel excellait, c'était l'attente. Quand on passe plus de la moitié de sa vie en prison, on développe une capacité proprement zen à vivre l'instant présent. Ceux qui n'y parviennent pas se suicident, deviennent fous, ou se font tuer.

Il sortit son papier et son tabac et se roula une cigarette. Il donnait une heure à Isaacs. Si ce salopard n'était pas repassé, il commencerait son voyage avec Bessie.

Isaacs devait bluffer. Il était impensable qu'il passe la nuit à sillonner les flancs de la montagne. Non, une femme voilée, dont les grosses cuisses chuintaient sous le sari, devait l'attendre à la maison avec une marmite de curry sur le feu, prête à le servir.

Benny Mongrel interrompit la confection de sa cigarette pour caresser la fourrure emmêlée de Bessie. La vieille chienne leva les yeux sur lui et sa queue frappa le ciment. Puis elle grogna du plus profond de sa gorge et roula sur le côté, en poussant un soupir satisfait. Elle était toujours en laisse. Benny Mongrel la détacha.

Mieux valait qu'elle se repose, la pauvre, elle allait avoir une longue marche à faire.

Il finit de rouler sa cigarette, glissa la langue sur un côté du papier et le colla entre ses doigts. Il recracha un morceau de tabac, abrita la cigarette du vent qui se remettait à souffler en rafales et l'alluma.

Il en aspira une grande bouffée, sentit la fumée lui entrer jusqu'au fond des poumons, puis la laissa s'échapper de sa bouche et de son nez. Fumer était un autre rituel de la prison. Tirer sur une cigarette et laisser le temps passer. C'était la vie en prison. Minutes, heures, jours et années, tout coulait comme un fleuve boueux.

Il se leva et s'approcha du bord du balcon ; il fumait en regardant les flammes attisées par le vent, et qui arpentaient Lion's Head en zigzags.

Puis le vent s'arrêta. Brusquement. Comme quand on éteint la télévision. Il perçut le murmure de la circulation qui montait de Sea Point, une alarme de voiture qui hurlait dans le lointain et le fracas distant des hélicoptères qui survolaient la montagne comme des libellules.

Il entendit alors le cliquetis et le bruit de l'interphone de la maison voisine. Il se réfugia aussitôt dans l'ombre. Bordel. Il avait oublié le gros flic. Et ce salopard était là, il venait de claquer la porte. Il portait quelque chose sous le bras.

Le gros flic remonta la rue ; ses jambes frottaient l'une contre l'autre et son cul se dandinait comme celui d'une danseuse du ventre. Le truc sous son bras bougeait, remuait. Il s'arrêta juste en dessous d'un lampadaire et changea sa manière de le tenir. C'est alors que Benny Mongrel reconnut ce qu'il portait. Un garçon aux cheveux blonds.

Le gamin de l'Américain.

***

Ce petit salopiaud. Il n'était pas grand, mais il se débattait comme un chat dans un sac. Barnard le tint à deux bras et lui plaqua le visage contre sa poitrine, pour l'étouffer. Cela sembla le calmer un peu. Pour bien se faire comprendre, il lui asséna un coup brutal dans le ventre du revers de la main. Il ressentit la secousse jusque dans sa graisse quand le garçon y enfonça ses genoux repliés par la douleur avant de se tenir tranquille.

Arrivé à la Ford, il se remit le gamin sous le bras, le temps de chercher ses clés dans sa poche. Alors qu'il luttait pour les extraire de tous les bourrelets qui lui pendaient sur les hanches, le gamin parvint à lui donner un coup dans la panse, de son pied nu, et se propulsa hors de l'emprise du flic. Le petit merdeux tomba sur le trottoir et se cogna violemment la tête. Barnard vit du sang foncé dans la chevelure blonde.

Il ouvrit le coffre, le souffle court. Puis il se pencha, les jambes grandes ouvertes comme un lutteur de sumo qui se place en première position, s'empara du garçon et le jeta dans le coffre. Il entendit le gamin suffoquer et vit les larmes et la morve sur son visage.

Qu'il aille se faire foutre!

Il claqua le coffre et se pencha sur la voiture, il avait toujours du mal à retrouver son souffle. La sueur coulait abondamment sur son front et dans ses yeux. Sa chemise lui collait au dos et ses cuisses le démangeaient comme s'il avait été dévoré par mille moustiques.

Quand sa respiration se fut apaisée, il se redressa et se tourna face au chantier. Ce salopard de métis avec le chien l'avait-il observé de là-haut? Barnard ne pouvait pas prendre le risque d'être associé à l'enlèvement.

Il était certain que l'Américain la fermerait. Mais si les flics avaient vent d'un rapt d'enfant étranger, il le paierait cher. Trop nuisible à l'industrie du tourisme. Ici, ce n'était pas comme dans les Flats où la vie d'un gosse valait des clous. Il y aurait une chasse à l'homme, des reportages à la télé et dans les journaux. Des offres de récompense. Et tout ça lui foutrait complètement ses plans en l'air.

Il monta en voiture et descendit en roue libre jusqu'à l'entrée du chantier, où il mit le frein à main. Il essuya la sueur sur son jean, souleva sa chemise trempée et sortit le calibre 38 de son étui.

Et descendit de voiture.

***

Le couteau à la main, Benny Mongrel attendait en haut de l'escalier, derrière le mur à moitié fini, attentif. Il entendit le crissement du gravier et du sable sous les pas lourds du gros flic.

Benny Mongrel s'était retranché en lui-même, comme il l'avait souvent fait par le passé depuis que, gamin, il avait tué le gangster American. C'était une position de concentration intense, tous les sens en éveil, chaque muscle et tendon en attente de l'ordre qui enfoncerait profondément la lame dans la chair.

Le flic était entré dans la maison en construction. Il ne faisait aucun effort pour être discret. De sa position, deux étages plus haut, Benny Mongrel l'entendait, il entendait le sifflement de ses poumons : l'air en traversait les glaires comme un filtre de piscine bouché. Le flic toussa et cracha.

Le gros franchit les deux planches qui enjambaient la tranchée de plomberie et menaient au rez-de-chaussée de la maison ; les planches craquèrent et branlèrent sous son poids.

Benny Mongrel entendit sa voix.

— Hé, le gardien ! T'es là ?

Bessie gronda derrière Benny Mongrel. C'était un grondement sourd et bas. Elle s'était tournée et essayait de se lever, les griffes de ses pattes grattant le sol en ciment pour tenter de hisser ses hanches. Benny Mongrel la fixa du regard pour la faire taire. Il l'avertit en levant la main. Elle parut comprendre, le grognement s'éteignit dans sa gorge. Elle leva son long museau et renifla. Mais elle ne changea pas de place.

— Gardien ? J'ai quelque chose à te donner, mec. Du fric. J'ai besoin d'un coup de main.

Le gros flic montait le premier étage, ses bottes lourdes sur le ciment.

Benny Mongrel était immobile comme une statue. Que ce salopard s'avise donc de monter. Dès qu'il mettrait le pied sur le seuil du dernier étage, Benny Mongrel frapperait.

Il entendit le flic atteindre le palier de l'étage inférieur. Il sifflait comme s'il venait d'escalader la Montagne de la Table et son souffle était saccadé.

— Gardien ? Je te conseille de pas me faire monter…

Le bruit de la botte du flic sur la première marche menant à son étage. Plus pour longtemps. Benny Mongrel était prêt.

Soudain, avant même qu'il puisse intervenir, la vieille chienne bondit au-dessus de lui, invoquant la mémoire de ses anciens muscles et trouvant comme un dernier souffle de vitesse et de force du passé. Benny Mongrel se jeta sur elle, essaya de la retenir par sa fourrure trop courte, mais ses doigts ne trouvèrent que de l'air ; il atterrit sur le ciment brutalement, son couteau lui échappa, tournoya, et fut hors d'atteinte.

***

Barnard haletait sur la deuxième marche, prêt à monter au dernier étage, quand il vit une forme sombre se précipiter sur lui. Ce putain de chien. Il leva le calibre 38, tira et sut qu'il avait raté sa cible.

Les pattes de la chienne le frappèrent à la poitrine. L'impact aurait renversé un homme plus frêle, mais Barnard se contenta de ployer, puis il se redressa. L'animal rebondit sur lui et retomba sur le dos contre les marches. Le flic entendit sa hanche gauche se briser. La chienne gémit, mais elle continua de se relever pour l'attaquer ; elle grondait, la lueur du lampadaire éclairait ses crocs jaunes.

Barnard l'abattit en pleine poitrine, à bout portant.

La détonation l'assourdit, résonna sur les surfaces dures des murs, dans les pièces vides et fila dans la nuit. La chienne – c'était incroyable – n'abandonnait pas, un mélange de grognement et de râle s'échappant de son museau ensanglanté. Il lui tira dessus une nouvelle fois.

Elle ne bougea plus.

Les chiens des maisons voisines se mirent à aboyer, chœur qui s'étoffa en roulant à travers la banlieue.

***

La première détonation survint alors que Benny Mongrel se précipitait sur le couteau qui lui avait échappé des mains et s'était arrêté contre un sac de ciment. Il saisit l'arme, en sentit la forme rassurante du manche sous ses doigts.

Puis ce fut le second coup de feu.

Benny Mongrel se rua dans l'escalier.

***

De là où il était, à travers les pièces inachevées, Barnard pouvait voir les rues et les maisons en contrebas.

Un véhicule de patrouille blindé, gyrophare allumé, fonça dans la rue à trois pâtés de maisons de là. Les coups de feu n'étaient pas passés inaperçus.

Barnard devait monter et finir ce qu'il avait commencé.

Il se retourna vers la voiture de patrouille, la vit freiner, déraper et faire une queue de poisson pour éviter un 4 × 4 qui sortait d'une maison en marche arrière.

C'était sa chance.

***

Benny Mongrel était en haut de l'escalier. Il savait que sa silhouette se découpait dans la lumière de dehors. Qu'il constituait une cible parfaite pour le flic. Il s'en foutait.

Il se précipita dans l'escalier, et la balle lui brisa l'épaule. Celle du bras qui tenait le couteau; l'arme lui échappa à nouveau des doigts et se fracassa par terre. Ce n'était pas la première fois qu'on lui tirait dessus, mais on ne s'habitue jamais à l'éclatement de la balle à l'intérieur de la chair. L'immobilité. Sans douleur au début. Mais on sait que ça ne tardera pas.

Il réussit à se tourner et à reculer en se jetant de côté, puis à s'écarter de l'escalier et à se réfugier derrière le muret. Allongé, il attendit que le gros flic arrive. Son bras droit était fichu. Il sentait le sang couler de son épaule, lui dégouliner dessus jusqu'à baigner ses doigts.

Il tendit la main et trouva une moitié de brique. C'était toujours ça.

Il entendit une voiture dans le lointain, elle roulait vite, ses vitesses s'enclenchant à toute allure. Il entendit le flic gravir une marche. Puis une autre.

***

Barnard montait. Il se tourna vers la rue. La voiture de patrouille brûla de la gomme en redémarrant. Elle était à deux rues de distance. Il se décida. Il fit demi-tour et descendit en courant aussi vite que sa corpulence le lui permettait.

Il déboula du chantier, traversa les planches à toute vitesse et rejoignit la route en forçant sur ses jambes, son cœur menaçant d'exploser dans son enveloppe de graisse et de cholestérol.

La Ford était devant lui. Pas loin.

Il regarda par-dessus son épaule. La voiture de patrouille n'était pas arrivée, elle était hors de vue, au coin de la rue. Mais il continuait à l'entendre, les vitesses passaient en hurlant.

Il atteignit sa voiture. L'ouvrit, s'effondra à l'intérieur et la sentit fléchir sous son poids.

La clé dans le contact. Marche arrière en forçant sur le levier. Et il s'enfuit, loin de la maison, loin de la voiture de patrouille, son embrayage en feu.

Puis il parvint au sommet de la colline et disparut en marche arrière.

***

Quand il entendit le bruit des planches sous les pieds du gros flic, Benny Mongrel se remit difficilement debout ; il tenait toujours la brique dans sa main gauche. Il descendit les escaliers.

Bessie était étendue sur le palier. Immobile. Il se pencha sur elle, lâcha sa brique et s'agenouilla doucement. Il sut qu'elle était morte avant même de la toucher. Un rayon de lumière atteignant le palier, il vit la gueule tirée sur les dents ensanglantées et figée dans le rictus de mort. Le sang tachait sa fourrure et s'échappait de son corps comme une tache sombre.

Benny Mongrel s'agenouilla dans le sang et berça la chienne morte de son bras indemne. Puis il fit une chose qu'il n'avait pas faite depuis qu'on l'avait abandonné sur une pile d'ordures toutes ces années auparavant.

Benny Mongrel pleura.

CHAPITRE 18

Burn vit les gyrophares de la voiture de police et eut un instant de panique aveugle. Son premier instinct lui souffla de ne pas s'arrêter, de partir le plus loin possible.

Puis il s'aperçut que les flics s'intéressaient au chantier voisin. Une ambulance était garée devant la voiture de flics et un véhicule blindé sur le trottoir. On emmenait le gardien de nuit, l'homme défiguré, dans l'ambulance. Sous sa chemise ouverte, Burn vit qu'il avait le bras en écharpe et l'épaule bandée. Les flics regardèrent Burn sans curiosité quand il s'arrêta devant son garage et l'ouvrit avec la télécommande.

Il gara la voiture à l'intérieur et la porte se déroula derrière lui. Il resta un instant assis à savourer son soulagement. Il était en sécurité. Pour le moment. Et il ne partirait pas demain. Peut-être, et seulement peut-être, après la naissance de leur fille, dans la douceur de l'instinct maternel, Susan changerait d'avis. Elle lui donnerait – leur donnerait – une deuxième chance.

Il se rappela la naissance de Matt ; Susan lui avait enfoncé les ongles dans la paume jusqu'au sang. Il n'avait rien senti, tant il était absorbé par l'arrivée de cette vie nouvelle.

Il lui semblait maintenant impossible d'avoir envisagé de quitter son fils.

Il monta l'escalier en traversant le garage et entra dans la maison par la cuisine. Le boucan familier de la chaîne de dessins animés inondait le salon et deux assiettes étaient posées sur le comptoir de la cuisine.

— Matt?

Burn posa ses clés et s'approcha de la télé. C'est alors qu'il vit Mme Dollie, étalée sur le carrelage près de la porte d'entrée, la tête tordue selon un angle impossible, les yeux vides. Il n'y avait personne dans le salon.

Il se mit à courir.

— Matt!

Il courut d'une pièce à l'autre, regarda sous les lits et dans les placards. En sachant que son fils n'y serait pas.

Il finit par revenir vers Mme Dollie et eut le réflexe futile de lui prendre le pouls. Il relâcha sa main sans vie. Consulta sa montre. Il était parti depuis moins d'une heure. Les ravisseurs de son fils s'étaient déjà fondus dans la ville tentaculaire.

Éparpillés par le vent.

Les flics étaient dehors. Burn pouvait sortir et demander leur aide. Prendre du recul et les laisser s'en occuper. Ce qui voulait sans doute dire qu'il serait démasqué. Il s'en fichait. Il ne se souciait plus que de son fils.

Mais il savait que l'implication des flics risquait aussi de coûter la vie à son enfant.

Matt avait été enlevé en vue d'un échange. Il ne s'agissait pas d'un cambriolage. Rien n'avait été volé. Mme Dollie avait été tuée parce qu'elle aurait pu identifier le ravisseur de son fils. Burn était persuadé qu'on allait le contacter avec des revendications. Il devait attendre.

C'était la solution la moins risquée pour Matt.

Peut-être la seule.

***

Ils évacuèrent Benny Mongrel à l'hôpital Somerset. Pas de belle clinique pour lui, mais l'hôpital public. Qui manquait de financements et de personnel et débordait de patients.

Les ambulanciers le laissèrent aux urgences au milieu des accidentés de la route, des bagarreurs ensanglantés, des sans-abri en détresse et, plus spectaculaire, à côté d'un homme avec une hache enfoncée dans le crâne. Même les urgentistes blasés s'intéressèrent à lui.

Une sœur jeta un regard indifférent sur la blessure de Benny Mongrel, vit qu'il n'était pas en danger de mort et lui dit d'attendre.

Il attendit. Il n'avait rien de mieux à faire.

En entendant Ishmael Isaacs gravir les marches comme Clint Eastwood, le pistolet à la main, il avait arrêté de pleurer. Il avait tendrement reposé la tête de Bessie par terre et s'était levé. Il avait séché les larmes de son bon œil. Isaacs était sur le palier, il brandissait son pistolet et ratissait la zone comme s'il passait une audition pour un de ces films d'action qu'on leur projetait en prison.

— Ils sont partis, lui avait dit Benny Mongrel.

Isaacs avait baissé son arme, comme déçu de ne pouvoir tirer sur personne.

— Qu'est-ce que c'est que ce bordel?

Comme si Benny Mongrel était forcément responsable du merdier.

— Deux types sont entrés.

Benny Mongrel faisait pression de ses doigts sur la blessure de son épaule. Ce n'était pas si terrible. Il essayait de ne pas regarder Bessie. Il ne voulait pas qu'Isaacs le voie pleurer.

— Qui c'était?

Benny avait haussé son épaule indemne.

— Des ordures. Des jeunes, des petits merdeux. Ils voulaient voler des outils, sans doute pour s'acheter du tik.

— Ça va? lui avait demandé Isaacs à contrecœur.

Benny avait acquiescé.

— Ma chienne les a attaqués. Ils l'ont tuée.

Isaacs avait grogné et porté un coup de pied indifférent à l'animal du bout de sa chaussure.

— Ça évitera au véto de s'en occuper.

C'est alors que Benny Mongrel l'avait frappé, un crochet du gauche en plein dans le nez. Benny n'était pas baraqué, mais les combats n'avaient aucun secret pour lui. Il avait senti le nez du chef d'équipe se briser sous son poing.

Isaacs s'était rapidement couvert le visage des mains, le sang coulait entre ses doigts.

— Enculé! avait-il lancé d'une voix étouffée.

Benny Mongrel lui avait asséné un coup de pied dans les couilles.

C'est ce moment-là que les deux flics avaient choisi pour entrer, l'arme à la main. Ils ne savaient que penser de ces employés de sécurité sanguinolents et du chien mort.

Les explications avaient pris un certain temps. Un des officiers avait dû prendre des notes.

Puis les ambulanciers étaient arrivés. Celui qui avait bandé l'épaule de Benny Mongrel lui avait dit qu'il avait eu de la chance – la balle n'avait fait que lui traverser l'épaule. L'autre avait examiné Isaacs et lui avait annoncé qu'il avait le nez cassé.

— Sans déconner? Je m'en serais pas douté, lui avait renvoyé Isaacs, furibond.

Puis il s'était tourné vers Benny Mongrel et lui avait dit :

— Tu viendras chercher ta dernière paye la semaine prochaine, Niemand.

— Tu peux te la foutre au cul, lui avait renvoyé Benny Mongrel tandis qu'on l'accompagnait à l'ambulance.

Il avait jeté un dernier regard à sa chienne.

Adieu, Bessie.

Il ne voulait ni l'argent de la Sniper Security, ni son putain de boulot. Il voulait le gros flic. Il allait le dépecer comme un cochon, des couilles jusqu'à la gorge, puis il l'éviderait et regarderait ce gros dégueulasse mourir en essayant de tenir ses entrailles dans ses bras.

Ils finirent par le suturer. Benny Mongrel était torse nu et ses tatouages de prison racontaient son histoire sous la lumière crue des néons. La balle lui avait ôté un morceau de l'épaule droite, gommant ainsi une barrette de ses galons tatoués.

L'urgentiste était jeune, toute fraîche sortie de l'université. Benny Mongrel la rendait nerveuse. Ses mains tremblaient et son travail de suture ne lui vaudrait aucune récompense. Elle le vit regarder son ouvrage.

— Ça sera plus joli quand ce sera cicatrisé.

Il ne répondit pas.

On lui annonça ensuite qu'il n'y avait pas de lits disponibles. Il pouvait passer la nuit sur un banc des urgences. On lui trouverait peut-être une couverture.

Mais il s'en allait déjà, au petit matin d'une nouvelle journée dans la ville du Cap.

***

Debout sur le seuil de son appartement, Carmen Fortune dévisagea Gatsby, puis le corps inanimé du petit gamin blond dans ses bras, ficelé comme une dinde de Noël.

— Qu'est-ce que c'est que ce bordel?

— À ton avis? C'est un gamin.

Gatsby l'écarta d'un coup d'épaule et entra chez elle. Il jeta le garçon sur le sofa, à côté de Tonton Fatty, sonné et en slip.

— Il est mort?

— S'il était mort, je l'aurais jeté dans un fossé. Je l'aurais pas amené ici.

Gatsby haletait et empestait encore plus que d'ordinaire.

Carmen ferma et verrouilla la porte d'entrée, puis elle s'approcha du garçon. Un gamin blanc aux cheveux blonds. Avec du sang coagulé sur le côté de la tête. Les mains ligotées dans le dos et les pieds liés. Carmen s'aperçut que la circulation était coupée.

Le gamin s'était évanoui.

Elle leva les yeux sur Gatsby.

— Pourquoi tu l'as amené ici?

— Pour que tu t'occupes de lui.

— Ça va pas, non?

— Pendant un ou deux jours.

Il sortit une liasse de billets de sa pochette de ceinture et les lui jeta à la figure. Carmen les attrapa avec une dextérité inattendue.

Elle porta un regard vorace sur l'argent et feuilleta la liasse avec le pouce. Il y avait autour de cinq cents rands.

— Je veux pas d'ennuis, dit-elle.

Il partit d'un de ses rires aspirés.

— Vous connaissez que les ennuis, vous autres. Vous avez ça dans le sang.

Il s'assit sur l'accoudoir du sofa, les bras pendouillant mollement entre ses jambes comme un gros primate. Carmen fourra l'argent dans son soutien-gorge et fit prudemment le tour du sofa.

— À qui il est, ce gamin?

— T'as pas besoin de le savoir. Mais si tu me le gardes ici, caché, jusqu'à demain ou après-demain, je te donnerai mille rands de plus.

Elle avait les yeux rivés sur lui.

— Me raconte pas de conneries.

Il passa une énorme main sur son visage et écarta la frange de sa coupe au bol.

— Je suis sérieux.

— Je dois juste le surveiller?

— C'est tout. Tu lui donnes à manger. Tu t'assures qu'il se tienne tranquille.

— Et après?

— Après, moi, je viens le rechercher. Et toi, tu vas t'acheter du tik et tu t'éclates.

— Ta mère! Je touche pas au tik.

Gatsby souleva ses kilos du sofa, leva sa chemise et baissa son jean. L'ombre d'un instant horrible, Carmen crut qu'il allait s'exhiber, mais il voulait seulement lui faire voir le pistolet qu'il portait à la taille, englouti sous sa masse de chairs roses marbrées.

— Si t'es bien sage, t'auras tes mille rands. Si tu racontes à qui que ce soit que t'as ce gamin ici, je te tue. C'est clair?

Ses yeux de cochon mort rivés sur elle lui donnèrent envie de prendre un bain.

— Ja, dit-elle. Je comprends.

Il rabaissa sa chemise et se traîna jusqu'à la porte.

— Hé! lui lança-t-elle quand il eut la main sur la poignée.

— Quoi? demanda-t-il en se retournant.

— Il s'appelle comment?

— Qu'est-ce que j'en sais, moi, bordel?

— Je peux le détacher? Il a les pieds bleus.

— Fais ce que tu veux. À condition qu'il reste caché.

Et le gros Boer partit en claquant la porte derrière lui.

Elle alla jusqu'au sofa et examina le gamin. Posa une main hésitante sur sa gorge. Elle sentit son pouls, qui palpitait comme un oiseau. Ses paupières frémissaient, mais restaient closes.

Elle retira le chatterton qui le bâillonnait, puis ôta le tissu. Il aspira par la bouche, mais ne reprit pas connaissance. Il était mignon dans son pyjama à motifs Disney. C'était un petit Blanc tout doux dont la belle vie avait tourné au vinaigre. Elle n'en avait rien à foutre. Pour elle c'était un don du ciel. Une prime.

Elle traversa la cuisine pour aller chercher un couteau et le détacher.

***

Burn était devant la télé. Informations régionales. Le cadavre d'un enfant retrouvé dans un égout des Cape Flats. L'enfant avait été violé, puis assassiné.

Il prit la télécommande et changea de chaîne. MTV. Une latino se tortillait en chantant un amour déçu. Bon Dieu, comme il aurait aimé être aux États-Unis : il en comprenait les codes. Ce putain de pays était tout en angles qu'il ne savait pas déchiffrer. Le pistolet du gangster mort était à côté de lui. Pour une raison quelconque, la présence de l'arme le réconfortait. Peut-être parce qu'il savait que si les choses empiraient, il pourrait la retourner contre lui.

Il devait croire que son fils était encore vivant. Matt avait été enlevé pour une raison précise. C'était une histoire d'argent. De cupidité. Forcément.

Son portable sonna et, quand il vit le nom de Mme Dollie sur l'écran, il s'autorisa à penser, une fraction de seconde, qu'elle l'appelait de chez elle et ne gisait pas morte près de la porte d'entrée.

Il décrocha.

— Monsieur Burn ?

L'homme connaissait son vrai nom. Sa voix pâteuse à l'accent local guttural était déformée. Comme si son interlocuteur l'appelait d'un téléphone sur haut-parleur et étouffait sa voix pour la masquer.

— Qui est-ce?

— Peu importe. J'ai ton fils.

— Où est-il?

— Il va bien. Et il continuera à aller bien si tu fais exactement ce que je te dis. Compris?

— Oui. Que voulez-vous?

— Un million. En liquide. D'ici à demain soir.

— Je n'ai pas accès à une somme pareille.

— Écoute-moi, Burn, si tu me fais chier, je lui coupe les doigts et je les mets dans ta boîte aux lettres. Tu me suis?

— Je vous suis. Je vous en prie, je ferai ce que vous voulez. Ne lui faites pas de mal. Il faut que j'effectue un transfert d'argent de l'étranger. J'ai besoin de plus de temps.

— Combien?

— Jusqu'à après-demain.

Burn entendait seulement le sifflement d'une respiration. Puis l'homme parla.

— D'accord. Mais pas plus longtemps. Compris?

— Oui.

— Maintenant je sais qui tu es. Je sais que t'as la police américaine au cul. Alors évite de faire une grosse connerie, pas vrai? Comme d'aller chez les flics.

— Non. C'est hors de question.

— Vaut mieux. Sinon, je tue ton chiard.

— Je vous donne ma parole.

— Ja. Bien sûr. (L'homme rit.) Maintenant, tu te mets au boulot pour le fric et tu attends que je te contacte, d'accord?

— Est-ce que je peux parler à mon fils?

— Pas encore. Occupe-toi du fric.

Et il raccrocha. Maintenant, Burn savait au moins que c'était pour l'argent. Il comprenait l'appât du gain; ça voulait dire qu'il avait encore une chance de retrouver son fils vivant.

Quelque chose dans la voix de l'inconnu lui rappelait le gros flic. Barnard. C'était assez logique : il avait rôdé chez lui et lui avait montré des photos. Peut-être même avait-il relevé les empreintes de Susan. Barnard était suffisamment vil. Mais Burn ne pouvait pas en être certain. Il n'en ressentait pas moins le besoin de faire quelque chose, d'agir. Il pouvait essayer de retrouver la piste du gros flic. Pour savoir s'il avait pris son fils.

Il se calma. Ces initiatives étaient le moyen le plus sûr de tuer Matt. Aussi dur que ce soit, il devait attendre. Prendre les choses au fur et à mesure.

Il traversa le salon en essayant de ne pas regarder Mme Dollie, cachée sous une couverture. Il entra dans la chambre d'amis, alluma son ordinateur portable et accéda à son compte suisse anonyme.

Le ravisseur voulait un million en monnaie sud-africaine. Ce qui représentait environ cent cinquante mille dollars américains. Ce n'était pas énorme, mais c'était quand même le double de ce qu'il avait dans le coffre de sa chambre. Il effectua les virements nécessaires en déposant de l'argent dans deux banques du Cap. Ce serait plus discret. Puis il se déconnecta et se leva. Il devait s'occuper de Mme Dollie.

Pour la deuxième fois de la semaine, il avait à se débarrasser de cadavres.

CHAPITRE 19

Disaster Zondi tentait de contenir sa frustration. Il arpentait le QG encombré de Bellwood South sous la lumière des spots qui bourdonnaient comme des insectes furieux. Le bâtiment était désert ; minuit était déjà loin.

Le gros flic, la raison même de sa descente dans cette pute de ville fardée, avait disparu. Rudi Barnard – si visible récemment, si présent par sa graisse et sa puanteur, si impliqué dans les Cape Flats qu'il se les était appropriés – restait introuvable. Il n'était pas rentré chez lui. Il n'avait pris contact avec aucun des indics qui coopéraient avec la police. Même la femme qui lui fournissait sa bouffe avait constaté avec soulagement qu'elle ne l'avait pas revu.

Il s'était envolé.

Par le biais de Peterson, qu'il manipulait comme une marionnette, Zondi avait mobilisé le plus possible d'agents pour parcourir les Flats à la recherche du flic corrompu. Ils étaient revenus bredouilles.

Il avait fait passer le temps en convoquant les deux autres ripoux de sa liste : des nullités, de simples petits joueurs aux rackets limités. Rien d'extraordinaire. Ennuyeux.

Sa proie, c'était Barnard. Et la proie avait disparu de son radar.

Il savait qu'il devait être patient. Barnard était habitué à faire sa propre loi, il finirait par merder et c'est là qu'il se ferait prendre.

Zondi regarda les lumières lointaines du Cap par la fenêtre. Il dut réprimer une forte envie de sortir dans la nuit à la recherche d'une aventure sexuelle : plus elle serait anonyme, mieux ce serait. Zondi n'avait jamais été marié et n'avait pas de compagne. Il avait maîtrisé l'art de rejeter les avances des croqueuses d'hommes issues de l'opulence noire de Johannesburg. Il l'avait même si bien maîtrisé, pour tout dire, que beaucoup le croyaient homo.

C'était faux, mais il ne faisait rien pour démentir la rumeur.

Il n'était pas intéressé par la comédie de mœurs qu'exigeait une relation ou une liaison. La parade nuptiale, l'intimité, les conversations sans fin sur les carrières, le statut et – que Dieu nous en préserve – l'avenir de la relation. L'idée de se réveiller avec une femme dans son lit, une femme avec son corps flasque de sommeil et de sexe, son parfum de luxe mêlé à d'autres odeurs plus âcres, le révoltait complètement.

Zondi était un homme éclair. Quand ses pulsions devenaient si pressantes qu'il ne pouvait plus les contenir, il partait en chasse. Il emballait une fille dans un bar ou à un coin de rue (il n'avait aucun scrupule à payer, il préférait qu'il en soit ainsi, en fait), s'accouplait hâtivement sur la banquette arrière de sa voiture ou dans une chambre d'hôtel anonyme et repartait aussitôt. Puis il rentrait chez lui, se douchait, prenait un doigt de Glenmorangie et, la saveur fumée de l'orge et du feu de tourbe encore au palais, il dormait seul d'un sommeil paisible, dans son lit, son désir repu. Pour un temps.

Mais avant de quitter Johannesburg, il s'était juré de résister à la chair et à toute autre distraction avant d'avoir fini son travail au Cap.

Il avait besoin de discipline.

Son portable sonna. C'était le technicien informatique du labo de la police, un Afrikaner fraîchement sorti de l'école et qui l'avait surpris par son efficacité.

— Euh, monsieur Zondi, j'ai remonté l'adresse IP par le biais d'un FAI des États-Unis.

— En anglais, s'il vous plaît.

— D'accord. J'ai remonté l'adresse Yahoo. Elle appartient à une personne aux États-Unis.

— Oui. Et… ?

— C'est un US marshal de… (le technicien marqua une pause, Zondi entendit ses doigts pianoter sur le clavier)… d'Arlington, en Virginie.

Zondi dressa l'oreille.

— Comment le savez-vous ?

— L'adresse IP dépend du QG de la police fédérale.

Zondi prit son carnet.

— Vous avez son nom ?

— Torrance. Dexter Torrance.

Le technicien épela.

Zondi le remercia et raccrocha. Les appels de sa libido tapageuse s'étaient tous évaporés quand il s'assit devant le portable de Barnard. L'appareil était en veille, il passa le bout du doigt sur le pavé tactile, puis il l'essuya avec son mouchoir en soie par peur inconsciente d'être contaminé.

L'image d'une empreinte se dessina peu à peu sur l'écran. Pourquoi Barnard l'avait-il envoyée à un marshal des États-Unis ? Et à qui appartenait-elle ? Avoir la réponse à la première question prendrait peut-être un peu de temps ; la réponse suivante était à sa portée.

Son propre ultraportable lui annonça un nouvel e-mail. Il provenait de son supérieur, Archibald Mathebula. Il s'était débrouillé pour obtenir un mot de passe crypté qu'il avait fourni à Zondi. Ce mot de passe lui donnait accès à la banque de données des empreintes du FBI.

***

Burn ralentit et gara la Jeep entre deux lampadaires. Il éteignit la lumière intérieure avant d'ouvrir la portière. Il attendit un moment dans la rue paisible qui ressemblait à celle où il louait sa maison : il écoutait et observait. Il était plus de deux heures du matin et le monde était endormi. Un chien aboyait dans le lointain et le moteur d'une voiture distante forçait dans une montée ; sinon, tout était calme.

Il contourna la Jeep et arriva en haut d'une volée de marches reliant sa rue à une autre en contrebas. Ces passages étaient typiques de cette banlieue construite sur des pentes abruptes. Ils étaient empruntés pour faire du jogging, promener le chien ou comme raccourci pour les domestiques qui rejoignaient les arrêts de taxi-bus de High Level Road. Ils servaient aussi de dortoirs aux sans-abri. Burn descendit la moitié de l'escalier et ne remarqua aucun ballot d'humanité abandonné.

Il revint à la voiture, vérifia une nouvelle fois qu'il était seul et que personne ne le regardait et ouvrit la portière arrière de la Jeep. Mme Dollie gisait à l'endroit même où il avait transporté les deux derniers cadavres. Elle était enveloppée d'une couverture. Il se baissa et la souleva. Elle était petite et mince, facile à porter.

Il descendit hâtivement l'escalier. Il la déposa doucement sur les marches en béton et retira la couverture. Les réverbères de la rue éclairaient suffisamment pour qu'il remarque l'horreur sur son visage. Il se crut un instant incapable de faire une chose pareille à cette femme qui s'était occupée de son fils avec tant de tendresse, incapable de l'abandonner comme un tas d'ordure sur les marches. Puis il reprit la couverture et retrouva son véhicule. Après s'être assuré une nouvelle fois que personne ne l'avait vu, il s'en alla.

Il savait que, quand on trouverait le corps le lendemain matin, on penserait à une agression. Et quand la police viendrait enquêter, il donnerait de la substance à ce boniment : il dirait qu'elle avait quitté la maison aux alentours de sept heures et qu'elle avait refusé d'être raccompagnée en expliquant qu'elle aimait descendre jusqu'à l'arrêt de taxi-bus. Que ce peu d'exercice lui faisait du bien. Il serait facile de reproduire le dialogue qu'ils avaient échangé tant de fois par le passé.

Il eut envie de vomir en entrant dans le garage. Par sa faute, Mme Dollie avait été prise dans un engrenage qui lui avait coûté la vie. Il avait rencontré son mari, un homme timide, discret, qui ne s'était jamais résolu à l'appeler autrement que « monsieur Jack ». Il avait aussi rencontré sa fille, Leila, une jeune d'une vingtaine d'années qui, pur produit des années de dévouement désintéressé de ses parents, se lançait dans les affaires.

Burn savait qu'il ne pouvait s'offrir le luxe de la culpabilité. Il devait n'avoir qu'une pensée, et une seule.

Matt.

***

Le matin venu, Carmen Fortune se réveilla avec un manque de tik qui lui rognait les extrémités nerveuses. Il fallait qu'elle en trouve, putain. Puis elle se souvint du gamin blanc, le petit cadeau que Dieu lui avait offert. Elle s'assit, le drap huileux glissant de ses seins nus. Où était-il?

La veille, elle l'avait mis dans le lit à côté d'elle et avait verrouillé la porte de la chambre de l'intérieur. Il ne s'était pas réveillé quand elle lui avait détaché les pieds et les mains. Il devait souffrir d'une commotion cérébrale. Elle avait fait un semblant d'effort et nettoyé le sang de ses cheveux blonds. Il avait des cheveux fins et doux, pas comme Sheldon, qui avait une tignasse aussi dure et rêche que la paille de fer.

Elle vit le garçon assis en pyjama sur le lino crasseux. Il suçait son pouce, le regard perdu. Il ne se tourna pas vers elle quand elle sortit du lit et alla jusqu'à l'armoire où elle prit un tee-shirt pour recouvrir sa nudité.

Elle s'accroupit devant lui.

— Salut, lui dit-elle.

Aucune réaction. Elle vit qu'il était assis dans une flaque de pisse. Nom de Dieu, avait-elle donc la malédiction d'être entourée d'hommes qui ne savaient pas contrôler leur putain de plomberie?

Elle lui secoua l'épaule.

— Coucou, petit mec.

Lentement, ses yeux se tournèrent vers elle. Même dans son état de manque de tik bon marché, elle remarqua qu'il avait de beaux yeux. Bleus, avec des reflets presque violets. Un peu la couleur des bleus que lui donnait Rikki, après une semaine.

— Comment va ta tête?

Elle se pencha et lui écarta les cheveux pour voir si la plaie guérissait. Le garçon tressaillit et s'éloigna.

Il enleva son pouce de sa bouche et parla pour la première fois.

— Je veux ma maman.

Il avait un accent américain, comme les petits futés des séries télévisées. Carmen faillit rire. Qu'est-ce que c'était que ce bazar?

— Tu verras ta maman plus tard, d'accord?

Le gamin se mit à pleurer, sa bouche frémissait et ses beaux yeux s'embuaient. Merde, elle n'était pas en état de gérer un morveux en train de brailler.

Elle se leva et lui tendit la main.

— Allez, viens, on va trouver quelque chose à manger.

L'enfant la dévisagea sans bouger.

— Tu veux regarder la télé?

Aucune réaction.

Elle lui prit la main et le mit debout. Il chancela légèrement, trouva son équilibre et retira sa main.

— Et comment tu t'appelles?

— Matt.

— Bon, Matt. Tu peux m'appeler...

Elle s'interrompit. Elle n'allait tout de même pas lui donner son vrai nom.

— Appelle-moi Jenny.

Comme dans la chanson de J-Lo : *Jenny from the Block*. Qui restait une de ses préférées.

— T'es l'amie de Leila?

Les yeux levés sur elle, il essayait désespérément de comprendre ce qui lui arrivait.

Qui était cette Leila, bordel? Sans doute une petite musulmane qui le gardait.

— Ja, bien sûr. On est grandes copines avec Leila. Elle m'a demandé de veiller sur toi, d'accord?

Il acquiesça. Et cette fois, quand elle lui tendit la main, il la prit. Elle ouvrit la porte et l'entraîna dans la cuisine.

Tonton Fatty était assis sur le sofa; il venait de se réveiller. Ses mains tremblaient tandis qu'il essayait vainement d'extraire une goutte de vin d'un cubi vide. Quand il vit le gamin blanc, il se crut en proie à des hallucinations.

— Pas un mot de toute cette affaire, compris? lui dit-elle en montrant le garçon. Je vais sortir, je te rapporterai du vin.

Tonton Fatty acquiesça et lécha ses lèvres sèches et crasseuses. Carmen savait ce qu'il ressentait. Elle allait prendre quelques billets de l'argent de Gatsby et s'achèterait une ampoule. Ensuite, Tonton Fatty pourrait se saouler la gueule et elle se défoncer pendant que le gamin américain regarderait des dessins animés.

La vie dans les Flats.

***

Burn se retrouva assis dans la chambre de Matt, sur un des lits superposés à la couette bariolée. Un livre de Dr Seuss traînait sur la moquette. *Le Chat chapeauté*. Burn le ramassa et le feuilleta; les nuits interminables pendant lesquelles il l'avait lu à son fils avaient imprimé chaque page dans sa mémoire. Il reposa le livre.

Son fils était-il encore vivant?

Il chassa ces pensées, alla décrocher le fixe dans le salon et appela la clinique. Il réussit enfin à parler à la sœur de la veille au soir – était-ce seulement la veille? – qui lui apprit que la procédure avait été reportée d'un jour. Elle serait effectuée le lendemain; le médecin était retenu à une conférence à Johannesburg. Ça lui convenait parfaitement. Plus longtemps Susan serait absente de la maison, mieux ce serait.

Son portable sonna. Il se précipita pour répondre.

— Oui?

— Monsieur Hill?

C'était une jeune femme, dont la voix lui parut vaguement familière.

— Oui? Qui est à l'appareil?

— C'est Leila. Leila Dollie.

Nom de Dieu, la fille de Mme Dollie. Il changea de ton, réprima le sentiment de culpabilité qui menaçait de le paralyser et s'apprêta à mentir.

— Ah, bonjour Leila. En quoi puis-je t'être utile ?

— Maman est-elle encore chez vous, par hasard ?

— Non, elle est partie hier soir. Vers les sept heures, sept heures et demie.

Un silence s'ensuivit. Un silence inquiet.

— Ah… je croyais qu'elle devait passer la nuit chez vous.

— Non, il me semble que c'était prévu au départ, quand Susan a dû partir à la clinique. Mais je suis rentré tôt et ta mère a préféré rentrer.

— Vraiment ? C'est encore plus inquiétant. Comment est-elle rentrée ?

Burn lui raconta qu'elle avait refusé qu'il la raccompagne : elle voulait faire un peu d'exercice.

La jeune fille tentait de maîtriser son anxiété.

— Ja, c'est maman tout craché. Bon, je ferais mieux de vous laisser. Je vais contacter la police et les hôpitaux.

— Est-ce que je peux t'aider, Leila ?

Comment te dire que j'ai déposé le cadavre de ta mère sur les marches de High Level Road ?

— Non, non, merci, monsieur Hill.

— Si tu as besoin de quoi que ce soit, n'hésite pas à me contacter, d'accord ?

— Merci. D'accord.

La voix de Leila se tut. La jeune femme allait bientôt vivre son pire cauchemar.

***

Ça commença par une rumeur dans les rues. Gatsby était un homme traqué. Il y avait un avis de recherche. Il y avait même une récompense à la clé. Il avait tué un gosse. Ronnie September de Tulip Street à Paradise Park. Tué d'une balle ; puis il l'avait brûlé avec deux autres hommes. Et maintenant, les flics le recherchaient; ils pourchassaient un des leurs dans les rues des Flats.

Les plus sages rejetaient la rumeur d'un hochement de tête. Impossible. Ça ne pouvait être qu'un mensonge. Gatsby gérait son territoire d'une poigne de fer depuis combien de temps déjà? Quinze ans? Dix-sept ans? Il avait plus de sang sur les mains qu'un boucher halal et on n'avait jamais entendu la moindre objection des forces de l'ordre.

Les inconscients qui avaient essayé de l'accuser par le passé avaient été retrouvés dans des fossés, la nuque pulvérisée. Exécutés. Message du gros : voilà ce qui se passe quand on me fait chier. Alors pourquoi les choses auraient-elles changé?

On murmurait aussi qu'un négro, un grand type en costume noir, avait fait le trajet depuis Jo'burg pour démolir Gatsby. Qu'au nord, les gros bonnets ne faisaient pas confiance aux flics du Cap. D'autres juraient avoir vu le négro à l'arrière d'une voiture de flics qui parcourait les Flats pour délier les langues.

Au début, en vain.

Puis deux ou trois individus courageux, téméraires ou cupides avaient partagé quelques renseignements. Les flics locaux, des métis, posaient les questions. Le négro se contentait d'écouter, les yeux cachés derrière ses lunettes de soleil; il avait absorbé la conversation comme s'il avait été un buvard.

C'est ainsi que, petit à petit, il avait fallu croire à l'incroyable.

Les jours de Gatsby étaient comptés.

***

Après avoir inhumé le fils de Berenice September, ses voisins se rassemblèrent chez elle. Les femmes et les filles étaient à l'intérieur et servaient le thé avec des gâteaux.

Dans le jardin exigu, Donovan September se mêlait aux hommes et aux garçons. On parlait à voix basse : tous, hommes et garçons, lui juraient qu'ils allaient mettre la main sur le fumier qui avait fait ça à son petit frère. Et ils enverraient le gros Boer en enfer.

Berenice remplissait la bouilloire dans l'évier et, par la fenêtre de la cuisine, regardait son fils discuter avec les hommes. Donovan croisa son regard et détourna les yeux.

Mon Dieu, faites que tout ça s'arrête.

CHAPITRE 20

Une autre chambre d'hôtel.

Celle-ci était à Retreat, au fin fond du Cap. Un quartier pourri, loin de son territoire, que Rudi Barnard connaissait mal. L'ironie du nom Retreat, ou « retraite », ne lui échappait pas. Il avait horreur de se cacher. Ce n'était pas son genre. Pas du tout. Il était couché sur le lit, la sueur dégoulinait de son torse nu. La chambre n'était pas climatisée ; seul un ventilateur de bureau agitait et déplaçait l'air pesant sans s'emmerder à le rafraîchir.

Il prit son portable et composa un numéro. Il était temps de voir où en étaient la garce métisse et le garçon. Quand la voix automatisée lui annonça que le numéro n'était pas disponible, il faillit fracasser le téléphone contre le mur. La salope n'avait plus de crédit sur son téléphone, elle avait sans doute claqué l'argent qu'il lui avait donné dans du tik.

Bordel.

Il dut se retenir de ne pas partir en Ford jusqu'au taudis de cette garce pour lui flanquer quelques paires de baffes. Non, c'était le genre d'erreur qui foutrait tout en l'air. Zondi et son larbin Peterson n'attendaient que ça : une action stupide de sa part. Aussi dur que ce soit, il devait patienter. Jusqu'à la nuit, tout du moins.

En lui promettant plus d'argent, il s'assurerait que la petite pute ne ferait pas la maligne. Il suffisait de la surveiller jusqu'à ce qu'il soit temps de la tuer.

Ainsi que le gamin.

Il trouva une bible près du lit et l'ouvrit. Peut-être que la lecture de l'Ancien Testament le calmerait. Il s'offusqua de voir que la plupart des pages avaient été arrachées, sans doute par des mécréants de merde, pour se rouler des joints.

Il fourra la bible dans le tiroir, sortit péniblement du lit et s'approcha de la fenêtre. La chambre donnait sur une cour pleine de poubelles et de cochonneries. Une sans-abri maigrichonne vêtue d'une robe en haillons et de baskets sans lacets, un bébé sur le dos, fouillait dans les ordures. Derrière elle, un homme en loques titubait en la regardant.

L'homme dit quelque chose que Barnard n'entendit pas. La femme se tourna vers lui sans retirer les mains de la poubelle. Elle avait une voix perçante, endurcie par des années de vie dans la rue.

— Le con de ta mère!

L'homme grommela. La femme trouva quelques bouteilles vides et s'apprêta à s'éloigner. L'homme essaya de s'en emparer. La femme esquiva ses mains qui battaient l'air et, en un coup terrible, lui brisa une des bouteilles sur le crâne. L'homme s'effondra, le visage en sang.

La femme lui jeta le goulot cassé dessus.

— Regarde ce que tu m'as fait faire, sale fumier!

Elle s'éloigna sans lâcher ce qui restait de la bouteille et continua de l'insulter copieusement. Elle avait une démarche de crabe, entrecoupée et hésitante, due aux neurones grillés à la piquette depuis des années. L'homme hochait la tête, à genoux; des gouttelettes de sang brillantes éclaboussaient le ciment.

Barnard se tourna et mit sa panse dans la trajectoire du ventilateur. L'air agita la peluche crépue et rousse qui recouvrait son ventre comme un morceau de moquette élimée, mais ça ne suffit pas à le rafraîchir.

Ja, les relations. Ou le mariage, peu importe. Ça partait toujours en couilles. Qu'on soit un mulâtre sans-abri ou n'importe qui d'autre.

Son mariage à lui avait duré un an.

Il avait rencontré son épouse à l'Armée de l'Église de Dieu, la piteuse congrégation pentecôtiste de Goodwood menée par le pasteur Lombard. Quand ce dernier avait été incarcéré pour pédophilie, la congrégation s'était effondrée et Rudi Barnard avait choisi de communier avec Dieu en privé, dans la solitude de sa maison.

Enfin… quasi-solitude. Il avait rencontré Sanmarie Botha à l'église. Étonnamment, Sanmarie, bien qu'elle n'ait pas été dotée d'un intellect puissant, était une très belle blonde, si on les aime nourries au grain. Encore plus étonnamment, elle était tombée amoureuse de lui. Qui ne s'était pas demandé pourquoi une blonde aussi bien roulée s'entichait d'une épave obèse, vieillissante et puante comme lui. Il s'était dit qu'il devait ressembler au père de la fille. Elle lui cuisinait la nourriture bourrée de cholestérol qu'il adorait, elle lui faisait sa lessive et, dans la limite de ses maigres capacités, il parvenait à assouvir les exigences sexuelles de sa dame.

Ils s'étaient fiancés et mariés. Après une journée passée à terroriser et assassiner les populations, il rentrait chez lui, mettait les pieds sous la table, passait quelques heures devant la télé avec sa femme et retrouvait le confort relatif du lit conjugal. « Bonheur » serait un mot trop fort pour décrire cette période de sa vie ; il avait cependant connu une certaine forme de satisfaction.

Mais Sanmarie avait ensuite rejoint la congrégation de la Joie vivante de Dieu, à Monte Vista. Dans une nouvelle église avec un pasteur jeune, tout en sourires et coiffure au brushing. Elle avait essayé de persuader Barnard de l'accompagner à son lieu de culte, mais l'assemblée pluriraciale et l'espèce de christianisme dilué que colportait le pasteur Marius le laissaient de marbre.

Alors que Sanmarie consacrait de plus en plus de temps à l'église, Barnard le passait, lui, à manger des gatsbys au Golden Spoon. Les exigences sexuelles de Sanmarie s'étaient complètement taries. Quand elle l'avait quitté pour le pasteur Marius, Barnard avait brièvement envisagé qu'une forme appropriée de colère divine se déverserait sur leurs têtes, puis il avait décidé qu'il s'en fichait.

Dans les guerres de Dieu, un homme seul était un soldat parfait.

Il retourna vers le lit, prit le téléphone de la morte dans sa sacoche et l'alluma. Il chercha parmi sa liste de contacts et en sélectionna un.

L'Américain répondit immédiatement. Inquiet et impatient.

— Oui ?

— Où t'en es avec l'argent ?

Barnard utilisait le haut-parleur, car il voulait rendre sa voix plus rude qu'elle ne l'était habituellement. Ça la faisait descendre d'un registre.

— Tout sera prêt d'ici à demain midi.

— Bien. Et t'as pensé à fermer ton clapet ?

— Oui, comme promis. Comment va mon fils ?

— Il va bien.

— Je veux lui parler.

— Non. Pas tout de suite.

— Comment je peux savoir qu'il est encore vivant ?

L'Américain essayait de paraître dur et posé. Mais Barnard percevait la panique sous la surface.

— Fais-moi confiance, il va bien. Et il continuera à aller bien si tu fous pas tout en l'air.

Et il raccrocha.

Il s'assit sur le lit, les coudes sur les genoux, les bras ballants, des gouttes de sueur coulant sur le parquet. Puis il décida qu'il avait faim.

Il y avait un Kentucky Fried Chicken en face. Allez, un tonneau d'ailes de poulet et un hamburger.

Ça ne valait pas un gatsby, mais il allait falloir s'en contenter.

***

Benny Mongrel s'allongea sur le matelas de sa cabane, sans chemise, le bras toujours en écharpe. Le pansement qu'il avait à l'épaule était taché de sang. Il regardait fixement le toit en tôle en promenant l'index de sa main gauche sur les lettres grossièrement gravées sur sa poitrine : *Je creuse ma tombe, Je suis le Mal.*

La promesse qu'il s'était faite – de ne pas dévier du droit chemin – était oubliée. Il allait tuer ce gros flic. L'achever. Et il se foutait de ce qui lui arriverait après. Ils pouvaient le renvoyer pourrir à Pollsmoor.

Il n'en avait rien à chier.

Il avait eu deux pertes la veille : sa chienne et son couteau. Il regrettait d'avoir laissé son arme, c'était un bon couteau. Mais il en avait un autre presque aussi bien. En revanche, il ne pourrait jamais remplacer Bessie. En mourant, elle avait emporté avec elle la faible voix d'espoir et de foi qui lui était sortie du cœur contre toute attente. Son cœur était froid, maintenant. Il était redevenu un Mongrel.

Il s'assit et dégagea son bras de l'écharpe. Il grimaça en le bougeant, mais sans plus. La douleur faisait partie de sa vie depuis qu'il était né. Il savait comment la bloquer. Il bougea encore un peu le bras, puis il ôta complètement l'écharpe et la jeta sur le sol en terre battue.

Il avait décidé de garder le pansement jusqu'à ce qu'il le gêne.

Il prit l'autre couteau et du papier de verre sous son matelas. Il ouvrit le couteau et commença son rituel pour aiguiser la lame. Avec chaque frottement du papier de verre, il visualisait les entrailles du gros flic se déversant comme les ordures d'une benne.

Barnard. Le vent lui avait donné son nom quand il avait sonné chez l'Américain.

Benny Mongrel ne savait pas où le trouver. Mais il connaissait des hommes qui s'en chargeraient pour lui, ceux qu'il avait soigneusement évités depuis qu'il était sorti de prison. Les plus anciens qui portaient les mêmes tatouages que lui et traînaient dans les tavernes et les maisons surpeuplées de Lotus River. Ils lui diraient ce qu'il voulait savoir.

Puis il retournerait à Mountain Road, chez l'Américain. Il lui raconterait ce qu'il avait vu la nuit où le gros flic avait balancé le gamin dans le coffre de sa voiture. Il lui proposerait de l'aider à traquer le gros et à retrouver le garçon. Il n'était pas intéressé par l'enfant. Il se fichait bien qu'il vive ou qu'il meure. Il n'était qu'un moyen d'arriver à ses fins. Rien de plus.

L'Américain le mènerait au gros flic. Et si l'Américain ne lui était plus utile, Benny Mongrel le tuerait lui aussi.

Les Américains, il savait comment les tuer.

***

Burn lorgnait la bouteille de scotch. Il n'était que midi, mais il pouvait sûrement s'autoriser un petit coup à boire, non ? Pour apaiser ses nerfs ? Il enleva la bouteille du comptoir de la cuisine et la rangea dans un tiroir, qu'il ferma à clé.

Il n'était pas sûr de pouvoir se limiter à un verre.

Il alla se vautrer devant la télé, le cricket apparut à l'écran. Il ne comprenait rien à ce jeu. La partie semblait durer depuis plusieurs jours, disputée par des hommes en blanc qui ne cessaient de lancer des balles que leur renvoyaient des batteurs casqués.

Il avait horreur de la passivité. Il devenait fou d'attendre en laissant la partie aux mains du ravisseur. Tout son entraînement, toutes les années qu'il avait passées dans les marines le poussaient à l'action. À prendre son arme. À sortir. À trouver son fils.

Il se repassa la voix de l'homme dans sa tête. Rude et gutturale. Il tenta de se rappeler la voix de Barnard, le gros flic. Était-ce lui ? C'était logique, mais il n'en était pas certain.

Le coup de sonnette le mena jusqu'à l'écran de l'interphone. Deux flics en tenue étaient à la porte, un homme et une femme.

C'était reparti !

Il décrocha l'interphone ; quelques secondes plus tard, les flics se retrouvaient dans son salon. L'homme était blanc, la femme métisse. Ils portaient tous les deux des uniformes bleus, des bottes noires et des vestes en Kevlar. L'enfer par ce temps. Ils se présentèrent, des noms locaux qui glissèrent dans sa mémoire comme l'eau dans une passoire.

Un corps de femme avait été découvert le matin même, sur les marches qui partent de High Level Road. La fille de la victime avait reconnu le corps de sa mère, Mme Adielah Dollie. D'après la fille, sa mère était partie de cette maison la veille et avait marché jusqu'à un arrêt de taxi-bus.

Adielah. Burn l'avait seulement connue sous le nom de Mme Dollie.

Il simula un grand choc – il dut même s'asseoir. Ce n'était pas difficile, dans son état.

— Mon Dieu, c'est atroce. Que lui est-il arrivé ?

C'était surtout l'homme qui parlait.

— Elle… euh… elle avait le cou brisé. Quelqu'un l'aura frappée ou elle aura fait une chute en essayant de s'enfuir. Nous pensons qu'il s'agit d'une agression. Cette traverse est dangereuse. Il y a eu beaucoup d'incidents.

Burn acquiesça.

— C'est de ma faute. J'aurais dû insister pour la raccompagner.

— Monsieur Hill, vous avez vos papiers d'identité, s'il vous plaît ?

Burn se rendit dans la chambre et revint avec son passeport au nom de John Hill. Le flic l'examina, puis en releva le numéro avant de le lui rendre.

— Il y a un problème ? demanda-t-il en le reprenant.

— Non, simple routine. Nous allons rédiger votre déposition. Pourriez-vous aller la signer au commissariat de Sea Point demain ?

— Naturellement.

Puis ils s'en allèrent. Ça avait marché. On ne dépenserait pas beaucoup d'énergie pour retrouver l'assassin de Mme Dollie.

***

Llewellyn Hector caressait le pigeon voyageur qu'il tenait dans le creux de sa main. Il le reposa délicatement sur le perchoir de sa cage en acier. Il faisait nuit ; une ampoule se balançait en projetant des ombres dans la cour encombrée de sa maison de Lotus River. Hector ferma le verrou de la cage et se retourna. C'est alors qu'il vit Benny Mongrel. Il était trop coriace pour laisser l'émotion transparaître sur son visage, mais dans la seconde d'hésitation qu'il marqua avant de parler, Benny Mongrel sut que le gangster était surpris.

— Salut, frangin. D'où tu sors?

Il s'approcha de Benny Mongrel. Hector était trapu, presque aussi large que haut. Sa grosse tête était posée directement sur ses épaules tombantes, comme un rocher sur une colline, et ses bras musclés et saturés de tatouages bizarrement courts. Il tendit la main pour la poignée des initiés.

Benny Mongrel la lui serra.

— J'ai traîné ici et là.

— Mais t'es pas venu nous voir?

Benny Mongrel confirma que non, d'un signe de tête.

— Entre, frangin.

Benny suivit Hector dans la taverne qui servait de repaire aux Mongrels. Hector avait quelques années de plus que lui. Ils se connaissaient depuis l'adolescence, ils avaient tué plus d'un homme ensemble et partagé la même cellule pendant des décennies. Libéré quelques années avant lui, Hector avait obtenu le grade de général dans le gang et lui servait d'intermédiaire. Il mobilisait les membres en cas de conflit avec des gangs rivaux et gérait les entreprises commerciales des Mongrels : recel de biens volés et trafic de drogue.

Il n'était pas conseillé de s'aventurer dans la taverne sans être membre du gang ou sous sa protection. Abritée dans la pièce de devant d'une petite maison, elle était encombrée de tables et de machines à sous. Et pleine de jeunes, certains encore ados : le gang se servait d'eux comme chair à canon.

Hector précéda Benny Mongrel jusqu'à la table privée d'un homme qui approchait la quarantaine. Rufus Jordaan. C'était un membre de rang intermédiaire et un garde du corps. Hector tira une chaise et fit signe à Benny Mongrel de s'asseoir.

— Regarde ce que nous apporte le vent, dit-il.

Benny Mongrel eut à peine le temps de s'installer qu'une adolescente en jean moulant posait une bouteille de whisky et trois verres devant eux. Hector remplit les verres et leva le sien. Benny Mongrel l'imita. Mais pas Rufus Jordaan.

Hector trinqua en déclamant :

— Pas de justifications, pas d'explications, pas d'excuses, à personne, jamais.

Rufus marmonna son assentiment. Benny Mongrel garda le silence. Rufus écarta le whisky et prit une bouteille de bière. Il la décapsula ostensiblement à l'aide du viseur de son calibre 38 Special. Puis il laissa le pistolet sur la table.

— Alors, dit Rufus en sirotant la bière. Qu'est-ce qui t'a retenu, frangin ? On n'est pas assez bons pour toi ?

C'était un costaud qui arborait fièrement ses tatouages du 28.

Benny Mongrel lui adressa le regard terne qu'il avait perfectionné en prison. Celui qui disait : « C'est moi. Je ne partirai pas. T'en fais ce que tu veux, rien à foutre. » Rufus se réfugia derrière un grand sourire de lèche-cul, comme s'y attendait Benny Mongrel.

Rufus leva sa bouteille.

— Bon, ben, bienvenue parmi les tiens, frangin.

Benny Mongrel s'adressa à Hector.

— J'ai besoin de renseignements sur un gros flic qui s'appelle Barnard.

Rufus se pencha en avant.

— Gatsby ?

Benny Mongrel haussa les épaules et fixa son œil valide sur Rufus.

— Un gros Boer bien gras avec une moustache ? Et qui pue comme c'est pas permis ? (Benny Mongrel acquiesça.) Qu'est-ce que tu lui veux ?

— J'ai un compte à régler avec lui.

Hector avala une goulée de whisky et s'essuya la bouche d'un revers de la main.

— Il bosse surtout dans Paradise Park. Il trafique avec les Americans depuis le début des années quatre-vingt-dix, du temps de l'apartheid.

— Il est rattaché à quoi ?

— À Bellwood South. C'est un triste salopard. Il a tué plus de métis que le sida. Il ferait partie du renouveau chrétien. (Il rit.) Il œuvre pour Jésus. (Il lui remplit son verre.) On raconte qu'il y a un mandat d'arrêt contre lui. Il a dû aller un peu trop loin cette fois-ci : il a tué un gamin.

Benny Mongrel se rapprocha.

— Un Blanc ?

— Non, répondit Hector en hochant la tête. Un métis. Dans Paradise. Les Flats sont pleins de flics qui posent des questions. T'es pas le seul à le chercher. On se l'arrache.

Benny Mongrel trouva ça logique. Ça expliquait les risques que prenait le gros flic. Il était le dos au mur. Parfait. Benny Mongrel apprécia.

Le visage de Llewellyn Hector se transforma quand il regarda par-dessus l'épaule de Benny Mongrel. Ce dernier prit une gorgée de whisky, sentit la brûlure lui descendre dans l'estomac, puis se retourna. Et vit Fingers Morkel, l'homme qu'il avait opéré dans une cellule de prison une année auparavant.

Fingers resta dans l'encadrement de la porte, le regard rivé sur Benny Mongrel. Il paraissait revivre l'agonie de son amputation. Impassible, Benny Mongrel se retourna vers Hector et Rufus Jordaan.

Hector fit rouler l'alcool autour de sa langue.

— Tu devrais faire gaffe.

— Barnard me fait pas peur.

— Non, dit Hector en hochant la tête, je te parle pas de ce gros lard. Je te parle de lui. Fingers.

Benny Mongrel s'autorisa un sourire furtif.

— Ce merdeux ?

— Il est puissant dans le coin. Son trafic de drogue rapporte beaucoup de pognon.

Benny Mongrel haussa les épaules.

— Il m'avait volé. Je l'ai puni.

Rufus Jordaan sirota sa bière.

— Il raconte que tu n'es jamais passé par les Hommes dans les Nuages avant de le charcuter.

Les Hommes dans les Nuages étaient des anciens, souvent condamnés à perpétuité, qui faisaient la loi en prison. Ils servaient de médiateurs dans les disputes et décidaient des punitions adéquates.

— Il était inutile de leur faire perdre leur temps.

Benny Mongrel se retourna une nouvelle fois. Attablé près de la porte, Fingers ne le lâchait pas des yeux. Il gardait les mains sur la table : ses moignons de doigts cicatrisés sur la plaque électrique, ses pouces tapotant nerveusement le bois.

Benny Mongrel ne ressentait rien.

— Ce petit connard peut s'estimer heureux que je l'aie pas tué.

Rufus Jordaan observait la scène comme s'il n'avait jamais rien vu de plus divertissant.

Benny Mongrel se leva. Hector l'imita.

— Ses gars te toucheront pas ici, mais dehors, c'est une autre histoire. Il veut se venger.

Hector appela un gamin, un petit boutonneux qui cherchait désespérément à se faire pousser la moustache. Il lui glissa un jeu de clés de voiture.

— Ashraf, tu conduis Benny Mongrel où il veut.

— Je préfère me débrouiller seul.

— Laisse-le te raccompagner, d'accord ? Je veux pas de grabuge dans ma rue. On a pas eu d'histoires depuis quelque temps.

Benny Mongrel haussa les épaules et le gamin alla chercher la voiture. Hector lui tendit la main et ils échangèrent leur poignée.

— Bonne chance, frangin.

Benny Mongrel se dirigea vers la porte et les jeunes durs s'écartèrent. On n'avait pas oublié qui il était. Il passa devant Fingers, sans même prendre la peine de regarder ce minable de merde. En arrivant à la porte, il sentit un pouce s'enfoncer dans ses côtes.

Il regarda Fingers droit dans les yeux.

— Tu sais que je peux pas te toucher ici, espèce de trou du cul. (Benny Mongrel le toisa.) Mais je te reverrai bientôt. Et je te tuerai.

Fingers le poussa de nouveau avec le pouce.

Benny Mongrel lui attrapa le doigt, le tordit en arrière et vit la douleur dans les yeux de l'amputé.

— Oublie pas de te saper quand tu viens me voir. Faut se faire beau pour passer dans l'autre monde.

CHAPITRE 21

Il était plus de deux heures du matin et Barnard ne trouvait pas le sommeil. Il avait essayé de contacter la garce de métisse toutes les deux heures sans parvenir à la joindre. Pas moyen de lui parler. De quoi le stresser sérieusement. Et si elle l'avait vendu? Si chaque seconde écoulée le rapprochait d'un piège?

Il s'assit, vêtu seulement de son slip. Il entra en soufflant dans les toilettes de l'hôtel, creusa un flot de pisse dans la cuvette des W-C et se lava la figure dans le lavabo taché. L'eau était tiède; il fit l'erreur d'en boire une gorgée dans le creux de sa main et dut la recracher immédiatement.

Il retourna dans la chambre étouffante et se tint à la fenêtre dans l'espoir d'y trouver un peu de brise. En vain. L'hôtel faisait son fric grâce au bar à putes du rez-de-chaussée et les rythmes de leur musique de sauvages remontaient par le plancher.

Pour s'apaiser, Barnard songea au million qu'il allait empocher le lendemain et à la nouvelle vie qui s'offrirait à lui. Il allait pouvoir quitter le Cap et ses hordes grouillantes et impies, partir pour la côte Est avec une identité et un nom nouveaux. Une de ses anciennes connaissances de l'époque de la police de sécurité, le seul type avec qui il avait gardé contact, avait un bateau et gérait une petite société de pêche sportive dans le port de St. Lucia, au nord de Durban. Il avait dit à Barnard qu'il y serait toujours le bienvenu. Le moment était venu. Il ne lui restait plus qu'à mettre la main sur l'argent.

Il attrapa son téléphone à côté du lit et composa le numéro de la salope. Toujours injoignable. Bordel de Dieu.

Quelques minutes plus tard, il était habillé, avait rangé ses armes dans son sac de sport et foutait le camp. Il savait que traverser les Flats jusqu'à Paradise Park était risqué. Mais il était tard et il devait savoir ce qui se passait.

Il enfonça le calibre 38 dans son étui et prit la porte.

**

Carmen regarda Leroy porter l'allumette au fond de l'ampoule. Le tik se mit à brûler, des volutes de fumée montant à l'intérieur du verre, qui devint opaque.

Elle colla ses lèvres au culot vide de l'ampoule et aspira fort. Elle ressentit un rush violent, meilleur que tout, et s'allongea sur le lit; le sang lui montait à la tête comme si elle allait exploser. Mais de manière agréable. Elle se sentait pétillante et joyeuse, la fumée avait balayé toute la merde de son existence.

Leroy lui prit l'ampoule des mains et en tira une bouffée. Un sourire éclaira lentement son visage tandis qu'il rejetait la fumée vers le plafond.

— Ja, c'est la belle vie, hein?

Leroy était un véritable Roméo des Flats : vêtements de marque, coiffure pleine de gel et bras musclés couverts de tatouages du 28. Il se prenait pour un cadeau des dieux aux maisons de passe.

Carmen ferma les yeux. Elle portait un dos-nu et une mini-jupe. Sa position allongée dévoilait ses cuisses et quand elle ouvrit les yeux, elle surprit Leroy en train d'admirer la vue. Elle serra les jambes, s'assit et le frappa à l'épaule.

— Dis donc, je suis mariée.

Leroy lui tendit l'ampoule pour qu'elle la finisse.

— Où il est passé, le Rikki, hein?

Elle souffla en haussant les épaules.

— Il est sur la côte. Qu'est-ce que j'en sais?

— S'il me surprend ici, je suis mort, dit Leroy en lui attrapant la jambe au-dessus du genou.

Elle repoussa sa main.

— Arrête! (Elle se leva.) T'en fais pas, il est pas rentré de sitôt.

Si elle avait permis à Leroy de lui rendre visite, c'était uniquement parce qu'elle savait que Rikki avait été grillé au point d'en être plus croustillant qu'un McNugget. Leroy était un Mongrel, un 28, l'ennemi juré de Rikki et des Americans. Mais, bon, il dealait du bon tik. Et il était prêt à livrer à domicile. Elle savait que c'était seulement parce qu'il voulait la sauter, mais elle s'en fichait. Il pouvait toujours rêver.

Elle s'approcha de la fenêtre, la tête lui tournait encore. Elle regarda la nuit sur les Flats. Et se rendit soudain compte qu'elle n'était jamais allée plus loin que le centre-ville du Cap – et une seule fois quand elle était petite pour voir les lumières de Noël. Elle avait passé toute sa vie dans un rayon de quelques centaines de mètres autour de son appartement et c'était vraisemblablement là qu'elle mourrait.

Elle fit un effort pour chasser ces pensées et se tourna vers Leroy. Il se dirigeait vers la salle de bains et avant qu'elle ait pu l'arrêter, il en ouvrait la porte. La lumière de la chambre suffit à éclairer le petit Américain endormi sur une couverture, à même le sol de la salle de bain.

Le gamin l'avait emmerdée toute la journée. Ce morveux chialait sans arrêt et voulait sa maman. La nuit venue, Carmen n'en pouvait plus. Elle avait glissé un calmant dans son verre de lait tiède et il s'était endormi presque immédiatement.

Leroy remarqua ses cheveux blonds.

— Il est à qui, ce gamin, nom de Dieu ?

Carmen écarta sa main de la porte et la ferma.

— Je fais du baby-sitting.

— J'ai envie de pisser.

— Alors va pisser dans l'évier de la cuisine.

Il la dévisagea.

— C'est un petit Blanc, hein ?

Elle démentit d'un hochement de tête.

— Mais non. C'est le fils d'une copine.

— Mon cul !

— C'est vrai. Son père était sur un bateau.

— Il me semble bien blanc, moi.

— Ja et alors ? T'es devenu un expert tout d'un coup ?

Elle le poussa vers la porte d'entrée. Elle en avait assez de ces histoires.

— Allez, faut que tu partes maintenant.

— Je veux quelque chose avant.

Il glissa une main sous sa jupe et lui saisit l'entrejambe. Préliminaire amoureux dans le style des Cape Flats. Elle ne le gifla pas, elle lui envoya un coup de poing. Elle avait de la force, pour une fille, et savait projeter tout son poids derrière le coup ; quand son poing rencontra les côtes de Leroy, il le sentit. Et sentit aussi le coup de genou qu'elle lui décocha dans les couilles. Il les saisit et chercha à reprendre son souffle. Elle avait toléré ces conneries de la part de Rikki parce qu'il était le père de son enfant, mais elle n'allait pas supporter qu'un autre homme la tripote.

— Allez, dégage.

Elle le poussa vers le salon.

Leroy ne risquait pas de faire une scène – pas en plein territoire American. Il s'éloigna furtivement, comme un chien blessé, et passa devant Tonton Fatty qui ronflait en pétant sur le sofa. Elle ouvrit la porte et Leroy sortit.

— De toute façon, je me risquerais jamais à mettre ma queue dans ton truc dégueulasse.

— Ja, va plutôt la mettre dans le trou à ta mère.

Après cet échange de civilités, elle claqua la porte. Elle était très en colère. Pas à cause de son approche sexuelle grossière, mais parce qu'elle s'était débarrassée de lui avant de pouvoir lui soutirer une autre ampoule.

Et merde, tiens, tant pis. Elle survivrait jusqu'au matin.

***

Avachi dans sa Honda tunée, Leroy regardait fixement le ghetto plongé dans l'obscurité. Quelle salope ! Il avait bien envie de remonter chez elle et de lui donner une bonne leçon. Qu'est-ce qu'elle fabriquait de toute façon ? Avec ce gosse blanc ?

Tandis qu'il réfléchissait à ces éléments perturbants, ses doigts s'occupaient à la préparation d'une autre ampoule. Les phares d'une voiture ratissèrent la rue, éclairant au passage les mots *vie de voyou* peints en blanc. Leroy s'enfonça encore plus profondément dans son siège en voyant la Ford s'arrêter. Rikki conduisait une BMW rouge, mais dans le doute… Il était en territoire ennemi.

Un balèze descendit de la voiture. Il portait une veste et, une casquette enfoncée sur la tête, tenait un sac de sport à la main. Il traversa la rue et s'approcha de l'escalier que Leroy venait de descendre. Avec la lampe allumée, Leroy reconnut Gatsby.

Il ricana sous cape. Dès qu'il avait vu ce gamin blanc, il s'était douté que quelque chose ne tournait pas rond. Maintenant il en était sûr. Putain de Gatsby! Leroy avait entendu parler d'un avis de recherche pour le gros Boer, mais il était hors de question de communiquer ce renseignement aux flics.

Il savait aussi qu'un gangster de la vieille école, Benny Mongrel, était passé dans Lotus River pour essayer de trouver Gatsby. Et que Fingers Morkel recherchait désespérément Benny Mongrel pour se venger. La présence de Gatsby allait peut-être attirer Benny Mongrel.

Leroy serait ravi d'être dans les petits papiers de l'homme sans doigts. Dans le monde byzantin de la politique des gangsters des Cape Flats, il représentait un allié puissant. Leroy prit son portable et composa un numéro. Il laissa un message succinct, pas exactement cohérent, sur la messagerie vocale de Fingers, pour lui raconter ce qu'il venait de voir.

Puis il commit l'erreur de frotter une allumette et de l'approcher de son ampoule.

***

Barnard reprenait son souffle sur le palier quand il vit la lueur de l'allumette dans la Honda. N'écoutant que son instinct, il disparut dans l'ombre, s'approcha de l'escalier de secours et redescendit sa grosse carcasse au rez-de-chaussée. Et resta dans le noir pour gagner l'arrière de la voiture.

Il vit le chauffeur avachi derrière le volant et comprit en voyant la lueur qu'il fumait du tik. Il ne pouvait pas prendre le risque d'avoir été reconnu. Tuer l'homme d'un coup de feu aurait été trop bruyant – même dans les Flats, les coups de feu ne passaient pas inaperçus. Il marchait sur un trottoir irrégulier et défoncé, il posa le sac de sport, se pencha, ramassa un gros morceau de ciment et s'approcha de la Honda.

Le métis l'entendit, laissa tomber l'ampoule et le regarda d'un air stupide tandis que la fumée s'échappait de sa bouche. Barnard passa la main par la vitre baissée et assomma Leroy d'un violent coup de ciment sur la tête. Puis il ouvrit la portière et le traîna dans la rue. Et finit le boulot en écrabouillant la tête du métis avec le bloc de ciment jusqu'à ce qu'il ressemble à un animal écrasé sur le bitume.

Il prit ensuite les clés de contact et alla ouvrir le coffre. Il traîna le métis à l'arrière de la Honda et le jeta dedans. Il y balança aussi les clés, referma le coffre et s'assura qu'il était verrouillé. Et regarda autour de lui. Tout était calme.

Il était temps d'aller voir ce que faisaient la garce et le gamin américain.

CHAPITRE 22

Quand la métisse finit par ouvrir, Barnard l'attrapa à la gorge et lui fit traverser la pièce à reculons. Il ferma la porte derrière lui d'un coup de pied et força la femme à s'agenouiller. Dans un même mouvement, il sortit un calibre 38 de son étui, le lui enfonça dans la bouche et attrapa une poignée de ses cheveux frisottés dans sa main gauche. En inclinant le canon de l'arme, il la força à lever les yeux sur lui.

— Bon. Écoute-moi et écoute bien, dit-il. Je vais t'enlever le pistolet de la bouche et te poser une question. Tu répondras sans mentir. Compris ?

Elle acquiesça en s'étranglant sur l'arme. Il glissa le canon hors de sa bouche ; elle toussa.

— Qui est l'enculé qui est venu te voir ?

— Personne est venu, répondit-elle en hochant la tête.

Il dégagea son bras et la frappa avec le canon de l'arme. Le viseur s'enfonça profondément dans sa pommette et le sang gicla en formant un ruban rouge sur son visage jaunâtre. Elle gémit et posa la main sur sa joue pour essayer de contenir le sang qui coulait entre ses doigts.

— Une seule lumière était allumée dans l'immeuble d'où il sortait. La tienne. Alors je vais te le demander encore une fois. Qui est-ce ?

— Mon dealer.

— Il a vu le gamin ?

Elle était sur le point de mentir. Il le sentit et leva la main, prêt à la frapper de nouveau. Il vit la vérité passer dans son regard.

— Ja. Il l'a vu.

— Qu'est-ce que tu lui as dit?

— Que c'était le fils d'une copine.

— Un gamin blanc?

— Je lui ai dit que le papa était marin.

— Et il t'a crue?

— Ja, je crois.

— Quelqu'un d'autre a-t-il vu le gamin?

Elle fit non de la tête. Il la crut. Il baissa son arme.

— Où est le gamin?

— Dans la salle de bains.

Après s'être cogné en passant près du vieil alcoolo qui ronflait sur le sofa et dormait comme une masse, il ouvrit la porte de la salle de bains. Le gamin était vautré près des chiottes immondes, immobile au point de paraître mort. Barnard se baissa et pressa son doigt boudiné dans le cou de l'enfant. Il sentit son pouls. Le gamin ne broncha pas.

Barnard ressortit par l'autre pièce et trouva la métisse devant l'évier de la cuisine; elle tenait un linge humide contre son visage. Le chiffon était déjà rose.

— Tu lui as donné quelque chose pour le faire dormir?

Elle acquiesça.

— Un demi-Mogadon.

— Et si tu l'avais tué?

Elle le dévisagea, le sang saturait le linge.

— Tu vas bien le tuer, toi, de toute façon.

— Qu'est-ce qui te fait dire ça?

Elle haussa les épaules. Le sang coulait.

Puis il s'approcha d'elle. Elle se recroquevilla contre l'évier, mais il la surprit en exerçant une pression du pouce sur le linge, à l'emplacement de la plaie. Il le garda ainsi pendant près d'une minute, en la fixant du regard, tandis que son haleine fétide la roulait dans des vapeurs de fosse septique.

— Je vais rester ici ce soir, dit-il.

— Tu peux pas coucher avec moi.

— Ça serait ton jour de chance.

Il rit et relâcha la pression sur son visage. Il avait réussi à ralentir le saignement.

Il se retourna, se dirigea vers un fauteuil usé et le positionna de façon à pouvoir s'asseoir face à la porte d'entrée. Il s'assit, sa graisse débordant des accoudoirs, et il ouvrit la fermeture du sac de sport. Il déplia la serviette et posa le Mossberg 500 sur ses genoux.

Il lui parla sans la regarder, les yeux rivés sur la porte.

— Je vais pas dormir, dit-il. Je vais rester ici à attendre celui qui va passer par c'te de porte de merde.

***

Burn fut de nouveau réveillé par les hélicoptères. Cette fois-ci, il sut immédiatement où il était. Et à côté de là où il était, la *Tempête du désert* avait été une partie de plaisir. Cette guerre-là avait suivi un semblant de règles, pour les Américains, en tout cas. Vous receviez des ordres, vous avanciez et vous tuiez des gens. Le soir, vous pissiez dans votre sac de ration pour activer la poche de réchauffage et vous mangiez de la dinde, tandis que la fumée des puits de pétrole incendiés vous enveloppait comme une couverture.

Mais là, au Cap, les règles du jeu avaient été perdues. Ou peut-être n'avaient-elles jamais été rédigées.

Burn consulta sa montre, il était près de six heures du matin. Le scotch qui lui avait permis de s'endormir lui embrumait la tête. Il tendit la main vers le téléphone et composa le numéro de Mme Dollie. De son ton gêné de femme mal à l'aise avec la technologie, elle l'invita à laisser un message. Il raccrocha en luttant contre la culpabilité que lui inspirait sa mort. Et contre la terreur qu'il éprouvait à l'idée que le ravisseur avait peut-être déjà tué Matt.

Leila, la fille de Mme Dollie, l'avait rappelé la veille. Sa voix empreinte de douleur était restée posée et polie. Après avoir gracieusement accepté ses condoléances, elle l'avait convié à assister aux funérailles. Mme Dollie était musulmane et les rites religieux exigeaient qu'elle soit inhumée le plus rapidement possible. La police avait effectué une autopsie et rendu le corps à la famille. Burn s'était entendu répondre que, naturellement, il y serait.

Et c'était aujourd'hui, en fin d'après-midi.

Il s'extirpa du lit et prit une douche, alternant l'eau chaude et l'eau froide pour se forcer à reprendre de la vivacité. Il se rasa, se peigna et enfila ses vêtements relax et luxueux pour passer à la banque.

Il se regarda dans le miroir et se rappela que, dans le courant de la journée, il allait de nouveau être père.

***

Barnard se réveilla en entendant quelqu'un à la porte. Merde alors, il n'avait pas eu l'intention de s'endormir. Il se dégagea difficilement du fauteuil, abaissa son fusil, puis s'aperçut qu'il entendait seulement des voix d'hommes dans le couloir, des ouvriers matinaux qui se rendaient à leur arrêt de taxi-bus. Il faisait déjà jour. Il avait eu l'intention de disparaître tant qu'il faisait encore nuit.

Il se tourna vers le vieil ivrogne allongé sur le dos, la bouche entrouverte, le dentier déboîté de la mâchoire. La couverture avait glissé du sofa et son corps émacié était exposé et nu hormis son sous-vêtement répugnant. Barnard s'aperçut que le vieil alcoolo bandait, son slip se dressant comme une tente. Nom de Dieu, à son âge…

Il souleva la couverture du bout du pied, couvrit les couilles du vieillard et gagna la fenêtre. Le verre était brisé et recollé au Scotch. Il écarta le rideau crasseux en dentelle pour regarder la rue. Sa Ford était toujours là, la Honda aussi. D'où il était, il n'arrivait pas à voir le sang de l'enculé dont il avait écrabouillé la cervelle, mais il savait que tôt ou tard, ça allait attirer l'attention. Il devait s'en aller.

Il se pencha au-dessus de l'évier et s'aspergea le visage, le Mossberg 500 posé sur une pile d'assiettes sales. Il s'essuya de la main, n'osant pas se servir des torchons souillés. Puis il s'empara du fusil et se dirigea vers la chambre.

La métisse dormait sous un drap gris. Il vit ses épaules nues, sa poitrine arrondie, ses cheveux frisottés écrasés contre l'oreiller. Il se pencha sur elle et examina son visage. Elle avait la joue gauche enflée, la plaie ouverte par le canon de son arme recouverte d'une croûte de sang. Un bleu violacé lui envahissait déjà la joue et atteignait l'œil. « Le mascara des Cape Flats », comme l'avait nommé un flic métis un jour qu'on les avait appelés pour des violences domestiques.

Putains de métis, ils tournaient tout en dérision dans leur espèce de patois, mélange complexe d'afrikaans, d'argot carcéral et de jargon des rues. Barnard le comprenait, après toutes ces années passées dans les Flats. Il ne l'aurait jamais admis, mais il se sentait plus à l'aise parmi ces basanés qu'il exécrait que dans le monde des Blancs auquel il était censé appartenir.

La métisse se retourna dans son sommeil, et le drap tombant du lit, il put voir ses nichons. Ils n'étaient pas mal, vergetures mises à part. Ja, quand on se surprenait à être attiré par une pute junkie, c'était signe qu'il était grand temps de quitter le Cap. Il leva le fusil et plaça la gueule du canon sur le côté de sa tête. Elle ne fit pas un geste, de doux ronflements s'échappaient de ses lèvres gercées. Il devrait peut-être l'achever tout de suite, ça ferait un témoin en moins, une bouche bousillée par la came en moins. Il pourrait buter le gamin aussi et la vieille ordure sur le sofa, empocher la rançon et quitter cette ville de chiottes.

Son doigt boudiné se crispa sur la détente, puis se détendit. Non, il était peut-être trop tôt. Il risquait d'avoir encore besoin d'elle et du gamin. Il ferait le ménage plus tard.

Il sortit de la chambre et entra dans la salle de bains. Le garçon dormait encore : recroquevillé en position fœtale sur la couverture, il suçait son pouce. Barnard s'assit sur le trône, lunette baissée, et regarda le petit. Il ne supportait pas les enfants. Peut-être parce qu'il était trop conscient de ce qu'ils devenaient adultes. Des enculés qui cherchaient à priver les gens de ce qui leur appartenait.

Il se pencha et poussa le morveux avec le canon de son fusil. Aucune réaction. Il recommença un peu plus fort, le gamin ouvrit les yeux et le regarda. Ses yeux bleus s'écarquillèrent d'effroi.

CHAPITRE 23

Burn était attablé au comptoir de la cuisine et n'avait pas touché à sa tasse de café. Il ne savait plus quand il avait mangé pour la dernière fois. L'idée d'avaler quelque chose lui donnait envie de gerber. Il attendait que le temps passe avant de pouvoir descendre à Sea Point retirer l'argent de la rançon. Au moins pourrait-il s'imaginer faire quelque chose. Au lieu de rester assis, à ne rien faire.

Son portable sonna et vibra en dansant lentement sur le comptoir. Quand le nom de Mme Dollie s'afficha, il répondit immédiatement.

— Oui ?

— Je veux m'assurer que tu fais pas de bêtises, c'est tout.

— Je suis sur le point d'aller chercher l'argent. J'attends l'ouverture de la banque.

— Bien. Je te rappelle un peu plus tard. Avec des instructions.

Burn voulut faire preuve d'autorité.

— Je ne donnerai pas l'argent avant d'avoir mon fils.

— Ah bon ?

Il y eut une pause, le téléphone heurta quelque chose. Puis il entendit la voix de l'homme dans le lointain.

— Dis bonjour à ton papa.

Puis la voix de Matt.

— Papa ?

Il perçut la terreur dans la voix de son fils et dut se forcer à répondre.

— Matty, tout va bien se passer. Papa va venir te chercher.

Puis Matt hurla. Un cri perçant, suivi de sanglots. Burn beugla dans le téléphone.

— Arrête! Espèce de salopard! Ne lui fais pas de mal.

L'homme reprit l'appareil.

— T'en fais pas, je lui ai seulement pincé les joues pour lui redonner des couleurs. Mais c'est pas toi qui donnes les ordres, c'est moi. Tu saisis?

— Oui, je saisis.

— Alors va chercher ce putain de pognon et je te rappellerai.

Fin de la communication.

***

Quand elle se réveilla, Susan Burn crut qu'elle avait perdu son bébé. En sueur, pantelante, elle chercha à s'extraire de son cauchemar. Il lui fallut une minute entière pour se rappeler où elle se trouvait. Dans l'aile privée de la clinique, avec le soleil qui brillait derrière les rideaux. Elle posa une main sur son ventre et sentit sa fille lui donner un coup de pied.

Elle se rallongea, tenta de calmer sa respiration en inhalant lentement et profondément par le nez, comme elle avait appris à le faire au yoga. Son bébé allait bien. Puis elle comprit que son rêve, ou cauchemar, ne concernait pas sa fille à naître. C'était de Matt qu'elle avait rêvé. Un sentiment de hantise confuse la prit à la gorge. Son fils était en danger.

Elle tenta de se raisonner, de se calmer. Elle culpabilisait de s'être montrée distante avec lui. Elle essaya de se convaincre qu'elle avait réparé sa relation avec lui ces derniers jours. Qu'elle lui avait de nouveau ouvert son cœur. Mais la vérité était incontournable. Chaque fois qu'elle voyait son fils, elle ne pouvait s'empêcher de voir le père.

Allongée, elle se rappela sa rencontre avec Jack Burn. Il l'avait courtisée, lui avait fait une cour incessante. Jeune et habituée à la maladresse des hommes – ou garçons – de son âge, elle avait été prise au dépourvu par ce personnage qui frisait la quarantaine.

Juste avant leur mariage, elle avait ressenti un frisson soudain, comme si un nuage masquait le soleil. Elle avait paniqué. Tout allait trop vite. Pouvait-elle réellement faire confiance à cet homme bien plus âgé et qu'elle connaissait à peine?

Jack avait fait ce qu'il faisait toujours : il l'avait prise dans ses bras et rassurée. Il lui avait dit qu'il l'aimait. Ils s'étaient donc mariés, Matt était né, et elle s'était sentie plus heureuse et comblée qu'elle ne l'avait jamais été.

Quand elle avait appris que Jack jouait, elle avait cru que sa prémonition se réalisait. Mais il lui avait juré qu'il ne recommencerait plus.

Elle l'avait cru.

Puis il y avait eu Milwaukee et la suite d'événements qui les avait menés jusqu'au Cap. Elle éprouvait maintenant comme une angoisse superstitieuse, un pressentiment presque karmique, que son bonheur n'était que d'emprunt, qu'il ne lui avait jamais vraiment appartenu, qu'il ne lui avait été accordé que parce qu'il en avait spolié d'autres.

Et qu'elle allait devoir en payer le prix.

**

Burn était à la porte quand le téléphone fixe de la maison sonna. Il faillit ne pas répondre. Il savait que ça ne pouvait pas être le ravisseur. Mais si c'était la clinique? S'il y avait eu des complications?

Il revint sur ses pas et décrocha. La voix de Susan, tendue.

— Susan, tout va bien? Le bébé va bien?

— Tout va bien, Jack. Passe-moi Matt.

Burn eut du mal à garder son sang-froid.

— Il n'est pas ici.

— Où est-il?

Étranglé par l'angoisse :

— Il est allé se promener avec Mme Dollie, s'entendit-il mentir. Elle est allée acheter du lait au coin de la rue et il a voulu l'accompagner.

C'était arrivé bien des fois par le passé.

— Comment va-t-il, Jack ?

— Il va bien, voyons. Pourquoi ?

Elle hésita.

— J'ai fait un cauchemar. Je ne sais pas. J'ai eu peur.

— Il va bien. Tu es nerveuse, c'est tout. Susan, quand vas-tu… quand vas-tu avoir le bébé ?

— Aujourd'hui. Cet après-midi.

Son ton redevint distant. Elle avait de nouveau dressé des barrières.

— Jack, promets-moi que Matty va bien.

— Je te le promets.

Elle raccrocha.

Burn se haït comme il ne s'était jamais haï auparavant.

***

Disaster Zondi prit le petit déjeuner dans sa chambre en tournant le dos à la vue imprenable sur la Montagne de la Table, le port et le Waterfront. Le panorama touristique n'avait aucun intérêt pour lui. Il mangeait ses tranches de pamplemousse rose avec une petite fourchette en argent en examinant l'empreinte digitale et sa propriétaire affichées sur l'écran de son ordinateur portable.

En avril 1997, Susan Ford, étudiante à UCLA, avait été arrêtée pour possession de dix grammes de marijuana. Elle avait plaidé coupable et versé une amende de mille dollars.

C'est tout ce qu'il avait récolté sur elle dans la banque de données du FBI.

Il s'essuya les doigts sur sa serviette en lin avant de taper sur le clavier les commandes qui lui permettaient de zoomer sur les photos d'identité judiciaire de la fille. Blonde. Mignonne. Pas l'air particulièrement effarouchée par son incident de parcours. Sur le cliché de face, elle semblait même réprimer un sourire, comme si elle venait juste de plaisanter avec le flic qui prenait la photo.

Où Barnard avait-il relevé son empreinte? Était-elle en vacances au Cap, attirée par les montagnes, les plages et les vignobles, comme tant d'autres touristes étrangers? Elle devait approcher la trentaine aujourd'hui, ce rayonnement de la jeunesse commençait peut-être à se ternir, mais Zondi était prêt à parier qu'elle était toujours séduisante. Il aimait son look de blonde en pleine forme.

Elle lui rappelait une jeune Boer qu'il avait rencontrée alors qu'il mettait fin à la carrière du commissaire corrompu d'un poste de police rural. Elle raffolait de lui dans le lit de ses parents pendant qu'ils étaient à la messe du dimanche. Chaque fois qu'elle jouissait, elle hurlait « Disaster! » à pleins poumons. Son père aurait lui aussi crié au désastre s'il avait su ce qui se passait dans ses draps.

Zondi écarta cette pensée et mordit dans le pamplemousse, dont le goût amer le fit légèrement grimacer. Il allait envoyer un e-mail à la police des États-Unis via Interpol pour avoir le dernier état du dossier de Susan Ford. D'expérience, il savait que ça prendrait au moins une semaine. S'il avait de la chance.

Il avait effectué une recherche sur le marshal Dexter Torrance, l'homme à qui Barnard avait envoyé l'empreinte de Susan Ford. Membre de la Force internationale spéciale de police pour la recherche des fugitifs, il était venu au Cap quelques années auparavant pour escorter un Américain recherché dans son pays. Le détenu s'étant pendu dans sa cellule, Torrance avait fini par ne ramener qu'un cercueil. Le prisonnier s'était suicidé dans le poste de police de Bellwood South. C'était vraisemblablement là que Barnard et Torrance s'étaient rencontrés. Et ils étaient devenus assez proches pour que le marshal américain rende service à Barnard. Zondi s'interrogea sur le genre d'homme capable d'avoir des affinités avec Rudi Barnard. Sans doute un beauf dont l'éloquence se limitait à ses coups de feu. Et qui ne les plaignait pas, bien évidemment.

Il ouvrit une nouvelle fenêtre sur l'écran et examina les photos du barbecue humain organisé par Barnard aux Flats. Deux inconnus. Et le gamin, Ronaldo September. Ronnie. Au moins Mme September avait-elle pu enterrer son enfant. Les restes calcinés des hommes à côté de lui reposaient à la morgue de la police en attendant d'être jetés à la fosse commune.

Le légiste ne lui avait pas appris grand-chose : il avait confirmé que les victimes étaient de sexe masculin et qu'elles avaient une vingtaine d'années, à en juger par ce qui restait de leurs dents. Ils avaient trouvé une balle de calibre 38 à l'intérieur de ce qui restait de l'abdomen du plus grand. Elle ne provenait pas de la même arme que la balle qui avait tué Ronnie September.

Deux hommes d'une vingtaine d'années. Probablement originaires des Cape Flats. Probablement des gangsters, vu le milieu dans lequel évoluait Barnard. Zondi eut une idée et changea d'écran, ses doigts naviguant en experts sur le clavier. Voilà. Deux soirs avant de disparaître, Barnard avait lancé une alerte à toutes les patrouilles pour retrouver une BMW rouge de 1992, série 3, immatriculée CY. Les quartiers aisés du Cap et la zone du centre-ville étaient immatriculés CA ; les banlieues ouvrières et les Cape Flats qui s'étendaient au nord et à l'est de la ville étaient immatriculés CY.

Barnard cherchait donc une BM du début des années quatre-vingt-dix, voiture que privilégiaient les durs des gangs des Flats. Et tout semblait indiquer qu'il l'avait trouvée.

Ainsi que les deux hommes à l'intérieur.

***

Burn grimpa la colline au volant de la Jeep et s'approcha de la maison ; il rentrait des deux banques de Sea Point. En haut et à droite, Lion's Head se découpait dans le ciel bleu. La fumée montait comme d'un bûcher funéraire sur ses versants noircis. Les hélicoptères étaient partis, mais le vent se levait de nouveau, prêt à transporter des étincelles dans la brousse desséchée. Les hélicos ne tarderaient pas à revenir.

Burn avait fourré l'argent dans un sac de sport posé sur le siège du passager. Il était plus de dix heures et il n'avait toujours aucune nouvelle du ravisseur. Il ralentit devant chez lui, activa la porte automatique et manœuvra la Jeep dans le garage. Puis il descendit de voiture et tendit la main vers le sac plein d'argent.

Et là, du coin de l'œil, il aperçut la silhouette d'un homme qui se glissait sous la porte en train de se refermer. La porte claqua en heurtant la dalle en ciment. L'homme était enfermé avec lui.

CHAPITRE 24

Instinctivement, Burn frappa avec le sac de sport. L'homme était rapide. Il attrapa le sac de sa main gauche, esquiva le coup et accula Burn contre la voiture.

C'est alors que, grâce au rayon de lumière de la petite lucarne au-dessus de la porte, il vit la cicatrice livide et l'orbite vide. C'était le gardien du chantier voisin. Burn crut avoir tout compris. Cet affreux monstre les avait espionnés. Il était entré chez eux par effraction, avait assassiné Mme Dollie et kidnappé Matt.

Toute la peur et la rage contenue en lui explosèrent et il se jeta à la gorge du salopard. Il venait de frôler le cou du gardien du bout des doigts quand il prit un coup terrible dans l'abdomen et tomba à genoux, terrassé. Il était convaincu que le gardien allait maintenant s'emparer de l'argent et disparaître. Et qu'il ne reverrait jamais son fils. Mais, alors même qu'il luttait pour reprendre son souffle, il vit le gardien s'accroupir devant lui, le visage presque au même niveau que le sien ; l'homme au teint mat le regardait comme s'il était un extraterrestre.

— Où est-il ? demanda Burn d'une voix étranglée.

— Qui ?

— Mon fils. Qu'avez-vous fait de mon fils ?

— C'est pas moi qui l'a, votre fils, répondit le gardien en hochant la tête.

Burn prenait de grandes bouffées d'air et tentait de se redresser. Le gardien, debout, voulut l'aider. Burn repoussa sa main.

— Écoutez, arrêtez ce petit jeu à la con et dites-moi ce que vous voulez.

— C'est pas moi qui l'a, votre fils. Mais j'ai vu qui c'est.

Burn le dévisagea. Le gardien poursuivit lentement, avec son fort accent qui arrachait les oreilles.

— J'ai travaillé à côté, dans la maison en chantier.

— Je sais qui vous êtes.

— Je l'ai vu, une nuit. Il est venu, il a pris votre petit, puis il est revenu et il a tué ma chienne. Et il m'a tiré dessus.

Burn se souvint de son retour à la maison le soir où Matt avait été enlevé. Il avait vu le gardien blessé évacué en ambulance.

— Qui c'était? Qui a enlevé mon fils?

— Le gros flic.

Burn comprit que le gardien disait la vérité.

— Excusez-moi.

Le gardien hocha sa tête défigurée.

— C'est bon.

— Je vous en prie, entrez. Et racontez-moi ce que vous savez.

Burn prit le sac de sport et se dirigea vers l'escalier, le ventre encore douloureux. Le gardien n'était pas énorme, mais il avait le coup de poing d'un poids lourd.

Ils entrèrent dans le grand salon sans cloisons, plein de verre et de lumière, au style scandinave. Le gardien regarda autour de lui, curieux. Il n'était pas en tenue et portait un jean trop grand pour lui, plissé à la taille et dont les revers tombaient sur une paire de baskets très fatiguées. Sa chemise à carreaux était élimée, ses manches courtes révélant des œuvres d'art carcéral. Il portait une casquette, qu'il enleva une fois entré et tint dans sa main gauche, comme si on lui avait ordonné de le faire. Burn eut du mal à ne pas regarder le côté gauche ravagé et déformé de son visage.

Il posa le sac de sport par terre.

— Comment vous appelez-vous?

— Benny.

— Benny tout court?

— Benny, ça suffit.

— Je m'appelle Jack.

— Ja, vous me l'avez dit déjà.

Burn l'invita à s'asseoir et vit que l'homme acceptait avec une certaine réticence et se posait au bord du siège, les coudes sur les genoux, ses mains tripotant sa casquette. Benny lui raconta en détail ce qu'il avait vu, sans expression ni émotion particulières.

— Il l'a enfermé dans le coffre?

— Ja.

— Mais il était vivant?

— Il donnait des coups de pieds, ja.

Burn avait du mal à assimiler. Son gamin de quatre ans, qui se débattait avec l'énorme flic?

— Et vous n'en avez pas parlé à la police?

Un sourire se dessina sur le visage balafré.

— Moi et les flics, on cause pas. (Il reprit son sérieux, son œil valide fixé sur Burn.) Et le gros flic... il vous dit ce qu'il veut?

— De l'argent.

— Et vous allez lui donner quand?

— Quand il m'appellera. Dans la journée.

— Je veux y être.

— Pourquoi?

— Il a tué ma chienne. Je vais le tuer.

Comme s'il l'informait qu'il prenait du lait avec son thé. Sans emphase. Sans émotion. Et il ne plaisantait pas, c'était indéniable.

— Écoutez, je comprends. Mais il faut que je récupère mon fils. Vivant.

— Vous pensez qui va vous le rendre?

— Oui. Si je lui donne l'argent.

Le gardien hocha la tête.

— Un type comme ça, y prend votre argent, mais peut-être qu'y vous rend pas votre fils.

Burn entendit le balafré exprimer ses craintes les plus profondes. Pour le moment, le gros flic avait toutes les cartes en main.

— Ja. Je me suis renseigné sur ce flic. Ses manières, et tout. Comment qu'il fonctionne, quoi. Il est dangereux.

— Ça, j'en suis conscient, répondit Burn. Vous avez une idée? Un plan?

— Je vous accompagne quand vous payez. Pour vous protéger, quoi.

Burn acquiesça, et réfléchit. Il se demandait s'il devait faire confiance à cet homme et s'il risquait de sauver ou de mettre la vie de Matt en danger en l'impliquant dans l'affaire.

***

Le vent hurlait dans les Flats, soulevant le sable et la poussière et les projetant sur Disaster Zondi comme une arme de petit calibre. Il les sentait dans ses oreilles et ses narines, ils parvenaient même à se frayer un passage jusqu'à ses yeux, derrière ses lunettes de soleil Diesel. Il garda la bouche fermée et les mains dans les poches de son costume en suivant le sergent en tenue dans les rangées de voitures de la fourrière.

Des véhicules accidentés, une multitude de taxi-bus et un nombre impressionnant de voitures de luxe étalées dans le dépôt. Le flic avait un bloc-notes et paraissait savoir où il allait. Il s'arrêta et désigna une voiture du doigt.

— Voici ce que vous cherchez.

Une BMW rouge quatre portes avec tous les accessoires de gang : suspension courte, pneus larges avec jantes en alliage, spoilers, becquets et vitres teintées. Zondi remarqua que la vitre du conducteur avait été brisée et que le coffre ouvert battait au vent. La serrure avait été forcée.

— Elle est arrivée dans cet état ?

— Tout à fait, sir.

S'adresser à ce Noir en l'appelant « sir » arrachait la gorge du flic métis.

— La vitre aussi ?

— Oui.

Zondi ouvrit le coffre et regarda à l'intérieur. Une roue de secours et un cric. Deux ou trois canettes de bière vides et des chiffons. Un vieux journal et un bidon vide de liquide de frein. Il s'approcha de la portière du conducteur, l'ouvrit et jeta un coup d'œil à l'habitacle.

— Vous m'avez dit avoir retrouvé le propriétaire… de qui s'agissait-il?

Le sergent consulta son bloc-notes.

— Une Mme Wessels de Tableview. Elle a signalé le vol il y a deux ans. Elle ne reconnaîtrait pas sa BMW aujourd'hui.

— Non, ça, c'est à parier que non. Je la vois mal faire son covoiturage avec ça.

Zondi s'assit sur le siège avant. Il ouvrit la boîte à gants : deux ou trois joints aplatis et une bouteille de vodka à moitié vide. Il la poussa de côté et repéra un préservatif qui avait servi.

— Prêtez-moi votre stylo, s'il vous plaît.

Le flic lui obéit, Zondi souleva la capote du bout du stylo et l'examina à la lumière. Hors de question qu'il utilise son Montblanc. Il y avait une honnête quantité de sperme au fond du préservatif. Il sortit de sa poche un sachet en papier sécurisé et le secoua pour l'ouvrir. Il y laissa tomber le préservatif et rendit le stylo au flic.

— Merci.

Le sergent hésita, puis refusa d'un hochement de tête.

— Vous pouvez le garder.

Zondi laissa tomber le stylo dans la voiture. Il scruta l'intérieur, ne vit rien d'autre d'intéressant et sortit dans le vent qui hurlait.

— Et donc, cette voiture a été retrouvée au-dessus de Sea Point?

Le flic se protégea du sable et plissa les yeux pour regarder son bloc-notes.

— Ja, on l'a remarquée devant le 38 Montain Road.

— Vous voulez bien noter cette adresse et me la donner?

— Oui, sir.

Le sergent ronchonna en son for intérieur en récupérant son stylo dans la voiture.

Zondi s'éloignait déjà pour retrouver le refuge de son bureau. Comment pouvait-on vivre dans cette saleté de ville?

***

Le vent balaya le cimetière et entraîna la prière de l'imam vers la ligne de chemin de fer de Maitland. Burn se tenait derrière un petit groupe, tous des hommes, certains en habit traditionnel musulman, d'autres portant une chéchia tricotée et un costume à l'occidentale. On lui en avait tendu une quand il avait rejoint le groupe et il devait la tenir d'une main pour éviter qu'elle ne s'envole. Il avait à ses pieds le sac de sport contenant un million en petites coupures. Son autre main touchait le portable dans sa poche pour sentir les vibrations au cas où Barnard appelait.

Le corps de Mme Dollie, drapé d'un linceul blanc, reposait à côté de la tombe ouverte ; l'imam récitait les prières. M. Dollie, un petit homme barbu, semblait disparaître dans sa djellaba. Il avait les traits tirés, crispés, et un jeune homme en costume lui tenait le bras, comme s'il craignait que le vent l'emporte.

Burn ne savait pas très bien pourquoi il assistait à ces funérailles. Avec Susan sur le point d'accoucher, il aurait pu trouver un prétexte pour ne pas venir. Il avait une excuse valable ; la césarienne était prévue dans l'après-midi. Il savait que c'était ridicule, mais il avait l'impression qu'en assistant aux obsèques, en faisant face au mari de Mme Dollie, il expiait certaines de ses actions.

Burn avait reçu une éducation catholique, mais avait cessé de pratiquer à l'adolescence. Il s'étonnait de voir qu'à présent, la quarantaine bien entamée, l'idée de culpabilité et de rétribution était aussi présente. Alors qu'il écoutait les prières adressées en arabe à un dieu qu'il connaissait mal, il entendit une voix lui offrant un marché avec une force invisible venue de l'au-delà : j'assumerai ma culpabilité, j'en accepterai les conséquences, si vous sauvez la vie de mon fils. C'était sa voix, à lui. C'était superstitieux. C'était irrationnel et il le savait. Mais il s'en fichait.

C'était tout ce qui lui restait pour l'instant.

Ça et un métis défiguré aux tatouages de prison, qui l'attendait dans la Jeep sur le parking du cimetière. Le gardien avait clairement expliqué qu'il le suivrait jusqu'à ce que cette affaire soit terminée, jusqu'à ce qu'il puisse trouver le gros flic.

Et qu'il puisse le tuer.

Burn n'avait aucune raison de faire confiance au gardien – c'est pour ça qu'il avait gardé le sac d'argent avec lui et le colt calibre 38 qui appartenaient au gangster mort. Il savait que le gardien était un tueur, mais pour le moment au moins, ils voulaient tous les deux prendre la vie du même homme : Barnard.

Des hommes s'avancèrent et transportèrent la dépouille de Mme Dollie vers la tombe. Ils la déposèrent sur le côté droit, face à La Mecque. Les prières gémissaient avec le vent.

Burn sentit son téléphone vibrer et s'éloigna du groupe pour vérifier l'origine de l'appel. Mme Dollie. Il faillit éclater d'un rire hystérique devant la juxtaposition surréelle du corps dans la tombe et du nom sur le téléphone.

Puis il répondit au ravisseur de son fils.

CHAPITRE 25

Benny Mongrel à côté de lui, l'Américain fonçait dans les rues de Salt River vers Woodstock, un quartier décrépit de la ville. Burn était tendu et n'arrêtait pas de contrôler ses rétroviseurs, de faire slalomer la Jeep entre les voitures pour avancer plus vite. Puis il fit un effort visible pour se calmer, ralentit et respecta la limitation de vitesse.

Benny Mongrel tenait le portable dans sa main comme s'il craignait d'être mordu. Il avait déjà vu des gens s'en servir, bien sûr, les gardiens de Pollsmoor et bien d'autres personnes depuis sa remise en liberté. Mais il n'en avait jamais tenu un dans sa main. Sans parler d'en avoir déjà utilisé. Quand Burn le lui avait donné un peu plus tôt, il lui avait expliqué que c'était un appareil qu'il gardait en réserve. Ça leur permettrait de garder le contact quand il déposerait l'argent.

Ils étaient arrêtés à un feu. Burn se tourna vers lui.

— Vous savez vous en servir ?

— Ja.

— Appelez-moi. Pour qu'on soit sûr que tout marche bien.

— C'est bon.

— Faites-le. S'il vous plaît. On ne peut se permettre aucun dérapage.

Benny Mongrel haussa les épaules et posa le doigt sur le petit téléphone. Burn lui avait montré qu'il n'avait qu'à presser ce numéro – le trois – pour l'appeler sur son portable. Laissé sur le siège entre eux, ce dernier sonna et s'alluma.

— D'accord, dit-il, appuyez sur le bouton rouge.

Le doigt de Benny Mongrel chercha et trouva le bouton rouge, puis il appuya. La sonnerie s'arrêta. Ils repartirent.

— Tout est clair ? Vous avez bien compris comment nous allons procéder ?

Burn dépassa un taxi-bus, qui déboîta soudain ; il dut donner un coup de volant et faillit percuter un camion qui arrivait en face ; celui-ci donna un long coup de klaxon.

— Nom de Dieu ! (Quand ils eurent dépassé le taxi, Burn se tourna vers Benny.) Tout est bien clair ?

— Ja, répondit Benny Mongrel.

Tout était clair. Burn le déposerait juste avant d'arriver au Waterfront. Benny Mongrel trouverait un endroit d'où observer l'échange. Burn lui avait dessiné un plan. Il devait regarder le gros flic prendre l'argent et le suivre. Si le gros flic ne déposait pas le garçon, Burn voulait pouvoir le filer. Benny Mongrel était persuadé que le garçon n'y serait pas. Le flic prendrait l'argent et monterait dans sa voiture. Benny Mongrel le suivrait et le tuerait. Il n'avait aucun besoin de ce petit téléphone à la con.

Burn parlait et lui demanda de répéter le déroulement du plan. Benny Mongrel grommela, acquiesça, et garda la main dans sa poche. Il s'empara du couteau et en sentit la lame parfaitement aiguisée.

**

Le Waterfront – la zone d'activité du port du Cap – attirait vingt-deux millions de touristes par an et ressemblait à tous les nouveaux développements de ce genre. Moitié centre commercial, moitié parc d'attractions, il s'étendait tout autour des activités portuaires. Les restaurants, les musiciens de rue, les balades en bateau et le point de vue spectaculaire sur la ville attiraient les foules.

Burn, son sac de sport en bandoulière, se frayait un passage dans la multitude de touristes européens à la peau grillée rose-saucisse par le soleil africain. Ils flânaient en short et sandales, appareils photo autour de leurs cous brûlés et portefeuilles gonflés d'euros. Burn consulta sa montre ; il avait cinq minutes pour arriver à l'endroit convenu.

Les instructions de Barnard étaient claires : il devait laisser le sac sur les marches de Mandela Gateway et traverser la passerelle vers le centre commercial. Une fois l'argent récupéré, Barnard l'appellerait sur son portable et lui dirait où son fils se trouvait. Mais Burn savait d'instinct que son fils serait à des lieues du Waterfront. Barnard allait le garder. Il constituait une assurance.

S'il était encore vivant.

Burn avait essayé de dire qu'il ne déposerait pas l'argent avant d'avoir vu son fils. La réponse de Barnard avait été simple : s'il ne la fermait pas et ne suivait pas ses instructions, il couperait un doigt à l'enfant. Burn l'avait fermée.

L'Américain évita un groupe de jeunes Noirs, torses nus, qui effectuaient une danse exubérante et animée avec leurs bottes de caoutchouc. Ils sifflaient et frappaient dans leurs mains, leurs bottes claquant comme des coups de feu sur les pavés. Il s'approcha de Mandela Gateway. L'embarcadère était bondé de touristes qui faisaient la queue pour prendre le bateau jusqu'à Robben Island et voir la prison où Nelson Mandela avait été incarcéré pendant vingt-sept ans. Peu après leur arrivée au Cap, Burn et Matt y étaient allés. Susan s'était excusée – elle souffrait de nausées matinales et il était hors de question qu'elle monte en bateau. En visitant la cellule exiguë de Mandela, Burn s'était senti mal à l'aise. Ça lui évoquait trop nettement l'endroit où il risquait de finir ses jours.

Il jeta un coup d'œil à sa montre. Deux heures vingt-neuf. Il réprima une envie de regarder vers le premier étage du centre commercial – boutiques de souvenirs et restaurants de spécialités africaines – où il avait dit au gardien de se poster.

Il se dirigea vers l'escalier. Il savait que Barnard ne tarderait pas à ramasser le sac. Le Waterfront avait été la cible d'attentats à la fin des années quatre-vingt-dix et le personnel de sécurité était extrêmement vigilant. Un sac abandonné y serait rapidement remarqué.

Deux heures et demie. Burn monta l'escalier, jeta un coup d'œil autour de lui et posa le sac de sport contre un pilier. Puis il se dirigea vers la passerelle sans un regard en arrière.

***

Assis sous un parasol, à la terrasse d'un restaurant allemand, Barnard avait les yeux rivés sur Mandela Gateway. Il n'avait pas touché à son demi de Pils. Il s'était dit que la bière lui donnerait l'air d'un touriste. Il portait sa casquette et des lunettes de soleil et transpirait dans son tee-shirt. Il ôta ses lunettes et essuya la sueur autour de ses yeux. Puis il consulta la montre qui lui coupait le gras du poignet. Près de deux heures et demie.

Enfin il le vit. L'Américain. Il portait un sac et se dirigeait vers l'escalier. Barnard attendrait qu'il pose le sac et s'éloigne. Puis il récupérerait l'argent et conduirait jusqu'à Paradise Park. Où il braquerait le Mossberg sur la tête de la garce métisse et du gamin américain. Et la leur ferait boucler une fois pour toutes.

Il regrettait de ne pas pouvoir tuer l'Américain en même temps. Il avait promis à son ami Dexter Torrance de le faire payer cher. Un fils mort était sans doute une punition suffisante.

Il resta assis jusqu'au moment où il vit l'Américain poser le sac et se diriger vers la passerelle. Alors il se leva, retroussa son pantalon, ajusta l'étui de son arme sous son tee-shirt et partit récolter son argent.

***

Benny Mongrel était accoudé à la rampe d'un restaurant africain du premier étage, la casquette bien enfoncée sur la tête. Il surveillait l'escalier. Il vit Burn déposer le sac et s'en aller; il garda les yeux fixés sur le sac. Puis il sentit une présence à ses côtés, sur la droite. Il posa instinctivement la main sur son couteau, puis il vit qu'il s'agissait d'une jeune Blanche aux cheveux blonds avec un sac à dos.

— Excusez-moi, pouvez-vous me dire où sont les taxis?

Aux oreilles de Benny Mongrel, son accent allemand était presque incompréhensible.

Il se tourna vers elle, lui offrant le carnage de son profil gauche.

— Casse-toi, lâcha-t-il.

Elle vit son visage, blêmit sous son bronzage et obéit.

Le regard de Benny Mongrel revint vers le sac. Envolé. Il scruta la foule et aperçut une grosse silhouette qui s'apprêtait à disparaître dans l'escalier conduisant à la rue.

Il partit en courant.

***

Burn s'approchait de la passerelle qui traversait le bras de mer lorsqu'il entendit un coup de sifflet strident et vit les portes du pont se fermer. Un yacht au mât très haut rentrait au poste d'amarrage et s'approchait du pont. Avec une lenteur pénible, le pont s'écarta devant Burn et s'ouvrit en arc de cercle jusqu'à l'autre rive.

Le yacht glissa tranquillement ; un type bronzé en short tenait la roue du gouvernail et une femme ridiculement belle sirotait un verre de vin sur le pont. Ni l'un ni l'autre ne daignèrent accorder un regard à la populace sur les rives.

Burn ne put résister à l'envie de jeter un regard par-dessus son épaule, vers le premier étage. Il vit le gardien partir en courant vers l'escalier qui menait à la rue. Il filait Barnard.

Burn ne put se retenir. Il fit demi-tour et plongea dans la foule.

***

Disaster Zondi reçut l'appel qu'il redoutait alors qu'il était au volant de sa BMW et prenait la N2 en direction du sud, vers la ville qui se blottissait au pied de la montagne. Son aspect calme et imperturbable dissimulait une grande agitation intérieure. Il devinait que Barnard était proche, si proche même qu'il pouvait presque le sentir. Il ne pouvait s'empêcher de penser qu'il marchait dans les pas du gros. Mais avec quel retard ? Il n'en savait rien.

Il avait décidé de ne rien dire au commissaire Peterson ni au reste des flics du poste de Bellwood South. Il ne pouvait pas risquer une fuite. Il savait qu'il lui faudrait plus de temps pour tout faire tout seul, mais il avait besoin de tout contrôler.

Son téléphone, fonction main libre activée, aboyait sur le siège du passager. Il jeta un coup d'œil à l'écran d'affichage. Son supérieur. Il fut tenté de laisser la messagerie prendre l'appel, mais au dernier moment, il décida de répondre.

— Zondi.

— Bonjour, Zondi.

Pour Archibald Mathebula, Zondi serait toujours Zondi. Il appelait ses autres inspecteurs par leur prénom, mais prononcer à voix haute le mot « Disaster » aurait heurté sa sensibilité. Il se serait battu à mort pour défendre le droit de Zondi à son nom, mais il évoquait un monde africain trop rural et primitif pour un homme raffiné comme lui.

— Comment c'est, au Cap ?

— Venteux, répondit Zondi.

Mathebula étouffa un rire.

— Oui, ça arrive. J'ai cru comprendre que tu avais accompli ta mission ?

— Pas tout à fait.

— Mais il y a bien un mandat d'arrêt contre ce Barnard, non ?

— C'est exact.

— Et tu as fait les recommandations nécessaires aux autres policiers ?

— Oui, c'est fait.

— Dans ce cas, il est l'heure pour toi de rentrer au bercail.

— Il reste un ou deux derniers détails que j'aimerais régler.

Mathebula abandonna le ton paternel. Sous l'extérieur affable qu'il s'évertuait à présenter, le patron de Zondi était un dur. Un tueur. Naturellement, Zondi avait fait des recherches sur son passé et savait que pendant les années de la lutte contre l'apartheid, tandis qu'il était commandant dans l'aile armée de l'ANC, Mathebula avait exécuté, et de ses mains, neuf de ses hommes qu'il soupçonnait de vendre des renseignements au gouvernement. Aucun procès, une simple balle dans la tête et une tombe anonyme dans le veld de Zambie.

— Zondi, je sais que tu as un contentieux avec ce Barnard.

— Ça ne m'influence en rien.

— Pas de vendetta, Zondi. Je t'ai laissé du mou, mais je commence à perdre patience. Ma secrétaire te contactera pour ton vol retour à Johannesburg. Je veux te voir au bureau demain matin.

— Oui, chef.

Mathebula raccrocha. Zondi jura dans sa barbe. En passant devant le parc d'attractions de Ratanga, il s'aperçut qu'un des manèges, le cobra, était bloqué en plein vol : des gens pendouillaient la tête en bas tandis que les secours essayaient de les rejoindre dans une nacelle.

Il comprenait tout à fait ce qu'ils ressentaient.

Son téléphone lui signala la réception d'un texto. Il garda une main sur le volant et jeta un coup d'œil au message. Il avait une place sur le vol de vingt heures. Il lui restait six heures pour faire ce qu'il fallait.

Mathebula avait raison. C'était une vendetta. Il voulait être présent quand Barnard tomberait, il voulait être témoin. Il ne s'agissait pas de ce « fin de deuil » que les psys à deux balles vendaient à la télé comme le nouveau remède de charlatan du XXIe siècle, cette notion floue selon laquelle on doit faire face aux événements qui ont lieu dans la vie avant de pouvoir tourner la page. Il voulait se venger. C'était aussi simple que ça.

Il voulait du sang.

***

Barnard fendait la foule à grands coups d'épaule, sourd aux reproches furieux qu'on lui adressait. Il monta sa graisse dans l'escalier et traversa un espace ouvert, son corps ruisselant comme s'il venait de passer dans un lave-auto. Il avait évité le parking payant et laissé sa Ford dans une allée proche d'une bretelle d'accès. Il ouvrit le sac de sport sans s'arrêter, juste assez pour y jeter un coup d'œil. Il était fourré de billets de banque. Il eut envie de rire. Il leva les yeux au ciel. Merci, mon Dieu.

Il s'agenouillerait et offrirait une prière de remerciements dès qu'il serait en sécurité.

***

Burn courait en évitant les touristes. Il avait perdu le gardien de vue quelques secondes, puis il l'avait vu se diriger vers l'escalier. Aucun signe de Barnard. Il grimpa les marches à toute allure en forçant sur ses jambes. Il ralentit en atteignant l'espace ouvert. Les touristes y étaient plus clairsemés, il ne voulait pas prendre le risque de se faire repérer.

Il vit le gardien, caché derrière un minibus plein de touristes qui s'approchait de la bretelle d'autoroute reliant la rue principale au centre-ville. Il l'appela sur le portable qu'il lui avait donné.

***

Benny Mongrel restait caché derrière le minibus qui roulait au pas et attendait le passage d'un énorme car de voyage organisé pour pouvoir entrer sur la voie et accélérer. Le téléphone se mit à sonner et à vibrer dans sa poche. Benny Mongrel le jeta dans le caniveau et continua de marcher. Le gros flic se retourna, mais il ne pouvait pas voir Benny Mongrel.

Puis Barnard quitta le passage et descendit son gros cul dans l'étroit escalier qui menait à la route, en contrebas. Elle bordait une cale sèche et Benny Mongrel vit un groupe de marins chinois qui piquaient la rouille de leur chalutier. L'un d'eux, voyant les seins du flic qui gigotaient tandis qu'il bondissait sur les marches, fit une remarque à son ami et ils arrêtèrent de gratter pour rire. Le flic ne s'en aperçut pas. Il se dirigeait vers une Ford marron garée devant la vieille conserverie de poisson.

Benny Mongrel savait qu'il pouvait se faire repérer sur l'escalier, mais il n'avait pas d'autre choix. S'il ne partait pas maintenant, Barnard allait s'enfuir au volant de sa voiture. Il descendit les marches deux à deux, au pas de course.

Debout devant le coffre ouvert de sa voiture, le gros flic en sueur tournait le dos à Benny Mongrel. Il jeta le sac dans le coffre, l'y enferma et se retourna. C'est alors qu'il repéra le métis, qui se ruait sur lui. La surprise, la stupéfaction même, s'afficha sur son visage. Il devait écarter sa graisse et son tee-shirt pour atteindre l'arme qu'il portait à la hanche : c'est ce qui sauva la vie de Benny Mongrel.

Ce dernier fondit sur le gros et lui envoya un coup de pied dans les couilles alors qu'il essayait de dégainer. Le flic émit un bruit d'air s'échappant d'un dirigeable et faiblit, mais resta debout. Benny Mongrel lui asséna un nouveau coup de pied, dans les côtes cette fois. Le flic tomba à genoux.

Les marins chinois s'esclaffaient, accoudés au bastingage du bateau. C'était mieux qu'un film de Jackie Chan. Benny Mongrel tenait son couteau à la main et en sortit la lame devant la poche de son jean. Le gros flic, les yeux levés sur lui, haletait et puait. Benny Mongrel fit étinceler la lame au soleil, attrapa le flic par les cheveux et lui tira la tête en arrière, la gorge à nu.

L'heure était venue de lui souhaiter bonne nuit.

Benny Mongrel sentit le canon froid d'un fusil sur sa nuque.

— Lâche le couteau, lui dit Burn.

CHAPITRE 26

Benny Mongrel se demanda s'il avait le temps d'égorger le flic avant que l'Américain ne l'abatte. Il tenait la lame contre les bajoues qui pendouillaient comme des soufflets d'accordéon sous le cou du gros, où un filet de sang zigzaguait déjà et tachait son tee-shirt. Un geste rapide, décisif, et tout serait fini. Benny Mongrel se fichait de vivre ou de mourir, mais il était hors de question qu'il meure sans que le gros flic l'accompagne en enfer.

Il reconnut le bruit d'un pistolet qu'on arme – ce n'était pas la première fois.

— Je ne rigole pas, dit Burn. Lâche ce couteau ou je te descends.

Benny Mongrel ne douta pas de la sincérité du désespoir qu'il entendait dans la voix de l'Américain. Il regarda le flic droit dans les yeux, vit sa peur, renifla la puanteur de son corps. Puis le message quitta son cerveau, parcourut son bras, atteignit ses doigts, et Benny Mongrel relâcha son emprise sur le couteau.

Il y eut un instant de silence absolu que seul le claquement métallique du couteau sur la route brisa. Puis les marins chinois, excités comme des puces, reprirent leurs bavardages.

Benny Mongrel sentit la pression du canon s'atténuer tandis que Burn reculait. Il se retourna et vit l'Américain empocher le couteau. Le gros flic, toujours sur un genou, tendit la main vers sa cheville. En un mouvement circulaire, Burn braqua son arme sur lui.

— Fouille-le, ordonna-t-il.

Benny Mongrel trouva le calibre 32 dans l'étui de cheville et le posa sur la route. Il ôta ensuite le calibre 38 à la ceinture du gros et le plaça à côté du premier flingue.

Burn tenait le gros flic en joue d'une main assurée, sans trembler.

— Où est mon fils?

Le flic ricana.

— Va te faire foutre. (Le doigt de Burn se crispa sur la détente.) Si tu me tues, tu peux dire adieu à ton petit merdeux.

— Ouvre le coffre, dit Burn au gardien.

Son arme oscillait pour tenir les deux hommes en respect. Benny Mongrel remarqua que Burn savait s'en servir.

Il ouvrit le coffre. Burn baissa l'arme à hauteur de la jambe du flic.

— Monte.

Le flic essaya de protester, Burn braqua l'arme sur sa jambe.

— Je vais tirer, je te préviens.

— Va te faire foutre, lança le flic en hochant de nouveau la tête.

Et Burn tira. La balle atteignit le flic au-dessus du genou gauche, dans la partie charnue de la cuisse, et traversa la chair sans faire de dégâts sérieux. Le flic ravala sa douleur et agrippa sa jambe. Putains de marins chinois qui hurlaient comme des singes.

— Maintenant, tu montes dans le coffre, ordonna Burn en agitant de nouveau son arme.

Du sang coulait le long de la jambe du flic, il se releva en jurant et garda tout son poids sur le pied droit. Avec une série de mouvements dont l'aspect aurait été comique dans d'autres circonstances, il réussit à charger sa carcasse dans le coffre.

— Ferme, dit Burn à Benny Mongrel.

Benny abaissa le coffre, qui se heurta à l'énorme ventre du flic, et refusa de se fermer. Il appuya de toutes ses forces. Le flic grognait et l'injuriait. Le gardien dut monter sur la voiture et s'y allonger avant d'entendre le clic de fermeture.

— Fais-moi passer les armes avec le pied.

Benny Mongrel obéit. Burn les empocha.

— Maintenant, tu prends le volant, lui dit ce dernier en lui montrant la voiture.

— Je sais pas conduire, répondit Benny Mongrel en hochant la tête.

Burn le dévisagea.

— Tu veux rire?

— J'ai jamais appris.

— Bordel! Bon, passe sur le siège passager. Doucement.

Il monta dans la Ford, Burn se glissa derrière le volant et démarra.

— Où on va? demanda Benny Mongrel.

— Chez moi. Pour le faire parler.

Burn jonglait entre le volant, la clé de contact et le revolver.

— C'est bon, dit Benny Mongrel.

— Qu'est-ce qui est bon?

— Je vais pas essayer de m'enfuir. (Burn se tourna vers lui.) Tu veux ton fils? Tu veux savoir où il est caché? (Burn acquiesça.) Je t'aide à une condition.

— Laquelle?

— Tu me laisses le cuisiner, répondit le gardien en pointant le menton vers le coffre. Pour le faire parler. Je veux m'en occuper.

Burn accepta.

— Marché conclu.

Il démarra et partit vite, le revolver coincé entre son siège et la portière.

Benny Mongrel se dit que tout s'arrangeait peut-être. Si ça se trouvait, l'Américain lui avait rendu service. Trancher la gorge du gros aurait été trop rapide, trop facile. Il avait maintenant la possibilité de prendre son temps, de mettre à bon usage les pratiques de torture qu'il avait apprises en prison.

Il s'en réjouit d'avance.

***

Burn rentrait chez lui, en bataillant avec le levier de vitesses à droite du volant. Depuis qu'il était au Cap, il n'avait conduit que la Jeep à boîte automatique. Puis il commença à prendre le coup et la coordination entre esprit et muscles se mit en place.

Alors qu'il manœuvrait la banale Ford marron dans la circulation de la grand-route de Greenpoint, il jeta un coup d'œil à son passager. Le gardien était absolument immobile, les yeux fixés droit devant lui. C'était peut-être ce que la prison enseignait : de vivre l'instant présent. De conserver son énergie pour quand on en a besoin et de se mettre en sommeil quand il faut supporter une succession infinie de jours. Burn savait qu'il risquait d'apprendre ces leçons sous peu.

Mais il n'en avait plus rien à faire. Il se sentait détaché de son ego et de ses désirs, pour la première fois de sa vie. Il comprit que la plupart de ses envies avaient été superficielles, immatures et creuses. Tout ce qui lui importait maintenant, ce sur quoi son être tout entier se concentrait, c'était sauver la vie de son fils. S'il y parvenait, il accepterait sans histoire ce que l'avenir lui réserverait.

Il rétrograda en seconde pour tourner dans Glengariff Road. La voiture força et il sentit le pot d'échappement racler sous le poids de l'énorme type dans le coffre. Il dut pomper l'embrayage et enclencher la première pour monter la colline.

Le gardien riait, sans que le moindre son ne s'échappe de ses lèvres.

Encore un de ces tours qu'on apprend en prison.

***

Barnard avait des difficultés à respirer. L'échappement de la Ford fuyait, des vapeurs nocives envahissaient le coffre ; il avait l'impression d'être dans une chambre à gaz. Sa jambe l'élançait et il sentait le sang s'écouler sous lui. Il avait sous-estimé l'Américain, il n'avait pas cru qu'il aurait assez de couilles pour presser la détente.

Il maudit sa bêtise. Il avait été trop sûr de lui. Il était habitué aux habitants des Flats, qui avaient trop peur de lui pour réagir. Mais il se jura de ne rien dire ni à l'Américain ni au métis. Ils avaient formé une alliance profane, mais ils ne tireraient rien de lui.

La voiture roula sur une bosse, il se cogna le front et le nez contre la paroi du coffre. Il sentit son nez se mettre à saigner et le sang lui couler dans la gorge. Il n'arrivait pas à bouger la tête, il était coincé comme un pâté de viande dans son moule. Le mélange de sang et de gaz d'échappement le convainquit que sa dernière heure était venue. Il allait mourir. Et, ironie du sort, il était piégé dans un coffre avec un plein sac d'argent et son passeport pour une vie nouvelle qui lui rentrait douloureusement dans les côtes.

Il tenta de ralentir sa respiration, offrit une prière à Dieu. Allez savoir pourquoi, Dieu lui parut bien lointain.

*****

Burn gara la Ford dans le garage. Le gros flic était toujours dans le coffre. La porte coulissante était rabaissée et la pièce très silencieuse, coupée du monde extérieur. Même les cris des ouvriers qui lançaient des briques sur le chantier voisin n'y entraient pas.

Benny Mongrel avait des requêtes très précises. Il voulait une chaise de cuisine assez solide pour y installer le gros flic, une bobine de ficelle en nylon, quelques chiffons, des journaux, des sacs-poubelle et du chatterton.

Et récupérer son couteau.

Burn hésita un instant et réfléchit. Puis il sortit le couteau plié de sa poche et le lui tendit. Les deux hommes montèrent à l'étage et rassemblèrent le nécessaire. Puis ils redescendirent au garage.

Burn regarda le gardien déplier les journaux. Le garage était conçu pour deux voitures, il y avait donc beaucoup de place à côté de la Ford. Benny Mongrel était méthodique, il s'assura que les bords des pages se chevauchaient. Puis il déchira les sacs-poubelle noirs et les plaça sur la couche de journaux. C'est seulement alors qu'il y posa la chaise.

Il regarda Burn et lui fit un signe de la tête. Burn braqua le calibre 38 sur le coffre. Benny Mongrel l'ouvrit. Le gros flic haletait, le visage rouge vif, une croûte de sang autour du nez et de la moustache. Il se redressa.

— Je vous emmerde, dit-il en vomissant sur son tee-shirt.

Il s'essuya la bouche du revers de la main.

— Sors.

Burn lui montra la chaise avec son arme. Le gros dut s'y prendre à plusieurs reprises pour extirper son poids de la Ford. Quand il y parvint enfin, on aurait dit une carcasse de bœuf sortie d'un camion réfrigéré. Il respirait avec difficulté et le sang de sa jambe blessée coulait dans sa chaussure.

— Assieds-toi, lui dit Burn.

Barnard refusa d'un hochement de tête. Benny Mongrel lui donna un coup de pied dans le rein droit, assez fort pour lui faire pisser le sang pendant une semaine. Le gros flic poussa un grognement de porc en rut, trébucha, réussit à ne pas tomber à genoux. Il tituba jusqu'à la chaise et s'y assit en poussant une série de grognements plaintifs. La chaise en bois protesta, mais tint bon.

Tandis que Burn menaçait le flic de son arme, Benny Mongrel le ficela à la chaise et eut vite et bien fait de lui immobiliser les bras et les jambes. Puis il lui enfonça un chiffon dans la bouche et l'attacha avec le chatterton. Il ouvrit son couteau et découpa le jean du flic au-dessus du genou gauche. Il pressa un linge contre la plaie et le scotcha. Il ne voulait pas que le gros Boer meure d'hémorragie avant d'avoir pu le travailler.

Benny Mongrel posa le couteau sur la voiture. Il déroula du tulle et le déchira avec les dents quand il en eut la longueur voulue. Il enveloppa avec soin la lame de son couteau à partir du manche et ne laissa que quelques centimètres de lame exposés.

Dans la prison de Pollsmoor, les nouvelles recrues des gangs doivent passer un rite d'initiation. Ils doivent poignarder un garde. Mais sans le tuer, il faut aller tout juste assez profondément pour le blesser. Pour s'en assurer, le « docteur » du gang, celui qui assure une fonction similaire à celui du secouriste dans une section des marines, prépare soigneusement le couteau en l'enveloppant de manière à ne laisser que la longueur de lame désirée.

Benny Mongrel n'avait jamais été « docteur », mais il avait poignardé des gardiens et ordonné à d'innombrables jeunes terrorisés de l'imiter. Il avait supervisé la préparation de la lame. Ses doigts savaient exactement ce qu'il fallait faire.

Barnard l'observait et empestait la pièce.

Satisfait, Benny Mongrel s'approcha de lui et lui montra le couteau.

— Où est mon fils ? demanda Burn en se plaçant derrière le gardien.

Barnard refusa de répondre d'un signe de tête. Benny Mongrel enfonça le couteau dans la cuisse droite du gros flic. Il y glissa comme s'il pénétrait dans le corned-beef de la prison. Le gros hurla en silence derrière son bâillon.

C'est ainsi que ça commença.

***

Disaster Zondi gravit la côte de Signal Hill au volant de sa BMW de location, le plan de la ville ouvert sur le siège côté passager. En dépassant la route principale de Sea Point, il progressa en altitude et entra dans un monde de privilèges de plus en plus exclusifs : chaque rue effectuait un bond dans les hauteurs de l'assiette fiscale. Tout y était : murs hauts, 4 × 4 et mamans blondes au service de leurs enfants. Un monde blanc.

Un coup de fil au commissariat de Sea Point lui avait permis de glaner un renseignement intéressant : des coups de feu avaient été échangés deux jours plus tôt dans la maison en chantier devant laquelle la BMW rouge avait été trouvée. Il n'y avait peut-être aucun rapport, mais Zondi ne pouvait ignorer une telle coïncidence.

Il se retrouva au coin de Mountain Road et s'arrêta devant le chantier. Le panorama était spectaculaire. On voyait des pétroliers au large de Robben Island, des yachts qui profitaient du vent près de Table Bay, le panorama s'étendant jusqu'aux monts Hottentots-Holland dans le lointain. Mais Zondi n'était pas là pour admirer le paysage.

Il enfila sa veste en dépit de la chaleur qui l'enroba dès qu'il descendit de sa voiture climatisée. Il ajusta ses lunettes de soleil et se dirigea vers deux maçons qui montaient un mur. L'un d'eux, noir et torse nu avec un corps qu'aucune salle de gym ne peut aider à sculpter, lançait tranquillement des briques à un autre homme qui, assis à califourchon sur le mur, les attrapait d'une main experte. Tout en travaillant, ils discutaient de foot en xhosa.

Zondi avait grandi en parlant zoulou, langue cousine du xhosa. Ce fut donc dans cette langue qu'il salua les hommes. Ils observèrent avec méfiance ce Noir tiré à quatre épingles dans sa voiture de luxe. Il leur demanda qui était le patron et l'un d'eux pointa du doigt un type à l'intérieur du chantier.

Zondi se faufila entre des piles de ciment et de briques et des tas de sable. Il prit soin de ne pas salir ses mocassins. Il tomba sur un jeune Blanc en short et bottes de chantier, sans chemise, très bronzé, avec des dreadlocks blondes. Il portait une ceinture porte-outils et mesurait l'ouverture d'une porte avec un mètre en fer.

— Bonjour, lui dit Zondi en s'approchant.

— Tiens, salut, répondit le type en souriant.

Zondi renifla un relent d'herbe récemment fumée.

— C'est l'architecte qui vous envoie ?

— Non, je suis l'agent spécial Zondi, dit-il en montrant sa plaque.

Le jeune plissa les yeux et songea au mégot de joint qui devait traîner au fond de sa poche.

— Que se passe-t-il ?

— Rien. J'ai entendu parler d'un échange de coups de feu ici… l'autre soir…

Le type se détendit.

— Mais ouais. Le gardien a même pris un pruneau.

Il s'essuya la main et la tendit.

— Dave Judd. Contremaître.

Zondi lui serra la main.

— Pouvez-vous me montrer où ça s'est passé ?

— Bien sûr.

Judd rembobina le mètre et le glissa dans son étui. Il mena Zondi à l'intérieur de la maison en passant sur deux planches pour gagner un escalier. Des ouvriers en salopette plâtraient les murs. Judd les évita et monta l'escalier d'un pas agile, avec le sens de l'équilibre propre au surfeur.

Il grimpa les marches qui menaient à l'étage supérieur en cours de construction.

— Ça s'est passé ici. Le clebs du type y est resté, bon sang!

— Son chien?

— Ja. Absolument. Ici même. On voit encore l'impact des balles.

Il lui montra le mur, Zondi s'approcha. L'une des balles s'était logée dans le mur pas encore plâtré.

— Je peux vous emprunter un tournevis?

— Pas de problème.

Judd détacha un tournevis de sa ceinture et le lui présenta par le manche. Zondi creusa le trou et déterra la balle. Il sortit un sachet sécurisé de sa poche, la glissa à l'intérieur et le ferma hermétiquement.

Puis il rendit le tournevis.

— Merci, dit-il.

— Pas de quoi.

— Vous permettez que je me promène un peu?

— Bien sûr, comme vous voulez. Si vous avez besoin de moi, je suis en bas, d'accord?

Zondi acquiesça et regarda le surfeur rejoindre l'escalier de sa démarche élastique; il comptait sans doute les minutes avant de pouvoir enfiler sa combinaison et glisser sur les vagues. Zondi monta jusqu'en haut, à l'étage à ciel ouvert.

Il y était seul. Il s'approcha du bord du balcon inachevé et remarqua une petite pile de mégots. Des cigarettes roulées. Il était prêt à jurer que ç'avait été le repère du gardien et de son chien. Il voulait lui parler, à ce gardien.

Il regarda la terrasse de la maison voisine. Encore une boîte aux murs élevés avec de grandes baies vitrées. Il y avait un homme sur la terrasse, le regard fixé sur le Cap en contrebas, les cheveux au vent.

Zondi redescendit l'escalier.

***

C'en était trop pour Burn. Le gardien ne manifestait aucune émotion et se concentrait sur sa tâche avec une détermination obstinée. Il enfonçait la lame avec précision dans le corps du gros, le poignardant dans la graisse, faisant couler le sang sur les sacs-poubelle et les journaux. Il avait remonté les jambes et s'était attaqué au torse colossal.

Barnard, torse nu, son énorme corps badigeonné de sang, bouillonnait sur sa chaise, les veines du front tendues comme des cordes. Il dégoulinait de sueur et de sang. Il s'était pissé et chié dessus et les odeurs mêlées à celles de son corps fétide et du sang empestaient la pièce comme un charnier.

À quelques minutes d'intervalle, le gardien enlevait le bâillon et Burn répétait sa question :

— Où est mon fils ?

Et le gros flic dégageait la frange humide et pendante de son visage et crachait ces mots entre ses lèvres ensanglantées :

— Va te faire foutre.

Le gardien le bâillonnait et le scotchait de nouveau. Puis il essuyait le couteau et reprenait le boulot : il lui enfonçait assez profondément la lame dans le corps pour lui infliger l'agonie, mais pas assez pour le tuer.

— Je vais prendre l'air, dit Burn au gardien, qui se contenta d'acquiescer en glissant l'arme dans l'épaule de Barnard.

Une lamentation s'échappa de la poitrine du flic, des larmes et de la sueur ruisselaient de son visage. Son corps se boursouflait entre les cordes.

Burn se dirigea vers la cuisine, où il s'aspergea le visage et but un grand verre d'eau. Ce gros salopard allait-il finir par craquer ? Plus ça durait, plus les chances de revoir son fils vivant s'amoindrissaient.

Il passa sur la terrasse et prit une grande bouffée d'air. Même la brise enfumée, encore chargée de relents carbonisés, lui parut douce après l'atmosphère immonde de la chambre de torture qu'était devenu son garage. Avec la scène de beauté sereine qui s'offrait à ses yeux, il avait du mal à croire que le monde continuait à tourner sans se soucier de l'univers de corruption et de douleur où il s'était fourvoyé. Puis son regard dépassa la ville et l'océan, là où la terre était plate et couverte d'une brume de smog.

Burn avait offert un tour d'hélicoptère à Matt avant Noël. Ils avaient fait le circuit touristique habituel, contourné la Montagne de la Table, longé le littoral, puis viré et survolé les Cape Flats avant de revenir. Burn avait regardé l'immense étendue de taudis et d'immeubles plantés dans les friches comme des jouets abandonnés dans un bac à sable. Debout sur la terrasse, cette étendue lui revint à l'esprit. Il savait que son fils s'y trouvait, mais… quant à savoir où…

Il perdit la notion du temps, le vent rafraîchissait la sueur sur son corps, puis il entendit une voix qui l'appelait. Il baissa la tête : un Noir, dans un costume sombre très bien coupé, avec des lunettes de soleil de luxe, le regardait.

— Excusez-moi, lui répéta l'homme, peut-être pour la cinquième fois.

Burn s'approcha de la balustrade.

— Oui. Désolé, bonjour.

— J'aimerais vous parler, si c'est possible.

L'homme brandissait quelque chose.

Burn se concentra. Une plaque officielle. Il faillit éclater de rire. Pas encore. Pas maintenant.

CHAPITRE 27

Une voix lui soufflait d'ouvrir la porte d'entrée et de tendre les poignets à ce flic noir en le suppliant de l'arrêter. De le mener jusqu'au garage transformé en chambre de torture domestique. De le prier de retrouver son garçon.

Mais il entrouvrit la porte et ordonna ses muscles faciaux en un semblant de sourire.

— Bonjour. Que puis-je pour vous?

Le Noir, dont le crâne rasé brillait au soleil, lui tendit un document d'identification. *Agent spécial Zondi. Ministère de la Protection et de la Sécurité.*

Burn acquiesça, mais n'ouvrit pas la porte davantage.

— Comment vous appelez-vous, s'il vous plaît, monsieur?

— Hill. John Hill.

— Vous êtes américain?

— En effet.

Burn fit exprès de regarder sa montre.

— Je suis pressé...

— Navré. Savez-vous quoi que soit sur la BMW rouge qui était garée dans le quartier il y a quelques jours? Devant la maison en chantier?

— Non, répondit Burn en hochant la tête.

Le flic noir réfléchit un instant avant de poursuivre.

— Vous avez peut-être eu la visite d'un autre officier de police qui vous a posé des questions?

Burn eut envie de mentir. Mais il y avait peut-être un rapport signalant le passage de Barnard. Il répondit par une variante de la vérité.

— C'est exact. Il y a quelques jours.

— Vraiment? Et cet officier s'appelait-il par hasard l'inspecteur Barnard?

Burn fit semblant de ne pas être sûr et joua l'étranger confus.

— Je me mélange les pinceaux avec tous ces noms sud-africains. C'était un costaud, en tout cas, plutôt corpulent.

— Ça correspond. Il vous a interrogé sur la voiture?

— C'est ça. Il voulait savoir si j'avais vu quelqu'un. Ou entendu quelque chose. Je lui ai dit la même chose qu'à vous.

— Vous vivez seul ici, monsieur Hill?

— En ce moment, oui. Mon épouse et mon fils se sont absentés. (Il recula.) C'est tout? C'est que je dois descendre à Sea Point. Pour aller à la banque.

— Encore une chose.

De la poche de sa veste taillée sur mesure, l'homme sortit un morceau de papier minutieusement plié. Il le déplia entre ses doigts méticuleusement soignés et le tendit à Burn.

— Connaissez-vous cette femme?

Il lui montra une impression papier des photos d'identité judiciaire de Susan prises dix ans auparavant.

Burn réussit à ricaner.

— Je crois qu'il ne vaut mieux pas, c'est le genre de femme à vous attirer des ennuis.

Le Noir lui montra une rangée de dents très blanches.

— Eh bien, merci, monsieur Hill.

— Pas de problème.

Burn referma la porte et s'y adossa une seconde, le temps de convaincre son cœur de ne pas lui bondir hors de la cage thoracique.

***

Zondi repartit vers sa voiture, activa la commande à distance, les phares clignotèrent et les portières se déverrouillèrent. Il ôta sa veste et la plia soigneusement. Puis il la suspendit à un porte-vêtement à l'arrière de la voiture. Il ferma la portière, démarra le moteur et resta les yeux clos, la climatisation au maximum.

Un Américain. Coïncidence ? Il y en avait beaucoup au Cap à cette époque de l'année. Ils fuyaient les blizzards ou, si ça se trouvait, la « guerre contre la terreur ». L'homme, Hill, n'avait rien laissé paraître en regardant les photos de l'Américaine. Il avait même plaisanté. Donc c'était soit un honnête homme, soit un menteur chevronné. Et le bout de ses chaussures, ses Reebok haut de gamme... étaient-ils éclaboussés de sang ou de boue du jardin ?

Zondi fit une minute le vide dans son esprit et sentit l'air froid glacer la transpiration de son corps. Il faut reconnaître qu'il n'ignorait pas ses tendances obsessionnelles. Il avait assez de connaissances du bouddhisme pour comprendre qu'en fin de compte, sa quête d'ordre et de contrôle ne représentait rien dans le contexte de plaisanterie cosmique qu'était la vie.

Il ouvrit les yeux. Et merde ! Il devrait peut-être succomber aux charmes du Cap pour tuer le temps avant son vol. Le vent s'était apaisé et le soleil brillait sur l'océan. Pourquoi ne pas descendre tranquillement jusqu'à Camps Bay, s'installer à la terrasse d'un café et siroter une boisson avec une ombrelle plantée dedans en regardant passer les filles ?

Sinon, il pouvait descendre au labo de la police avec le préservatif utilisé et la balle qu'il avait ôtée du mur.

Il démarra. Ce fut le labo qui l'emporta.

***

Dans la cuisine, Burn buvait un verre d'eau glacée. Il savait qu'il retardait le moment de descendre dans le garage. Il avait peur de ce qu'il allait y trouver.

Et si le gardien avait profité de l'occasion pour tuer Barnard ? L'image aérienne de l'immensité des Cape Flats lui revint à l'esprit et il imagina Matt, perdu au milieu, vivant le deuxième jour de son cauchemar. Il ressentit la terreur du garçon. Et si la seule voix qui pouvait lui dire comment le retrouver avait été réduite au silence ?

Il posa le verre et descendit l'escalier.

Il arriva dans le garage et marqua une pause pour intégrer la scène qu'il avait sous les yeux. Barnard était immobile, affalé sur l'avant, retenu par les cordes qui le liaient à la chaise. Ses nombreux mentons étaient striés de plaies, certaines récentes et saignant abondamment, d'autres bordées de sang plus sombre déjà coagulé.

Il est mort, pensa Burn. Il ne peut pas en être autrement.

Le gardien s'accroupit devant le gros flic et alluma une cigarette. Il n'accorda pas le moindre regard à Burn. Il tira une bouffée profonde et souffla une volute de fumée vers le plafond ; puis il se pencha et doucement, presque tendrement, il plaça la cigarette entre les lèvres de Barnard. Elle y pendouilla un instant, puis Burn vit le bout s'irradier tandis que Barnard inspirait. Il était vivant.

Le gardien finit par regarder Burn.

— Alors ?

— Il a parlé, répondit Benny Mongrel.

***

Le gamin la réveilla en lui tirant le bras. Carmen grogna et ouvrit les yeux ; elle sentit immédiatement sa joue pulser à l'endroit où le gros salopard l'avait frappée. Elle ne fit aucun cas du gamin, qui appelait sa maman en pleurnichant, sortit nue du lit et s'approcha de ce qui restait de glace. Nom de Dieu, elle avait une sale gueule. Elle avait la joue enflée, avec assez de couleurs pour donner un teint d'anémique à un arc-en-ciel.

Elle ne savait pas ce qui était pire, sa joue en compote ou les araignées qui lui grouillaient sous la peau. Elle se gratta, assez fort pour se griffer jusqu'au sang avec ses ongles cassés. Elle devait trouver de la came, et vite. Mais elle n'avait pas un sou, bordel. Elle avait dépensé tout l'argent de Gatsby et il avait foutu le camp sans lui en laisser davantage.

Elle s'habilla en essayant d'ignorer les plaintes du gamin. Quand elle ne put plus les supporter, poussée à bout de nerfs par ses pleurs et ses gémissements, elle écrasa une moitié de Mogadon dans une petite cuiller.

Elle lui tendit le verre.

— Bois ça, dit-elle.

Il hocha la tête, les yeux gonflés. Elle se mit à genoux, à son niveau.

— Matt, si tu bois ça, je te ramène chez ta mère. D'accord?

Il lui lança un regard méfiant.

— Tu promets?

— Crois de bois, croix de fer.

Elle se signa – Dieu lui pardonne – et le gamin but une gorgée de lait. Il grimaça. Le lait était aigre.

— Seulement si tu bois tout.

Il fit descendre le reste du lait, qui lui laissa une moustache blanche. Une minute plus tard, il était patraque. Elle l'allongea sur le lit, puis elle brossa ses cheveux ébouriffés. Et entendit bientôt les doux ronflements du gamin.

Elle devait trouver de la came, tout de suite.

En sortant, elle passa devant Tonton Fatty, toujours à la même place devant la télé, en pleine communion avec une poche de vin et vêtu de son seul slip répugnant.

— Je reviens bientôt, d'accord?

Il acquiesça, le regard perdu.

Elle partit à la chasse au tik; elle supplia, amadoua et essuya insultes et refus jusqu'à trouver Conway le débile. Elle lui mentit bêtement en lui promettant qu'il pourrait dealer pour Rikki et il finit par lui préparer une ampoule.

Elle absorba la fumée dans ses poumons et trouva la paix. Temporairement, en tout cas.

En pressant le pas pour revenir dans son ghetto, elle essaya d'estimer combien de temps elle s'était absentée. Elle n'en avait aucune idée. Et si le gros salopard était revenu et avait pris le gamin sans lui laisser d'argent? Elle se mit à courir grâce au regain d'énergie pure dû au tik.

Elle grimpa les marches en courant, déverrouilla la porte et entra. Le sofa était vide. Elle se dirigea vers la chambre et s'immobilisa sur le seuil. Il lui fallut quelques secondes pour interpréter ce qu'elle voyait.

Le petit Américain inconscient était allongé sur le dos. Tonton Fatty était à cheval sur lui et défaisait fébrilement le pantalon de pyjama du garçonnet. Son dentier était posé sur le lit à côté de l'enfant. Le vieillard se retourna vers elle, un collier de bave pendouillant de ses gencives nues.

Carmen saisit la première chose qui lui tomba sous la main : une statuette en plâtre de la Vierge Marie. Elle écrasa la vierge sur la tête de Tonton Fatty, à coups redoublés, le sang éclaboussant sa figure et son tee-shirt blanc.

***

Les morts se mirent à parler à Barnard. Ils chuchotaient en un chœur de voix surnaturelles. Ils appelaient son nom. Il dut lutter ferme pour s'éloigner d'eux, pour ouvrir ses yeux encroûtés. Un flou. Le soleil cru qui lui tranchait les yeux. Il cilla, se força à accommoder et vit les Cape Flats défiler devant lui.

Il était dans une voiture. La sienne. La Ford. Sur la banquette arrière, le visage collé contre la vitre. En dépit du soleil qui cognait et de la couverture qui l'enveloppait, il se gelait, grelottait. Il sentit sa graisse trembloter comme de la gélatine. Il était à l'agonie, pas un centimètre carré de son corps qui ne hurlait de douleur et de détresse. Il avait la bouche sèche et la langue enflée comme de la viande pourrie au soleil.

Il essaya de bouger la tête. Une douleur indescriptible lui brûla les extrémités nerveuses tandis qu'il parvenait à la tourner et à regarder devant lui. Il entendit une voix, celle de l'Américain – elle semblait venir de très loin, d'avoir traversé un long tuyau.

— Il s'est réveillé.

Barnard regarda le visage cauchemardesque, le vide de l'œil, la peau reptilienne de la cicatrice. Le gardien métis l'observait depuis le siège avant. Il tendit le bras et le repoussa en position allongée. Barnard entendit un gémissement animal avant de comprendre qu'il provenait de lui : bruit d'agonie pure, échappé de son corps.

Le métis lui recouvrit le visage avec la couverture et Rudi Barnard se retrouva seul en compagnie des morts.

CHAPITRE 28

Pas un jour ne passait sans que Fingers Morkel se réveille avec une douleur abominable dans les doigts qui lui manquaient. Ceux que Benny Mongrel avait amputés avec son couteau. Allongé dans son lit, il leva les deux moignons cicatrisés au niveau de ses yeux pour s'assurer – une fois encore – qu'effectivement, il n'avait plus de doigts. Il n'en avait plus, mais ils lui faisaient toujours un mal de chien. Les docteurs lui avaient expliqué qu'il souffrait du syndrome du membre fantôme. Qu'il ressentait des douleurs fantômes.

Ils lui avaient proposé tout un tas de suggestions à la con : placer le moignon contre une source de chaleur ou fléchir ce qui lui restait de mains pour stimuler la circulation. Un enculé de Blanc lui avait même conseillé d'imaginer qu'il exerçait ses doigts manquants. Fingers s'était imaginé en train de faire un doigt d'honneur, et des deux mains, à ce trou du cul de docteur, mais ça n'avait apaisé ni sa douleur, ni sa colère.

Il avait remédié à sa triste et pénible situation en avalant toutes les drogues possibles et imaginables. Et en s'imaginant en train de tuer Benny Mongrel.

En lui coupant les doigts, Benny Mongrel l'avait privé de nombreux plaisirs. Il ne pouvait plus braquer un flingue sur la tête d'un quelconque fumier et sentir son index se lover autour de la détente avant de le buter. Il ne pouvait plus passer les mains autour du cou d'une salope x ou y et l'étouffer à moitié avant de la violer.

Sans parler des cacahuètes. Il adorait tellement ces saloperies qu'il avait hérité du surnom de « Peanuts » par le passé. Un sobriquet qu'il préférait, de loin, à Fingers qui lui rappelait en permanence ce qu'on lui avait infligé et qui en était responsable. Il refusait de manger les cacahuètes décoquillées. Son plaisir, c'était de sentir craquer la coquille, de laisser ses doigts y trouver les deux graines, chacune dans sa petite gousse, et de les porter à ses lèvres.

Maintenant, quand il voulait des cacahuètes, il devait demander à un de ses hommes de les lui décortiquer et de les disposer en un petit tas sur une assiette en carton pour qu'il puisse la plier entre ses moignons et les faire glisser dans sa bouche. C'était humiliant. Persuadé que ses hommes se foutaient de lui dans son dos, il avait arrêté d'en manger.

Benny Mongrel. La manière dont cet affreux salopard était entré dans la taverne de Lotus la veille au soir, dont il s'était assis et l'avait dévisagé : on aurait cru qu'il le mettait au défi de tenter quoi que ce soit. Comme s'il avait encore le pouvoir dont il disposait à Pollsmoor. Il n'était rien en dehors de la prison. Que dalle. S'il ne l'avait pas tué immédiatement dans la taverne, c'était par respect pour Llewellyn Hector. Il n'avait pas voulu faire de grabuge chez lui.

Mais ça, c'était hier. Un jour nouveau s'était levé.

Après avoir inspecté ses moignons, Fingers s'assit dans le lit. Le soleil chauffait le toit en tôle de sa petite maison et il mourait de soif.

— Rashied ! hurla-t-il.

Quelques secondes plus tard, un Mongrel tatoué avec une coupe militaire passa la tête dans la chambre.

— Amène-moi du Coca. Toute la bouteille.

Tandis que Rashied s'exécutait, Fingers piégea son portable avec son pouce gauche et utilisa le droit pour appuyer sur le numéro abrégé de la messagerie. Il mit le combiné sur haut-parleur. Il y avait quelques messages de filles, qu'il ne prit pas la peine d'écouter, puis un de Leroy, le petit voyou qui vendait son tik, attira son attention. Quelque chose sur Gatsby. Et Benny Mongrel.

Fingers le repassa.

Il s'attaqua ensuite au laborieux processus consistant à composer le numéro de Leroy avec le pouce. Leroy était un petit joueur, il n'avait pas pris la peine de programmer son numéro en mémoire. Fingers tomba sur le répondeur avec une annonce qui se voulait maligne et LL Cool J qui bavassait en fond musical. Il mit fin à l'appel d'un violent coup de pouce.

Quand Rashied revint avec la bouteille de Coca, Fingers était occupé à la tâche peu commode de s'habiller.

***

Burn traversa l'immensité des Cape Flats au volant de la Ford ; la monotonie ininterrompue de la pauvreté s'étendait dans toutes les directions. Heureusement qu'il avait été forcé de laisser sa Jeep au Waterfront. Il n'y avait que des dealers pour rouler en Cherokee dans cette partie du Cap. Bien trop repérable.

Il avait déjà survolé les Flats et longé le quartier sur l'autoroute, mais il ne s'était jamais aventuré dans ces rues sordides. Toutes ces petites maisons empilées les unes sur les autres, avec des fondations instables dans le terrain sablonneux. Les indications sommaires du gardien le faisaient passer devant des rangées d'immeubles sans âme, où le vent s'acharnait à faire danser les lessives étendues au-dessus de passages en béton. Ils longèrent des terrains vagues sablonneux, des lieux de rencards où des jeunes types se blottissaient derrière des murs en béton surchargés de graffitis des gangs.

Burn avait sorti le fusil Mossberg du sac de Barnard dans le coffre de la Ford, et l'avait glissé à côté de son siège. Il en avait utilisé un à l'armée et cette puissance de feu supplémentaire le réconfortait. Il se surprit à toucher l'arme pour se donner du courage.

Il ralentit pour marquer un stop. Un garçonnet, à peu près du même âge que Matt, attendait au coin de la rue, devant une mosquée d'un bleu passé. Il faisait tournoyer un jouet artisanal composé d'un bout de ficelle avec un caillou attaché à l'extrémité. La morve noyait son nez sur son visage. Il dévisageait Burn avec une fascination hébétée.

Burn démarra en jetant un coup d'œil dans son rétroviseur. Le gros flic était à peine visible sous la couverture.

— Il est encore vivant ? demanda-t-il.

Le gardien se retourna, souleva la couverture, acquiesça et regarda droit devant lui. Burn voulait maintenir le gros en vie jusqu'à ce qu'il l'ait conduit à son fils. Après, le gardien pourrait en faire ce qu'il voulait.

Ils s'enfoncèrent encore plus profondément à l'intérieur des Flats, dans un nuage de sable que le vent projetait dans le dédale de petites maisons et d'allées étroites.

***

Zondi regrettait parfois de ne pas fumer pour s'occuper les doigts dans ce genre de situation. Il était au labo de la police et observait la technicienne penchée sur un microscope comparatif. Elle cherchait à identifier les similitudes entre la balle que Zondi avait délogée du mur du chantier et celle qui avait tué Ronnie September.

La technicienne, d'une beauté saisissante, avait la peau cuivrée par le soleil. Ses cheveux d'un noir d'encre lui couvraient le visage quand elle se penchait sur le microscope. Zondi vit en songe cette chevelure brune telle une algue sur un oreiller blanc.

Il fut soulagé d'entendre son téléphone gazouiller dans sa poche. Il décrocha en se dirigeant vers le couloir. Il écouta le flic du poste de Sea Point, hocha la tête, posa deux ou trois questions et nota un numéro de téléphone dans son carnet. Puis il raccrocha et se retrouva au bout du couloir, devant une fenêtre crasseuse qui donnait sur la ville en contrebas.

En redescendant de Mountain Road, il avait appelé le commissariat de Sea Point et demandé aux policiers s'ils pouvaient trouver quoi que ce soit sur l'Américain. Hill. Il avait fait cette requête à tout hasard – comme s'il lançait une bouteille à la mer. Il savait qu'il était maniaque, qu'il voulait tout contrôler et tout vérifier. Même les renseignements imaginaires.

Mais il avait fait mouche.

Une domestique avait été assassinée la veille dans un escalier de Greenpoint. Elle s'appelait Adielah Dollie. Elle travaillait pour M. et Mme Hill, au 38 Mountain Road.

— Agent spécial Zondi?

Il se tourna et vit la technicienne lui faire signe à l'autre bout du couloir. Elle avait des ongles longs au vernis rouge foncé. Il écarta la pensée de ces ongles labourant son dos nu pour y prélever des échantillons de peau. Il la rejoignit.

— Ça correspond, dit-elle. La balle que vous avez apportée est de calibre 38, comme celle retrouvée dans le corps de l'enfant. Les sillons et les stries sont identiques. Elles ont les mêmes caractéristiques.

C'était donc Barnard qui avait tiré sur le gardien. Et sur son chien. Mais que pouvait-on en déduire?

— Merci. Et le préservatif?

— Le test d'ADN prendra plus longtemps, répondit-elle en haussant les épaules.

— Combien en plus?

— Comptez trois mois.

— Vous plaisantez?

— Non. Il y a une longue file d'attente au labo ADN.

— Eh bien je passerai avant que ce soit mon tour. Comme je l'ai fait ici.

Elle lui sourit.

— Vous aurez peut-être moins de chance avec eux qu'avec moi. Ils sont beaucoup plus stricts.

Elle le draguait, quelque chose dansait dans ses yeux en amande. Elle attendait qu'il lui renvoie la balle.

Il s'en alla.

Arrivé au parking, il ouvrit le coffre de sa voiture et prit son portable. Il se glissa derrière le volant, démarra le moteur et resta au point mort, la climatisation à fond. Puis il alluma son ordinateur et composa le numéro de la fille de la domestique assassinée.

La conversation fut brève. Il exprima ses condoléances avec une formule toute faite, puis il demanda à Leila Dollie si elle avait déjà rencontré Mme Hill. Bien sûr qu'elle avait rencontré Susan Hill, et à plusieurs reprises. Deux Susan? C'était le genre de coïncidence qu'on n'aurait pas osé dans un roman à deux balles.

Il lui demanda si elle avait accès à un ordinateur où elle pouvait consulter ses e-mails. C'était le cas. Il lui envoya une JPEG des photos d'identité judiciaire de Susan Hill stockées sur son ordinateur. Elle la reçut et l'ouvrit pendant qu'il attendait au téléphone.

— C'est bien Mme Hill, lui confirma Leila Dollie, qui semblait perdue. Est-ce que ça a quelque chose à voir avec le décès de ma mère ?

Zondi savait, au plus profond de lui-même, que tout était relié. Mais il ne savait pas comment.

— Non, nous effectuons simplement une vérification de routine sur la famille Hill. (Il s'apprêtait à raccrocher quand une autre question lui vint à l'esprit.) Vous ne sauriez pas où je pourrais trouver Mme Hill, par hasard ?

— Aux dernières nouvelles, elle était à la clinique des Jardins.

— Elle est souffrante ?

— Non, elle est sur le point d'accoucher.

Il la remercia et resta assis dans la voiture, l'esprit grouillant d'indices déconnectés semblables à des serpents qui fuient un feu de forêt.

***

Susan Burn était alitée dans la salle de travail, préparée à la césarienne. Son gynécologue, un blond-roux d'une quarantaine d'années qui travaillait autant la politesse que son jeu de golf, avait visiblement l'habitude de voir défiler des futures mamans pour qui le risque cosmétique d'une césarienne était une question cruciale. Dans cette ville de plages et de clubs de remise en forme, personne ne voulait d'un abdomen évoquant les premiers films de Frankenstein.

Il se lança dans de grands détails sur l'incision abdominale pratiquée dans le bas-ventre, « l'incision bikini ». Elle laissait une cicatrice fine comme un cheveu qui, avec l'application d'une huile régénératrice, finirait par disparaître complètement.

Susan avait des soucis autrement plus importants, mais elle apprécia d'un signe de tête.

Puis l'anesthésiste vint lui administrer une péridurale. Elle avait demandé à rester consciente pendant la césarienne ; même si elle ne pouvait pas accoucher de manière naturelle comme avec Matt, elle voulait être témoin du premier moment de vie de sa fille.

L'anesthésiste était un costaud avec des mains de plombier, mais il fit preuve d'une douceur rassurante. Il lui demanda de se placer sur le côté et de remonter sa chemise. Il appliqua un produit anesthésiant au bas de sa colonne vertébrale, puis y enfonça une aiguille très fine. Tout cela en fredonnant un air que Susan finit par reconnaître, *Lucy in the Sky with Diamonds*, une vieille chanson des Beatles. Elle faillit rire, mais se retint de peur que l'aiguille ne se brise dans sa colonne.

Quand l'anesthésiant commença à faire effet sur la peau, le docteur fredonnant s'approcha d'elle avec une aiguille beaucoup plus grande et effrayante. Susan ferma les yeux et s'autorisa à se rappeler la conception de sa fille.

C'était après les « soucis de jeu », comme Jack et elle avaient pris l'habitude d'appeler cet épisode de leur vie. Après avoir reconnu les faits et s'être mis à table, il l'avait emmenée dans une cabane de la Sierra pour le week-end. En amoureux : la sœur de Susan avait gardé Matt.

Le week-end avait été idyllique. Ils avaient randonné dans la chaleur du jour et s'étaient réchauffés devant le feu quand la fraîcheur de la nuit était descendue sur la cabane. Ils avaient fait l'amour devant le feu. C'était ringard, romantique et kitsch, mais elle en avait savouré chaque instant. Et l'avait aimé plus que jamais. Elle lui avait de nouveau ouvert son cœur, et leur enfant avait été conçu cette nuit-là.

Quand ils étaient redescendus de la montagne, vers l'étendue tentaculaire de Los Angeles, elle avait retrouvé un regain d'optimisme. Certes, ils avaient traversé un mauvais moment. Mais ils s'en étaient sortis. Ils avaient supprimé ce cancer de leur vie et guéri leur couple.

Tout allait bien.

Naturellement, il avait recommencé à jouer. Puis il y avait eu Milwaukee et l'appel téléphonique terrifiant où il avait exigé que Matt et elle le rejoignent en Floride. Quelque chose dans sa voix excluant toute discussion, elle avait laissé le chien chez sa sœur et s'était rendue à l'aéroport avec son fils.

Ils n'étaient jamais rentrés chez eux.

La vie était devenue une succession de salons d'aéroports et de passeports distribués comme des cartes à jouer ; l'homme qu'elle avait épousé était devenu aussi étrange que les noms qui apparaissaient sur ses faux passeports.

L'anesthésiste infiltrait le liquide dans sa colonne. Il y eut un moment où le cathéter toucha un nerf qui lui déclencha un bref picotement dans une jambe ; elle ressentit ensuite un engourdissement plutôt agréable dans tout le bas du corps.

Elle se sentait comme rassurée de devoir se soumettre à ce protocole, de suspendre sa volonté, de laisser les autres tracer la voie.

Elle s'autorisa à savourer cette accalmie. Elle savait qu'elle ne durerait pas longtemps.

***

Ils étaient en plein cœur des Flats à présent, ils arrivaient à Paradise Park. Benny Mongrel se tourna une nouvelle fois vers la banquette arrière et souleva la couverture de Barnard. Sa respiration était courte et difficile, mais il était vivant.

Benny Mongrel s'y connaissait en douleur. Tout comme d'autres habitants du Cap pouvaient faire tanguer du vin sur leur langue et déployer une éloquence sans pareille pour définir sa provenance et la subtilité de son goût, il savait exactement comment évaluer les effets de la douleur qu'il infligeait.

Et il savait qu'il avait fait endurer au gros flic un calvaire encore plus dur qu'à toutes ses autres victimes. Même si les résultats, tout au moins les premiers, étaient moins affreux que pour ses précédents suppliciés : les membres du gros étaient toujours attachés à son torse, sa langue se trouvait toujours dans sa bouche et ses organes étaient toujours recouverts de muscle, de graisse et de peau. Mais en introduisant sans arrêt sa lame enveloppée pour percer chaque couche d'épiderme, s'insinuer dans la graisse et la chair sous-cutanées, sectionner des extrémités nerveuses et des tissus conjonctifs, il lui avait composé une symphonie de douleur encore plus formidable que celle jamais administrée aux autres.

Le gros avait résisté à la douleur pendant une période extraordinairement longue. Benny Mongrel en avait été stupéfait. Au premier coup d'œil, Barnard lui avait fait l'effet d'un homme qui, une fois privé de sa plaque et de son arme, ne serait plus qu'un gamin ridiculement grassouillet sans le moindre cran. Il s'était attendu à ce qu'il parle dès qu'il apercevrait le couteau. Mais chaque fois qu'il avait enlevé le chatterton de son visage, le gros flic avait répété les mêmes mots, « Va te faire foutre », comme une prière.

Puis il semblait avoir sombré dans un monde déconnecté de la réalité brutale du garage. Il avait fermé les yeux. Il avait dit un ou deux noms, puis il avait baragouiné ce qui ressemblait aux conneries des prédicateurs d'opérette surexcités qu'on croise en prison quand ils s'adressent à leurs dieux.

Benny Mongrel avait alors cru que le gros flic était foutu, que les renseignements qu'il aurait pu leur communiquer sur le gamin blanc étaient à jamais perdus. Il avait été prêt à dégager la lame de son enveloppe et à l'enfoncer, une bonne fois pour toutes, dans la gorge adipeuse. Que l'Américain se débrouille. Mais un œil du flic – il ressemblait à une mouche au milieu d'une assiette de porridge de prison – s'était ouvert et fixé sur lui. Et la voix avait sifflé de sa poitrine comme le dernier soupir d'un accordéon de pacotille.

— Tu veux le gamin ? (Benny Mongrel avait mis un moment à comprendre, puis avait acquiescé.) Alors je vais te dire où il est. Pour qu'ils ferment leur gueule.

— Qui ?

— Ces enculés de morts.

Barnard lui avait donné une adresse dans Paradise Park. Benny Mongrel connaissait l'immeuble, il avait même tué un homme dans un de ces appartements exigus de Tulip Street. Il s'en souvint très bien quand Burn arrêta la Ford à l'ombre du mur avec *vie de voyou* tagué en travers.

Benny Mongrel ne savait plus très bien pourquoi il avait accepté de les suivre. Il aurait pu terminer son boulot dans le garage et s'en aller. Mais non, il les avait accompagnés. C'était peut-être ainsi que tout devait se terminer. Il devait finir ce qu'il avait commencé.

Alors qu'il s'apprêtait à sortir de voiture, Burn lui tendit le calibre 38. Benny Mongrel refusa d'un hochement de tête. Il n'avait pas besoin d'une arme à feu. Mais Burn insista et le déposa entre ses mains.

— Prends-le.

Benny Mongrel vérifia que la sécurité était enclenchée et le glissa dans la ceinture de son jean. Puis il ouvrit la portière arrière et flanqua un coup de pied à la forme allongée sur la banquette, échouée telle une baleine couverte de sang.

*****

Les trois hommes montèrent les marches. Le gardien était en tête, Barnard le suivait en trébuchant, toujours enveloppé dans sa couverture. Burn fermait la marche. Il tenait le Mossberg contre sa jambe, le dissimulant du mieux possible. Barnard marmonnait et délirait, son énorme corps secoué de soubresauts fébriles. Ses chaussures laissaient des empreintes sanglantes dans l'escalier qui puait la pisse.

Ils arrivèrent dans un couloir ouvert au vent qui choisit cet instant pour souffler en rafales et les aveugler avec une salve de sable. Burn s'essuya les yeux et percuta le dos de Barnard. La puanteur qui s'échappa de l'homme étant plus que fétide, une remontée de bile lui brûla la gorge.

Le gardien s'arrêta devant une porte tordue et fit un signe de tête à Burn. Ce dernier leva le Mossberg. Benny Mongrel essaya de tourner la poignée. La porte était fermée à clé. Le gardien recula autant que l'étroitesse du couloir le lui permettait et donna un coup de pied haut, juste à côté de la serrure. La porte s'ouvrit brusquement et claqua contre la cloison. Burn se précipita et balaya l'intérieur de son Mossberg. La pièce miteuse était vide.

Le gardien le suivit en poussant Barnard devant lui et ferma la porte brisée. Après la cuisine vide, Burn passa la tête dans la salle de bains, puis entra dans la chambre à coucher.

Un homme était étendu sur le lit. Burn braqua le Mossberg sur lui et entra prudemment dans la pièce. L'homme, vieux et ridé comme une tortue, ne portait qu'un vieux slip souillé. Il gisait dans une flaque de sang provenant d'une plaie ouverte qu'il avait à la nuque. On lui avait éclaté la cervelle. Burn lui donna un petit coup avec le canon du Mossberg. Rien. Il était mort.

C'est alors qu'il vit un bout du haut de pyjama sous le cadavre. Il le dégagea et le brandit. Des personnages de Walt Disney sur fond bleu, maculés de sang.

Il avait vu Mme Dollie passer ce vêtement sur la tête de Matt l'avant-veille au soir. La dernière fois qu'il avait vu son garçon.

Son fils avait été retenu dans cet appartement.

CHAPITRE 29

Burn releva la tête de Barnard en tirant sur ses cheveux gras. Et le gifla de sa main libre.

— Ouvre les yeux, gros tas de merde!

Barnard respirait difficilement, mais il garda les yeux et pire, la bouche, fermés. Quand Burn lâcha sa mèche, le menton du flic s'effondra sur sa poitrine, sa chute amortie par ses colliers de graisse. Barnard était assis de travers sur le sofa défoncé, comme un bonhomme de neige en train de fondre.

Burn s'essuya les mains sur son jean. Il se tourna vers le gardien, qui fumait une cigarette près de la porte d'entrée.

— Faut que tu le fasses parler, nom de Dieu. Faut que je sache où est mon fils.

Le gardien haussa les épaules. La situation semblait lui inspirer une sorte de plaisir pervers. Burn leva le Mossberg et le braqua sur la tête du flic. Qui s'effondra sur le côté.

Ses yeux restant clos.

***

Disaster Zondi était reparti vers Mountain Road. « OK, se dit-il, t'es encore victime de ton obsession. » Il aurait pu traîner au labo et draguer la technicienne, dont les yeux en amande laissaient présager des connaissances allant au-delà des microscopes comparatifs et des empreintes balistiques.

Mais il avait préféré traverser la ville jusqu'à Salt River pour se rendre à la Sniper Security. Il voulait parler au gardien de nuit, Benny Niemand. Personne ne l'avait vu depuis la fusillade et il avait quitté l'hôpital Somerset et disparu dans la nuit. Zondi avait appris qu'il s'agissait d'un ancien détenu qui avait occupé un haut rang dans le gang des Mongrels. Un 28.

Pourquoi Barnard lui avait-il tiré dessus? Les hommes de la BMW rouge étaient des gangsters, Zondi en était sûr. Ce gardien en était un lui aussi. S'agissait-il d'un deal de drogue qui avait mal tourné? Mais pourquoi se serait-il réglé dans le cadre improbable d'une banlieue blanche et huppée du Cap? Et quel rôle l'Américain jouait-il dans tout ça?

Il tourna dans Mountain Road et se gara devant la maison de l'Américain. Il voulait lui poser une question toute simple : pourquoi avait-il menti quand il lui avait montré la photo de sa femme? La réponse à cette question permettrait peut-être de relier quelques pointillés.

Habitude oblige, il enfila sa veste avant de poser le pied dans la fournaise qu'était le Cap en fin d'après-midi. Il sonna. Rien. Il sonna encore.

Il recula de quelques pas et regarda la terrasse où il avait vu Hill un peu plus tôt. Elle était vide. Seul un faucon était perché sur la balustrade; les incendies lui avaient fait fuir la montagne pour chercher ses proies. Le rapace baissa les yeux sur Zondi, puis il déploya ses ailes, prit son envol et monta en profitant d'un courant ascendant. Et plana paresseusement.

Zondi revint vers la porte d'entrée et, tout en sachant qu'il perdait son temps, sonna une nouvelle fois. Rien. Il fit demi-tour et repartit vers sa voiture. En passant devant le garage, une marque de pneu attira son regard : elle était clairement imprimée sur la petite rampe en ciment conduisant à la route. Il s'agenouilla et frotta l'empreinte avec l'index de sa main droite, puis il inspecta le bout de son doigt. Il était taché de rouge.

C'était du sang.

***

Burn pissa dans l'infâme salle de bains, le Mossberg posé sur le réservoir de la chasse d'eau. Où était son fils ? Si le vieillard avait été brutalement assassiné, qu'était-il advenu de Matt ? Il revit le haut de pyjama ensanglanté sur le lit et son imagination s'emballa ; il dut lutter pour la maîtriser.

Le gros flic savait tout. Il devait le faire parler. C'était aussi simple que ça. Il termina, se rinça les mains pour se débarrasser de la graisse des cheveux du flic, reprit le Mossberg et sortit.

Alors qu'il franchissait la porte de la salle de bains, celle de l'entrée s'ouvrit brutalement devant ses yeux et trois hommes entrèrent. L'un d'eux, un balèze métis à cheveux ras et crâne balafré, le regarda d'un air stupéfait, puis il brandit un calibre 45 et fit un trou dans le mur à côté de la tête de Burn.

Burn laissa parler le Mossberg, la force de la déflagration plaquant le gangster sur la cloison proche de la porte. Le balèze glissa par terre en laissant une marque humide sur le mur.

***

Tandis que la porte s'entrouvrait, Benny Mongrel reconnut Fingers Morkel suivi de deux de ses hommes. Après le tir de calibre 45 et la réplique du fusil, le gardien vit un des hommes soulevé de terre comme du linge sur un fil, puis collé au mur. L'autre homme plongea sur le sofa, hors d'atteinte du fusil de Burn. Le canon de son calibre 357 chromé était braqué droit sur Benny Mongrel.

Le gardien se souvint que Burn lui avait glissé le calibre 38. Il le tira de sa ceinture et atteignit le type pile entre les deux yeux. Celui-ci le regarda bêtement et glissa derrière le sofa comme un sac d'ordures qu'on vide.

Ce qui laissa Fingers bouche bée, ses moignons cabossés en l'air, ses pouces s'agitant comme s'il souhaitait désespérément être pris en stop et s'enfuir.

Benny Mongrel sentit le couteau dans la paume de sa main.

Pas d'armes à feu pour Fingers.

***

Rudi Barnard communiait avec les morts. Il entendait leurs voix, il voyait leurs visages. Ils l'appelaient par son nom, l'invitaient à les rejoindre. Il devait lutter plus que jamais dans sa vie, lutter pour ne pas se faire entraîner par eux.

Les déflagrations lui ouvrant les yeux, il avait vu les métis et des explosions de rouge jaillir de leurs bouches béantes. Ils s'approchaient de lui, ils voulaient l'emmener avec eux rejoindre la légion des damnés.

Barnard trouva une dernière réserve d'énergie. Il bondit du sofa et se rua tête baissée vers la fenêtre du salon. Et dans une explosion de sang, de verre et de graisse, il plongea dans la lumière atroce et crue.

***

Silence. Burn s'aperçut que les échanges de coups de feu dans cet espace confiné l'avaient rendu provisoirement sourd.

Il avait vu le gros flic se lever du sofa, fracasser la fenêtre et disparaître. Il avait vu le gardien faire tomber d'un croche-pied le seul survivant du trio, survivant qui tentait d'implorer sa pitié et de prier sans ses doigts. Il avait vu le couteau du gardien refléter, sous un angle parfait, la lumière du soleil qui se levait.

— Attends, dit-il.

La voix de Burn semblait sourde à ses propres oreilles. Il braqua le Mossberg, comme une extension de son bras, sur le gardien. La lame resta en l'air.

Burn s'approcha de l'homme agenouillé et sans doigts et poussa le canon du Mossberg contre sa tempe.

— Où est mon fils?

L'homme le regarda sans comprendre. Il hocha la tête. Burn recula le canon du fusil, frappa le type en plein visage et vit de petites perles de sang s'envoler avant de retomber sur le parquet crasseux.

Il reprit l'arme pour le frapper une nouvelle fois. Il sentit la main du gardien sur son bras.

— Il sait rien.

— Qu'est-ce qu'il fait là, alors? demanda-t-il en se tournant vers le gardien.

— Il est venu pour que je le tue. C'est une vieille affaire.

Burn le crut. Pour une raison ou une autre, l'explication lui parut parfaitement rationnelle et satisfaisante. Restait la question de savoir où était son fils. Et l'homme qui connaissait la réponse venait de se jeter par la fenêtre.

Burn se précipita dehors.

***

Benny Mongrel regarda Fingers droit dans les yeux tandis qu'une immense lassitude s'emparait de lui. Il avait bien du mal à tenir le couteau. Mais il savait que pour la dernière fois, il avait quelque chose à faire.

Il tint Fingers par le menton et, avec une précision de bourreau, lui souleva la tête pour découvrir son cou et lui trancher la gorge.

— Benny Mongrel te souhaite une bonne nuit, dit-il en laissant Fingers s'effondrer.

Puis il relâcha son emprise, sentit le couteau lui glisser des mains. Outil parfaitement lesté, ce dernier tomba lame la première dans le parquet et vacilla un instant avant de finir par s'immobiliser.

Benny Mongrel était déjà parti.

CHAPITRE 30

Après avoir traversé la fenêtre dans une traînée de sang et d'éclats de verre, le gros flic avait lourdement atterri sur le sable. Il gisait sur le dos, son énorme poitrine palpitant encore, la couverture qui avait flotté derrière lui le recouvrant comme un linceul.

Les voisins et les badauds, attirés par le vacarme trop familier des petites armes à feu, avaient marqué une pause en voyant plonger le bonhomme. Et tous eurent le souffle coupé quand, la couverture remuant, ils le virent s'asseoir. Puis se remettre debout en faisant tomber la couverture.

Un type aux yeux perçants l'ayant reconnu sous le carnage, on se mit à murmurer son nom.

— C'est Gatsby.

La respiration sifflante, écumant, le gros flic sanguinolent démarra à toute vitesse dans Tulip Street comme s'il avait le diable aux trousses.

Les cris s'amplifièrent.

— C'est Gatsby!

Un garçonnet qui faisait rouler un pneu usé lui emboîta le pas, tandis qu'accoudées aux clôtures, des femmes en bigoudis suspendaient leurs cancans pour suivre des yeux cette scène démoniaque.

Un peu plus loin dans la rue, Donovan September était étendu sous une voiture garée à cheval sur le trottoir. Il réparait un pot d'échappement avec deux amis qui lui passaient des outils et lui offraient des conseils. Il tendit la main pour recevoir le tournevis, mais rien ne vint.

Puis l'un de ses amis lui dit :

— Putain, Donovan, viens vite voir ça.

Donovan glissa de sous la voiture. Il se redressa, essuya la sueur de son visage du revers de la main et n'en crut pas ses yeux. Gatsby, le flic qui avait expédié son petit frère sous terre, descendait la rue en courant, à moitié nu et couvert de sang. Les gens le suivaient comme des poissons pilotes se nourrissant d'une baleine harponnée.

Donovan prit un marteau sur le capot de la voiture et se jeta devant Gatsby. Le gros ne le vit pas et poursuivit sa course folle. Le jeune dut s'écarter pour ne pas se faire écraser par la montagne de graisse. Il tendit la jambe et Gatsby trébucha, vacilla un moment, puis s'effondra dans le sable comme une énorme bête sauvage.

Le marteau à la main, Donovan se plaça au-dessus de l'homme à terre. Il regarda ses voisins rassemblés autour de lui et entendit leurs voix qui ne faisaient plus qu'une :

— Vas-y, Donovan. Vas-y !

Il leva le marteau bien haut et l'abattit sur la tête du gros flic.

***

Carmen Fortune revenait de l'arrêt de taxi-bus ; elle se sentait toujours défoncée même si elle était consciente que la descente de tik était amorcée. Elle savait aussi qu'elle allait devoir s'occuper du foutoir dans sa chambre. Mais elle avait bien agi. Pour une fois, elle avait fait ce qu'il fallait.

Après avoir fracassé la vierge sur le crâne de Tonton Fatty, elle avait attrapé le garçon, lui avait fait enfiler un tee-shirt de Sheldon et s'était enfuie avec lui. Sans prendre le temps de réfléchir, elle s'était retrouvée dans le taxi-bus, le gamin blond sur ses genoux, à regarder défiler les rues de Paradise Park.

Le gamin était encore groggy à cause du Mogadon, ce qui était une aubaine. Elle espérait qu'il n'aurait aucun souvenir de ce que Tonton Fatty avait essayé de lui faire. Elle ne savait que trop bien comment ces souvenirs peuvent marquer la conscience comme le fer rouge sur la peau.

Elle n'avait prêté aucune attention aux regards et aux murmures des autres passagers. Elle savait de quoi elle avait l'air : d'une métisse couverte de bleus, du sang plein le tee-shirt, avec un gamin blanc dans les bras.

Qu'ils aillent se faire foutre.

Elle avait caressé les cheveux du garçon qui avait relevé la tête et essayé de fixer son regard sur elle. Le tee-shirt de Sheldon était trop petit et sale, mais c'était toujours mieux que le haut de pyjama couvert de la cervelle de Tonton Fatty.

Elle savait qu'elle l'avait tué – elle avait senti sa tête molle et visqueuse sous la Vierge Marie. Bien fait pour ce salopard. En le frappant, elle avait eu des flash-back de sa propre enfance et à certains instants, entre le tik et la rage, elle n'avait plus su si elle assommait Tonton Fatty ou son propre salaud de père.

Le taxi s'était brutalement arrêté, des passagers se pressaient pour descendre tandis que d'autres montaient. Elle avait attrapé l'enfant et poussé les autres pour sortir à son tour, là, devant l'employé qui ouvrait la portière en la reluquant.

— Je vois d'où il tient ses yeux bleus, avait-il dit en riant de ses bleus à elle.

Sans perdre son temps à lui répondre, elle avait balancé Matt par-dessus son épaule et traversé la route pour entrer au centre des services sociaux. Le gamin pesait lourd. Il avait de gros os, le loupiot.

Après être passée devant les rejets d'humanité déprimés qui attendaient patiemment une infirmière, une assistante sociale ou une aide gouvernementale, elle était arrivée devant la porte de Belinda Titus.

Elle avait frappé et était entrée sans attendre de réponse. Assise à son bureau, Belinda Titus s'appliquait soigneusement du rouge à lèvres en s'admirant dans un miroir de poche. Ses lèvres fraîchement maquillées s'étaient entrouvertes comme les cuisses d'une putain quand elle avait vu Carmen.

— Non mais, où vous croyez-vous ? Vous ne pouvez pas entrer comme ça !

Indignée, Belinda Titus avait fermé son tube de rouge à lèvres en le faisant tourner comme si elle tordait le cou de Carmen.

— La preuve que si ! lui avait renvoyé celle-ci en laissant tomber le garçon sur la chaise en face de l'assistante sociale.

— Qu'est-ce que c'est que ça ? Qui est cet enfant ?

— Il s'appelle Matt. C'est un Américain. Je crois qu'il a été kidnappé.

Puis elle s'était dirigée vers la porte. Et avait marqué une pause en l'ouvrant.

— Et c'est pas tout, avait-elle repris en promenant un doigt sur sa bouche. T'as du rouge à lèvres plein les dents.

Sur quoi elle avait claqué la porte et était repassée devant les laissés-pour-compte et les opprimés en se sentant bien mieux. Elle savait que ça ne durerait pas, mais elle s'en foutait : elle goûtait le moment tant qu'il durait.

Et là, en débouchant dans Tulip Street, elle entendit la foule avant même de la voir. C'était comme le grognement sourd d'un animal avide de sang. Elle se fraya un chemin parmi les badauds et découvrit une masse ensanglantée dans la poussière. Il lui fallut quelques secondes avant de reconnaître Gatsby. Donovan September le frappait avec un marteau, certains autres, hommes et garçons, en profitant pour le bastonner. La foule grondait son approbation, appelait à la vengeance.

Incapable de détourner les yeux, Carmen avait du mal à croire ce qu'elle voyait. Quand enfin elle parvint à se convaincre que ce qu'elle voyait était bien réel, et non pas une hallucination due au tik, sa voix se mêla à celle des autres pour exiger le sang du gros Boer.

***

Burn piqua un sprint et eut le temps de voir la foule s'agglutiner autour de Barnard et l'engloutir. Il plongea, bouscula tout le monde et se fraya un chemin grâce à l'effet de surprise que suscitaient sa peau blanche et son accent américain.

— Arrêtez ! Ne le tuez pas !

Le garçon avec le marteau leva les yeux sur lui et marqua une pause. Puis il se remit au travail et éclata la tête de Barnard comme une citrouille d'Halloween.

Burn tenta de menacer le garçon avec le Mossberg, mais des mains lui confisquèrent l'arme. Il était bousculé, injurié, et sentit un poing lui atteindre la mâchoire. Puis une pierre le touchant au-dessus de l'oreille gauche, il s'effondra. La foule devint un seul et même corps qui le souleva du sol, l'évacua au bord de son périmètre et le jeta dans le sable.

***

Berenice September, qui revenait du travail avec des courses plein les bras, arriva au moment où la foule s'écartait et permettait à l'enfant de faire rouler son pneu en son centre.

Elle reconnut le corps massif et caractéristique de Gatsby qui gisait dans le sable. Puis elle vit son fils, celui qui était sage et qu'elle aimait tant, accroupi au-dessus du corps, un marteau ensanglanté à la main.

— Donovan! Non! Donovan!

Son fils leva les yeux; l'expression qu'elle lut sur son visage lui était complètement inconnue.

Puis la foule se referma.

***

Donovan September prit le pneu que le gamin lui offrait avec grand sérieux, souleva la tête de Gatsby et passa le pneu autour de son gros cou comme un collier. Puis un jerrican d'essence circula dans la foule et Donovan en aspergea le corps du gros flic.

Gatsby était encore vivant, ses côtes palpitaient, ses mains se levaient au ciel. La foule recula de quelques pas et Donovan September enflamma un chiffon et le jeta sur Barnard.

Gatsby explosa en une boule de feu.

***

Au bord de l'attroupement, Benny Mongrel regarda la foule se jeter sur le gros flic. Chaque coup porté à ce corps obèse épanchait son propre désir de vengeance.

Ce qui se passait était juste.

Bien.

C'était pour ça qu'il était là.

Benny Mongrel regarda les flammes dévorer l'homme qui avait tué sa chienne.

***

Rudi Barnard baignait dans le lac de flammes que son prédicateur avait prophétisé. Son corps se striait de marques noires carbonisées tandis que les flammes brûlaient et traversaient ses couches de peau. Il leva les bras et accueillit les flammes, alors même qu'elles consumaient son corps dans la plus atroce agonie. Il reconnut l'instant où le salut de son âme lui serait accordé, dans un chœur de voix, celui où il ressortirait du feu, lavé de ses péchés mortels, pour être enfin récompensé.

Il promena son regard dans le lac de flammes et vit les pécheurs, les âmes damnées et condamnées à brûler en enfer pour l'éternité. Il essaya de se lever et de faire un pas vers la lumière qu'il s'attendait à voir.

Mais il n'en fut pas capable.

L'eau bouillante l'en empêchait. Les damnés s'emparaient de lui et l'enfonçaient de plus en plus profondément en enfer. Il fit une dernière tentative, essaya de se traîner vers la lumière faiblissante qui s'éloignait de lui. Puis, quand elle eut irrémédiablement disparu, il trouva enfin sa réponse.

Son dieu était mort.

CHAPITRE 31

Susan Burn était allongée au bloc opératoire, coupée en deux par le rideau stérile qui l'empêchait de voir le bas de son corps.

Disloquée, détachée, elle éprouvait une léthargie qui n'était pas seulement le résultat de la péridurale. Elle se sentait seule. Contrairement à l'accouchement de Matt, elle n'avait pas de main à serrer, pas de présence familière qui lui donnait des forces et l'aidait à surmonter la douleur. Pas de Jack pour partager son bonheur le moment venu. Le rideau aggravait son impression de dislocation et d'aliénation. Le médecin et son équipe étaient occupés derrière le rideau, tout cela lui rappelant un spectacle de marionnettes qu'elle avait vu dans sa jeunesse.

Elle entendit un vrombissement, comme un robot ménager, et l'âcre odeur de son propre corps en train de brûler lui parvint aux narines. Il cautérise mes vaisseaux sanguins, se dit-elle, en imitant le style de narration de Discovery Channel. Quand le grondement cessa, elle n'entendit plus que le cliquetis sourd des instruments chirurgicaux et les chuchotements du docteur et de son infirmière.

— Nous tenons sa tête, Susan, lui dit le médecin. J'aspire les fluides du nez et de la bouche.

Dieu merci, elle respire. Une effroyable, atroce prémonition l'avait accablée toute la journée : l'idée que le mal qu'elle avait fait avec Jack devait se payer. Et que le prix serait la vie de son bébé.

— Bien, maintenant je vais la sortir tout entière, Susan. J'ai besoin de votre aide pour ça, d'accord ?

Elle s'entendit répondre :

— D'accord. Que dois-je faire?

— Posez les mains sur le haut de votre abdomen et appuyez, c'est tout.

Elle sentit l'infirmière guider ses mains et se mit à appuyer. Ça n'avait rien à voir avec l'épreuve interminable de l'accouchement de Matt, où elle avait eu l'impression qu'on lui arrachait une partie du corps, mais au moins avait-elle le sentiment de participer à ce drame et d'être plus qu'une simple spectatrice. Elle appuya.

— C'est bon, nous la tenons, annonça le docteur.

Alors, exactement comme dans un théâtre de marionnettes, son bébé rouge et jaune, le visage écrabouillé et furieux, apparut au-dessus du rideau. Susan tendit instinctivement les bras, mais l'infirmière refusa.

— Je dois la réchauffer un peu. Je vous la rends dans une minute.

Susan fixa les lumières en écoutant les bruits d'une nouvelle aspiration. Puis l'infirmière revint avec le nouveau-né, qu'elle tendit à Susan. Elle posa bébé Lucy contre son sein et sentit les lèvres minuscules s'emparer du mamelon.

Elle se mit à pleurer et s'abandonna complètement pour la première fois depuis le jour où, en Floride, Jack lui avait appris ce qu'il avait fait de leurs vies.

***

Burn errait, hébété, au bord de l'attroupement. Il sentait des élancements dans sa tête et du sang séché derrière son oreille, là où la pierre l'avait atteint. L'odeur écœurante de la chair humaine brûlée lui arrivant aux narines, là, à travers les mouvements de foule, il vit le corps de Barnard en feu.

Après la violence de sa rage initiale, la horde s'était étrangement calmée, comme si, son geste accompli, elle devait en absorber l'impact. Ceux qui se tenaient à l'écart du regroupement commencèrent à se disperser et à s'éloigner dans les rues.

Burn se faufila dans la foule moins dense et avança jusqu'au centre. Puis il se tint au-dessus de la forme carbonisée de Barnard : visage méconnaissable, grimace des dents, bras levés, griffes noires qui se serraient. Que ç'ait été le dernier geste du gros flic ou une contraction involontaire due à la chaleur, Burn ne devait jamais le savoir.

Mais ce qu'il savait, avec une certitude absolue, c'est que le seul homme qui aurait pu le mener à son fils était mort.

Les gens commencèrent à se disperser dans l'urgence. Même les plus proches de Barnard, ceux qui avaient initié sa mise à mort, se détachèrent de l'emprise de la foule. Le jeune à peine sorti de l'adolescence qui avait tabassé Barnard et lui avait mis le feu lui jeta un dernier regard, fit demi-tour et rentra dans une maison voisine. Une femme entre deux âges l'observait du seuil. Ils se croisèrent en silence quand le garçon entra.

Burn s'aperçut qu'il entendait le vacarme des sirènes depuis au moins une minute et qu'elles n'étaient plus très loin.

Il fit demi-tour et courut vers la Ford.

Il n'avait pas la moindre idée de ce qu'il allait faire.

***

Benny Mongrel s'en alla. Mission accomplie. Il n'avait plus rien à faire là.

Au coin de la rue, près de l'arrêt de taxi-bus, il vit un homme d'à peu près son âge ; adossé au portail d'une cour encombrée, il observait les événements en fumant, mais gardait une certaine distance. Ses tatouages et son attitude étaient ceux d'un homme qui avait connu des ennuis d'assez près pour s'en tenir à l'écart.

— Il paraît qu'ils ont eu Gatsby, dit-il à Benny Mongrel.

— Ja, c'était bien lui.

— C'était le dernier des salopards.

— Le dernier de sa race.

Benny Mongrel saisit la chance qui lui était offerte.

— T'aurais pas une clope pour moi, frangin ?

L'homme sortit un paquet de Lucky Strike chiffonné de la poche de son pantalon et le lui tendit. Benny Mongrel en prit une et la glissa entre ses lèvres.

— Tu sais quoi? Gatsby m'a tiré dessus une fois, dit l'homme en allumant la cigarette du gardien.

— Ah ouais, et comment ça se fait que t'es toujours vivant?

— Il devait être de bon poil.

Avec un rire aigri, l'homme fit demi-tour et se dirigea vers son taudis en traînant la jambe.

Benny Mongrel partit dans le sens inverse des sirènes et fuma derrière sa main recroquevillée. Il n'y avait plus de vent et l'air pesait comme un lourd manteau sur les Flats.

***

Carmen Fortune s'écarta de la foule et se dirigea vers son immeuble. Elle était soulagée de ne pas avoir à expliquer à Gatsby ce qu'elle avait fait du gamin. C'était toujours ça de gagné.

Elle croisa un Blanc qui montait dans une Ford marron cabossée. La plupart des Blancs qu'on voyait dans les Flats étaient des flics, mais ce gars-là n'en avait pas la gueule. Il saignait à la tête et avait l'air désorienté. Perdu. En partant, il fit grincer la boîte de vitesses.

Elle monta l'escalier, arriva sur son palier et vit son voisin Whitey Brand sortir de son appartement avec sa télé dans les bras, comme s'il n'y avait rien de plus naturel.

— Qu'est-ce que c'est que ce bordel! s'écria-t-elle.

Whitey se contenta de la regarder et emporta la télé chez lui.

Lorsque enfin elle arriva devant son appartement, la porte était grande ouverte. En miettes comme si on l'avait enfoncée à coups de pied. Puis elle vit Shane, le frère de Whitey, dans son salon, penché sur les cadavres de types qu'elle ne connaissait pas; il était en train de piquer leur argent et leur portable.

Carmen conclut qu'elle vivait une descente de tik particulièrement désastreuse et crut fermement avoir perdu la tête. Elle ferma les yeux. Quand elle les rouvrit, Shane passait devant elle, les bras chargés. Les cadavres n'avaient pas bougé, leur sang s'écoulait sur le parquet. Et les sirènes lui tranchaient la tête avec la violence d'une scie de boucher à travers un os.

Elle fit demi-tour et partit. Elle n'avait plus rien à faire dans cet appartement.

***

Disaster Zondi examina les restes carbonisés de Rudi Barnard. L'odeur de chair humaine calcinée lui monta au nez, tout à la fois atroce et obsédante. Les vêtements avaient grillé dans la peau. Il n'avait plus de cheveux. Les chaussures avaient fondu à ses pieds. Le pneu s'était entièrement consumé ; il n'en restait plus que trois anneaux d'acier autour de ce qui avait été le cou et la poitrine de Barnard.

Il y avait des années, voire des décennies, que Zondi n'avait pas vu de supplice du pneu. La première fois, il avait seize ou dix-sept ans, c'était au milieu des années quatre-vingt, aux obsèques d'un jeune militant de Soweto. Ses camarades avaient attaqué une jeune femme qu'ils accusaient d'être une indic au service de la police. Zondi se rappela avoir été emporté par la ferveur, avoir entonné des chants pour la liberté et dansé le *toyi-toyi* tandis que la femme était lapidée et massacrée à coups de hache. Un garçon plus jeune que lui avait introduit une bouteille brisée dans le vagin de la femme. Puis on lui avait passé un pneu autour du cou et l'avait brûlée vive.

Ce supplice du pneu, loin de lui paraître effroyable et révoltant, l'avait grisé, complètement excité. Il lui avait donné une énorme sensation de pouvoir, le sien et celui d'un nombre incalculable de jeunes qui allaient réussir à vaincre l'ennemi.

Jeune homme bien de son époque, il avait troqué l'Évangile du catéchisme de son enfance pour le manifeste autrement plus attrayant de Léon Trotski. Comment pouvait-il éprouver des soubresauts de dégoût, sans même parler de culpabilité, quand c'étaient les ennemis du peuple qu'on exécutait ainsi ? Après tout, la mère de la nation, Winnie Mandela – l'épouse de Nelson –, avait publiquement applaudi leurs actes et leur avait dit qu'ils libéreraient le pays avec leurs boîtes d'allumettes et leurs pneus.

Il avait participé, de loin, à un certain nombre d'autres supplices du pneu. Il avait depuis longtemps fermé ce chapitre-là et tu les questions épineuses qu'il suscitait parfois. À présent, comme beaucoup d'autres hommes rejetés dans le XXIe siècle sans direction morale bien arrêtée, il se définissait plus par rapport à ce qu'il ne croyait pas que par rapport à ses croyances.

Mais ce supplice-là? Il devait reconnaître qu'il lui trouvait une certaine poésie.

Il entendit deux jeunes policiers métis en tenue qui discutaient de l'autre côté du ruban de scène de crime.

— Quelle mort dégueulasse!

— Ja. Je vais pas pouvoir manger de Kentucky Fried Chicken pendant une semaine.

Ils rirent et se mirent à parler du test-match de rugby que l'équipe d'Afrique du Sud devait disputer contre l'Australie ce week-end-là.

Zondi regarda Barnard une dernière fois, réussit à réprimer l'envie de danser le *toyi-toyi* dans son costume Roberto Cavalli et ses mocassins Brunori, et s'approcha des flics.

— Il fuyait quelque chose, non?

Les flics l'évaluèrent d'un coup d'œil qui frisait l'insolence, puis le plus grand lui répondit.

— Ja, il était dans cet immeuble, là-haut. Apparemment, il s'est jeté par la fenêtre.

— Conduisez-moi là-bas, je vous prie.

Zondi s'approchait déjà du fourgon de police et s'installait sur le siège du passager. Le grand flic échangea un regard avec son collègue, puis il s'assit à côté de Zondi et démarra. Ils ballottèrent sur le chemin de sable et s'arrêtèrent devant l'ensemble avec le graffiti *vie de voyou*.

Zondi descendit et leva les yeux sur la fenêtre en mille morceaux. Une couverture ensanglantée traînait dans la poussière juste au-dessous. Il vit un rideau en dentelle s'agiter dans l'appartement au-dessus de celui avec la fenêtre brisée et aperçut un vieux visage tanné qui disparaissait.

Il suivit le flic dans l'escalier. Et fronça le nez en sentant l'odeur de pisse. La porte de l'appartement à la fenêtre cassée était entrouverte. Il la poussa du bout de son mocassin, elle s'ouvrit jusqu'à buter contre un cadavre. L'agent, son pistolet de service à la main, suivit Zondi dans l'appartement.

Trois hommes morts. Tous avec le look caractéristique des gangsters. Deux tués par balle, dont un vraisemblablement par celle d'un fusil. Le troisième, qui avait eu les doigts amputés au cours de sa carrière, gisait, la gorge tranchée. Jusqu'à l'os, Zondi le remarqua.

Le flic et lui gagnèrent la chambre à coucher. Il se pencha sur le quatrième corps, celui d'un homme émacié d'une soixantaine d'années, vêtu seulement d'un slip. Sa cervelle recouvrait une statuette de la Vierge Marie tombée par terre, à côté du lit. Zondi vit un haut de pyjama d'enfant, baigné de sang et de cervelle, à côté du mort. Il remarqua l'étiquette américaine : Big Kmart.

Il se tourna vers le flic.

— Une vieille femme vit dans l'appartement juste au-dessus. Le genre à passer ses journées à regarder par la fenêtre. Demandez-lui qui habite ici et qui elle a vu entrer et sortir aujourd'hui. Et demandez-lui ce qu'elle peut vous dire à propos d'un enfant. Un garçon. Un petit Blanc. Vous m'avez compris ?

— Oui, chef, dit le flic en hochant la tête.

Il laissa Zondi explorer l'appartement. Ce dernier ouvrit une armoire dans la chambre et vit quelques vêtements de femme. Une brosse, encrassée de cheveux bruns, était posée sur une commode sous une glace brisée. La salle de bains puante ne lui apprit pas grand-chose. Quelques cosmétiques bon marché et une boîte de serviettes hygiéniques.

Zondi revint dans le salon. D'après la position des corps, les victimes avaient été abattues en entrant. Puis l'amputé s'était fait trancher la gorge.

Et à un moment donné, Barnard s'était jeté par la fenêtre.

L'agent revint.

— Elle dit qu'une femme habite ici. Une petite vingtaine d'années, à peu près. Carmen quelque chose, elle se rappelle plus son nom de famille. Le vieux, c'est son oncle. Un alcoolo, d'après elle. Elle a vu trois types entrer ; l'un d'eux était blanc. Puis trois autres. Métis. Des gangsters, d'après elle.

Zondi acquiesça.

— Ces trois-là.

— Elle dit qu'elle a vu la femme, Carmen, s'en aller avant que tous ces types arrivent. Elle est partie avec un garçon. Un Blanc à cheveux blonds.

Zondi prit son portable et appela le quartier général de Bellwood South. Il demanda au sergent de service de lancer un avis de recherche pour le garçon.

— Mais sir, dit le sergent. Ce garçon est ici, il est assis à côté de moi.

***

Burn traversa le ghetto tentaculaire sans savoir où il allait ; il voulait seulement s'éloigner le plus possible des cadavres. Le vent avait repris et déposait une gaze de poussière dans les Flats, gaze qui dissimulait la Montagne de la Table, le seul repère qui lui permettait de s'orienter. Il avait donné son calibre 38 au gardien et la foule lui avait ôté le Mossberg des mains. Il était seul et sans armes dans un des endroits les plus violents de la planète.

Il stoppa à un croisement. Un taxi s'arrêta à côté de lui, les passagers baissant les yeux sur lui. Il redémarra et faillit rentrer dans un vieux pick-up cabossé. Les hommes l'insultèrent. Il s'en aperçut à peine.

Peut-être était-il parti de l'immeuble trop vite. Peut-être aurait-il pu y trouver quelqu'un qui savait où se trouvait Matt. Il aurait pu offrir de l'argent. Il lui restait toujours un million en monnaie locale dans le coffre de la voiture.

Mais bon Dieu, se dit-il, si tu retournais là-bas, en admettant même que tu arrives à retrouver ton chemin, tu te ferais arrêter ou assassiner. Et tu es la seule personne qui a une idée même minime de ce qui est arrivé à ton fils.

Il passa devant un groupe de jeunes, qui lui crièrent quelque chose. L'un d'eux lança une canette de bière qui rebondit sur la vitre arrière de la Ford. Sans le gardien, il ne savait absolument pas comment sortir de là.

Il était perdu.

CHAPITRE 32

Dès qu'il entendit l'accent américain du garçon, Zondi fut convaincu qu'il s'agissait du fils de l'homme qui se faisait appeler Hill. Forcément. Il y avait trop de coïncidences.

L'enfant, assis sur le guichet du bureau des plaintes, était vêtu d'un tee-shirt souillé et d'un bas de pyjama. Zondi avait vu le haut du même ensemble dans l'appartement. Les cheveux de l'enfant étaient collés sur un côté par une substance qui ressemblait à du sang. Il réclamait sa mère en reniflant et en sanglotant.

Avec son accent inimitable.

Une femme très collet monté, cheveux tirés et traits encore plus tirés, se tenait à côté du garçon, dans le bureau des plaintes. Elle languissait visiblement de se débarrasser de lui et de filer. L'agent de service enregistrait sa déposition avec une lenteur pénible.

— Comment ce garçon est-il arrivé ici? demanda Zondi.

Immédiatement méfiante envers cet étranger très noir de peau, la femme le regarda de la tête aux pieds. Il lui fit entrevoir sa plaque avant de répéter la question.

— Je m'appelle Belinda Titus. Je suis assistante sociale. C'est une fille, dont je me suis occupée, qui me l'a amené. Elle a refusé de me dire où elle l'avait trouvé.

— La fille s'appelle-t-elle Carmen?

— Oui. Carmen Fortune.

Zondi n'avait aucune patience avec les enfants, mais il se fabriqua un sourire en se tournant vers le garçon.

— Comment t'appelles-tu, petit?

— Il dit s'appeler Matt, répondit la femme.

Le sourire de Zondi se figea quand il se tourna vers elle.

— Merci, mais laissez-moi prendre les choses en main.

Il arracha un stylo et une feuille de papier des mains du flic au guichet et les glissa au garçon. Ces gamins américains étant précoces, il décida de lui lancer un défi.

— Je parie que tu ne sais pas écrire ton nom.

Le garçon le regarda à travers ses larmes et s'essuya le nez d'une main crasseuse.

— Même que si.

— Tu aimes les glaces? (Le gamin acquiesça.) D'accord… si tu réussis à écrire ton nom, je t'en achète une. Ça marche?

L'enfant prit le temps de réfléchir, puis il s'empara du stylo, se concentra et, en tirant un peu la langue, il s'appliqua sur le papier. Son écriture n'était guère pire que celle du flic de l'accueil. Zondi examina le papier.

— Matt Burn?

Le gamin fit oui de la tête.

Zondi fouilla dans sa poche et en sortit la même photo d'identité judiciaire qu'il avait montrée à l'Américain. Et la lui montra.

— Qui est-ce, Matt?

— C'est ma maman, dit l'enfant en se remettant à brailler.

Zondi le souleva du guichet. Il devrait faire nettoyer son costume. Le gamin puait et avait déjà fait une tache de morve sur son épaule.

— Je prends le relais, annonça-t-il à la femme.

— Cet enfant a besoin d'un examen médical, dit-elle en craignant que son rôle d'invitée dans ce petit drame finisse en eau de boudin.

— Je l'emmène à l'hôpital, ne vous en faites pas.

Zondi conduisit le garçon jusqu'à sa voiture, l'installa sur la banquette arrière et fit de son mieux pour attacher sa ceinture. Puis il sortit le portable du coffre et se connecta à l'Internet. Il lui fallut moins de deux minutes pour découvrir que Jack et Susan Burn étaient recherchés par la justice.

Il ne savait pas où était Jack, mais il était à peu près certain de pouvoir trouver Susan.

Mais avant toute chose, il devait trouver une glace.

***

Allongée dans la salle de repos, Susan Burn allaitait son bébé. Une perfusion lui diffusait un analgésique dans le corps. Elle ôta Lucy de son sein et la garda au creux de son bras. Elle ne ressentait rien. Elle était vide. Dépourvue de volonté. Elle attendait qu'il se passe quelque chose.

Elle prit conscience d'une altercation devant la salle de repos. La voix de l'infirmière, pressante et agitée, et une voix d'homme, catégorique. La porte s'ouvrit et l'infirmière entra.

— Je suis navrée, Susan, mais un policier est ici et il insiste pour vous parler.

Susan s'assit. L'attente était terminée.

— D'accord, faites-le entrer, s'il vous plaît.

Un grand Noir en costume sombre entra. Il portait Matt. Son fils était crasseux et il y avait des croûtes de sang dans ses cheveux clairs. Dès qu'il vit sa mère, Matt tendit les bras et se mit à pleurer. Rien ne pouvait plus surprendre Susan. Elle prit son fils dans ses bras.

L'homme posa délicatement Matt sur le lit à côté de Susan. Elle étreignit son fils en fixant l'homme derrière lui. Ce dernier se tourna vers l'infirmière.

— Laissez-nous seuls, s'il vous plaît.

— Elle vient juste d'être opérée. C'est tout à fait irrégulier.

— Je n'en ai pas pour longtemps.

L'infirmière partit à contrecœur.

L'homme montra sa plaque à Susan.

— Je suis l'agent spécial Zondi, dit-il. Ministère de la Protection et de la Sécurité. (Elle acquiesça.) Vous appelez-vous Susan Burn ?

Elle se sentit soulagée. C'était fini. Enfin.

— Oui. Êtes-vous là pour m'arrêter ?

— Non, ce n'est pas dans mes attributions. J'ai retrouvé votre fils et je voulais vous le ramener. L'identifier formellement.

— Que lui est-il arrivé ?

Zondi resta debout.

— Je dois partir maintenant. Je vais demander à l'infirmière d'examiner votre fils et de le laver.

— Où est mon mari ?

— Je n'en ai aucune idée, madame Burn.

Susan le dévisageait.

— C'est tout ? Vous allez partir… comme ça ?

— Oui.

— Attendez. Racontez-moi ce qui s'est passé. Où avez-vous trouvé Matt ?

Il la regarda.

— Je ne sais pas ce qui s'est passé précisément. J'ai l'impression, mais je peux me tromper, voyez-vous, que votre fils a été kidnappé. Votre mari a sans doute essayé de le récupérer, mais le petit a été relâché dans les Flats.

Susan essayait de digérer ces informations à travers son nuage de calmants.

— Matt a été enlevé ?

— Oui, je pense que oui.

— Et Jack, mon mari, a essayé de gérer la situation tout seul ?

— Il semblerait que oui.

— Mon fils aurait pu être tué ?

— C'était une situation dangereuse, oui.

Susan sentit Matt pleurer, son corps secoué de sanglots. Puis elle sentit une colère fulgurante, dévorante, comme un feu qui la brûlait de l'intérieur.

— Je suis désolée, j'ai oublié votre nom, dit-elle.

— Zondi.

— Monsieur Zondi, aidez-moi, s'il vous plaît. Aidez-moi à venir à bout de tout ça.

Il la fixa des yeux. Puis il acquiesça.

***

Burn avait distingué la Montagne de la Table au loin, à travers la fumée, ce qui lui avait permis d'atteindre enfin l'autoroute. Il rentrait au Cap. Il était décidé à se rendre au poste de police de Sea Point et à signaler l'enlèvement de son fils. Il savait qu'ils découvriraient presque forcément la vérité sur lui, mais il s'en fichait. Il devait retrouver Matt. S'il n'était pas déjà trop tard.

Alors qu'il s'approchait d'Hospital Bend en laissant l'étendue de la ville et du port à ses pieds, son téléphone sonna. Quand il vit le nom de Susan sur l'écran, il faillit ne pas répondre. Comment lui faire face à cet instant ? Mais il prit l'appel.

— Susan. Comment vas-tu ?

— Je vais bien, Jack. Nous allons bien.

— C'est fini ?

— Oui.

— Et le bébé va bien ?

— Elle est superbe.

— Je suis heureux, Susan.

Elle l'interrompit.

— Jack, Matt est avec moi.

Il crut qu'il hallucinait.

— Qu'est-ce que tu viens de dire ?

— Je t'ai dit que Matt était avec moi. Un policier l'a trouvé dans les Cape Flats.

— Mon Dieu, Susan, je suis désolé…

— Chut, Jack. Ne dis plus rien. Contente-toi de venir. Tout de suite.

— D'accord.

Il éprouva un soulagement fulgurant. Son fils était sain et sauf. Son bébé était vivant. Sa femme lui demandait de la rejoindre.

— Jack, tu viens ? Tu vas venir auprès de nous ?

— Oui.

— Tu me le promets ?

— Je te le promets.

CHAPITRE 33

Carmen Fortune resta longtemps assise à l'arrêt des taxi-bus, au milieu des cars et les « Caaaaaaaaaape Teeeeeeeuuuuunnn » caractéristiques des contrôleurs de bus l'exhortant à monter. Elle les ignora.

Il faisait encore jour, il était sept heures à peine passées, le soleil martelait déjà les Cape Flats.

Puis elle se leva instinctivement et parcourut la petite distance qui la séparait de la rue où elle avait grandi. Protea Street. Elle hésita et faillit tourner les talons avant de trouver le courage de s'approcher de la maison de son enfance cauchemardesque. Une masure délabrée entourée d'une clôture en fil de fer affaissée, à l'image de centaines d'habitations voisines.

Carmen n'était pas rentrée chez elle et n'avait pas parlé à ses parents depuis que sa mère l'avait mise à la porte, six ans plus tôt. Avant même de pouvoir s'arrêter, Carmen ouvrait le portail, traversait l'allée et frappait à la porte.

Celle-ci s'entrouvrit sur le visage de sa mère. Carmen résista à l'envie de s'enfuir en courant.

Contrariée, sa mère la fusilla du regard.

— Qu'est-ce que tu viens faire ici ?

— Je veux le voir.

— Tu n'as rien à faire ici. Retourne à la rue, c'est ta place.

Elle voulut lui fermer la porte au nez. Carmen la poussa et la força à reculer. Puis elle descendit le couloir en direction de la chambre principale, les mains de sa mère accrochées à son dos.

Carmen pivota et lui fit face.

— C'est vrai qu'il va mourir?

Sa mère perdit contenance.

— Ja. Il n'en a plus pour longtemps.

— Alors, j'ai le droit de lui dire adieu.

Sa mère ne répondit pas, mais céda, vaincue. Carmen entra dans la chambre sans frapper.

Un squelette à la peau grise et aux yeux creux était étendu sous un drap. Carmen eut du mal à associer cette forme émaciée au poids qui avait grogné et sué en forçant son petit corps, nuit après nuit.

Ce fut la voix qui lui permit de faire le lien.

— Carmen. Tu es venue.

La voix avait faibli, mais c'était bien celle qui avait déversé des immondices dans ses oreilles lorsqu'il la violait. C'était bien son père.

Elle s'approcha, se dressa au-dessus de lui et baissa les yeux.

Il ébaucha un sourire, qui dévoila ses gencives en forme d'entonnoir.

— Carmie, le bon Dieu a exaucé mes prières.

— Ja. Vraiment?

— J'ai prié le ciel que tu viennes me dire adieu avant mon départ.

Les yeux de son père débordaient de peur et d'auto-apitoiement. Il n'allait pas facilement à la mort.

De sa main comme une griffe, il tentait de prendre celle de Carmen. Elle la frappa et approcha son visage du sien.

— Tu peux oublier tes bondieuseries, espèce de salopard. Tu penses que Dieu est prêt à te pardonner d'avoir violé ta propre fille pendant des années, de l'avoir engrossée deux fois et de l'avoir foutue à la porte?

Elle vit la terreur envahir les yeux de son père tandis que sa bouche édentée et affaissée cherchait ses mots. Sa mère guettait dans l'obscurité près de la porte. Carmen l'entendit prendre une brusque bouffée d'air.

— On sait tous les deux que tu vas pourrir en enfer pour les saloperies que tu m'as faites, dit-elle.

Puis elle lui rit au nez et bouscula sa mère en sortant.

— Et toi, sale garce, tu mérites pas mieux.

Et elle fuit l'atmosphère d'oppression et de terreur. Et resta dans la rue, où elle prit de grandes bouffées d'air pour tenter de se calmer. Quand elle partit enfin, le ciel semblait plus bleu.

***

Disaster Zondi prit l'autoroute jusqu'à l'aéroport. Les taudis et les cabanes délabrées des Cape Flats s'étendaient de chaque côté dans l'obscurité naissante.

Alors, comment se sentait-il, maintenant que tout était réglé ?

Il essaya le mot à la mode à la télé : fin de deuil. Était-ce ce qu'il éprouvait ? Il se sentait plus léger, c'était indéniable, mais il éprouvait aussi une certaine déconvenue. Désirait-il une sensation plus poignante ?

Plus transcendante ?

Ce qu'il entendait, c'était le craquement de la roue karmique qui tournait. À chaque action, il y aura une réaction et tu ferais mieux de le croire. Comme ce Jack Burn, cet Américain qui, parmi toutes les villes du monde, avait choisi de se réfugier au Cap. Son sort aurait-il été différent s'il avait parachuté sa famille dans les valeurs sûres de la classe moyenne de Sydney ou d'Auckland ?

La roue aurait forcément tourné, mais sans doute de manière plus banale.

Quant au fait que Rudolphus Arnoldus Barnard avait été expédié dans le vaste barbecue des cieux… la chute de cette farce cosmique était irrésistible.

Il rit.

Et se mit à siffloter en se dirigeant vers le terminal des départs nationaux. Il éprouvait un sentiment inattendu, une sensation qui lui était étrangère. Après une minute d'intense méditation, il en conclut que, si ça se trouvait, c'était peut-être du bonheur.

***

À l'aube, Benny Mongrel suivit un sentier qui montait dans les pentes de la Montagne de la Table, gravé dans la broussaille telle une cicatrice dans une tignasse ébouriffée.

Dès qu'il s'était éloigné de l'horreur calcinée qu'avait été le gros flic, il n'avait plus eu la moindre envie de retourner dans son taudis exigu de Lavender Hill. Il avait passé trop d'années dans des espaces confinés, à respirer un air vicié et pollué par la pestilence, les gémissements et les maladies des autres.

Il était donc parti dans la montagne.

Il y avait trouvé une avancée rocheuse pour s'abriter, pas loin d'un ruisseau qui continuait à couler en dépit de la chaleur. Il était redescendu près des grandes villas à flanc de colline, leurs jardins de derrière arrachés à la montagne. En dépit des hautes palissades et des clôtures terminées en lames de rasoir, il avait réussi à repartir avec une chemise et un jean décrochés sur un étendage. Il n'avait besoin de rien d'autre.

En escaladant le sentier, il aperçut un mouvement dans les buissons et ralentit le pas. Il ramassa une pierre et avança à pas de loup, certain de trouver un daman pour son petit déjeuner.

Les buissons s'écartèrent et un chiot à l'épaisse fourrure dorée s'en échappa. Il était trop jeune pour se méfier des hommes ; il remua la queue et se pissa dessus tant il était heureux de voir Benny Mongrel.

Ce dernier s'agenouilla et le prit dans ses mains. Le chiot le lécha et se tortilla comme un ressort qui se détend ; il voulait lui monter dessus pour lui lécher la figure. Il avait de grosses pattes, Benny Mongrel comprit qu'il deviendrait un gros chien. Un chien de la taille de Bessie.

Il caressa le chiot et apprécia la douceur des poils de son dos. Puis il éprouva un sentiment qui l'effraya : son cœur dur comme la pierre s'adoucissait.

Il reposa délicatement le chiot. Se redressa, récupéra ses vêtements volés et reprit son escalade. Il ne regarda pas une seule fois en arrière pour voir le chiot tenter de le suivre un instant, puis s'arrêter, s'asseoir et se gratter l'oreille.

Benny Mongrel était libre.

***

Allongée à la clinique, Susan nourrissait son bébé. Matt était étendu à côté d'elle, endormi, propre, vêtu d'un pyjama d'hôpital amidonné. Quand l'infirmière lui avait amené Lucy pour la première tétée du matin, Susan avait aperçu un policier en tenue derrière la porte.

Susan savait que la prochaine étape de sa vie n'allait pas être facile. Un représentant du consulat des États-Unis était venu la veille au soir, un beau gosse mielleux qui semblait avoir été arraché à sa partie de tennis. Il lui avait annoncé qu'elle serait escortée aux États-Unis dès qu'elle aurait repris assez de forces pour voyager. Sans même parler du procès et – si elle avait de la chance – de la période de liberté surveillée qui le suivrait, elle serait confrontée à des questions d'ordre pratique très réelles. Comme l'argent – ou plutôt le manque d'argent.

Leur maison de Los Angeles avait été saisie et leurs comptes bancaires gelés. Susan était fauchée. Elle n'avait pas travaillé depuis son mariage avec Jack Burn et savait que la vie de mère célibataire serait dure. Mais ça ne faisait rien ; ses enfants étaient vivants et à ses côtés. Contrairement à son mari.

Matt s'éveilla et la regarda.

— Tu veux boire quelque chose, Matty ?

Il fit non de la tête, s'accrocha à sa main et suça le pouce de son autre main. Elle le lui ôta doucement de la bouche. Il n'avait pas dit un mot depuis que Zondi le lui avait ramené la veille au soir. Il lui était arrivé quelque chose pendant ces deux jours dans les Cape Flats. Il avait été examiné à l'hôpital et, à part une bosse sur la tête, aucun signe de violence physique n'avait été détecté. Il avait paru un peu groggy, une analyse de sang confirmant qu'on lui avait administré des sédatifs, mais pas assez pour mettre ses jours en danger.

Susan, elle, savait que son fils avait été blessé à un niveau plus profond, invisible. Le genre de blessure capable de transformer un gamin heureux et extraverti en une ombre apeurée de ce qu'il a été.

Maudit sois-tu, Jack, s'entendit-elle dire. Maudit sois-tu, où que tu sois.

***

Le pneu éclata au nord d'une ville aride que Burn avait traversée si vite qu'il n'avait pas eu le temps d'en voir le nom.

Il fuyait depuis la veille au soir. Depuis l'appel de Susan. Depuis qu'il lui avait menti une dernière fois en sachant que les flics l'attendraient à la clinique. Il s'était accordé une minute de soulagement en apprenant que Matt était sain et sauf et en assimilant la nouvelle de la naissance de sa fille, puis il était parti plein nord au volant de la Ford cabossée de Barnard et avait conduit toute la nuit.

Le matin venu, il s'était retrouvé quelque part dans le désert du Kalahari, étendue infinie de sable rouge et d'arbres préhistoriques tendus comme des poings sur les dunes jusqu'au ciel sans nuage. La route était droite et plate, ruban noir et miroitant déroulé dans le sable. Il n'avait pas senti de chaleur aussi sèche depuis l'Irak. Chaque respiration lui brûlait la gorge et les poumons.

Il était épuisé, mais il ne pouvait pas s'arrêter. Il ne fuyait pas seulement les flics ; il fuyait ses souvenirs. Les images de Susan, de Matt et les clichés fugaces et imaginaires de sa petite fille menaçaient de se dissoudre et de disparaître. Plus il serait loin de sa famille, mieux elle se porterait. C'était sa seule certitude.

Un semi-remorque sortit de la brume de chaleur et glissa vers lui, l'appel d'air secouant la Ford et le sortant de sa torpeur.

Il but l'eau d'une bouteille en plastique et s'aspergea le visage. Il n'avait pas de plan précis. Il savait seulement qu'il devait quitter l'Afrique du Sud, entrer dans le Botswana voisin et prendre le premier avion. Peu importait la destination. Il devait s'éloigner le plus possible du Cap. Il avait l'argent, un passeport au nom de William Morton et savait que la frontière entre les deux pays serpentait au milieu d'un désert impossible à contrôler. Il avait de grandes chances de ne pas avoir d'ennuis avec les agents de l'immigration.

Il n'avait qu'à garder le pied au plancher. Continuer.

Il entendit une mauvaise version de *Good Vibrations* avant de s'apercevoir que c'était lui qui la chantait. Quand il se surprit à attendre que Matt se joigne à lui pour le refrain, il la boucla.

Juste à temps pour entendre l'explosion, juste avant de sentir la Ford virer brutalement sur la gauche. Il essaya de la redresser, de ne pas quitter la route. Mais les pneus avaient atteint les gravillons du bas-côté et la voiture lui échappait des mains, se renversait et faisait des tonneaux dans une danse de métal déchiré, de verre et de sable rouge sang.

La dernière chose qu'il vit fut le soleil qui l'aveuglait.

Puis plus rien.

*Je tiens à remercier
ma directrice littéraire, Sarah Knight,
et mon agente, Alice Fried Martell.*

Photoc

Impress
pour le
31, rue

N° d'éd
N° d'im
Dépôt l
Imprimé en France.